UNE PLACE AU SOLEIL

Pour les sans-voix – Volet 3

Catalogage avant publication de Bibliothèque et Archives nationales du Québec et Bibliothèque et Archives Canada

Duff, Micheline
Pour les sans-voix
(Tous continents)
Sommaire : t. 3. Une place au soleil.
ISBN 978-2-7644-2344-8 (v. 3) (Version imprimée)
ISBN 978-2-7644-2530-5 (PDF)
ISBN 978-2-7644-2531-2 (ePub)
I. Titre. II. Titre : Une place au soleil. III. Collection : Tous continents.
PS8557.U283P68 2011 C843'.54 C2011-941103-2
PS9557.U283P68 2011

Conseil des Arts du Canada Canada Council for the Arts

SODEC Québec

Nous reconnaissons l'aide financière du gouvernement du Canada par l'entremise du Fonds du livre du Canada pour nos activités d'édition.

Gouvernement du Québec – Programme de crédit d'impôt pour l'édition de livres – Gestion SODEC.

Les Éditions Québec Amérique bénéficient du programme de subvention globale du Conseil des Arts du Canada. Elles tiennent également à remercier la SODEC pour son appui financier.

Québec Amérique
329, rue de la Commune Ouest, 3e étage
Montréal (Québec) Canada H2Y 2E1
Téléphone : 514 499-3000, télécopieur : 514 499-3010

Dépôt légal : 2e trimestre 2013
Bibliothèque nationale du Québec
Bibliothèque nationale du Canada

Révision linguistique : Line Nadeau et Eve Patenaude
Montage : Andréa Joseph [pagexpress@videotron.ca]
Photographie en couverture : Anna Kaminska/shutterstock.com

www.quebec-amerique.com

Imprimé au Canada

MICHELINE DUFF

UNE PLACE AU SOLEIL

Pour les sans-voix – Volet 3

Québec Amérique

Mis à part la lettre authentique servant de premier chapitre, les personnages et les situations de ce roman sont purement fictifs, et toute ressemblance avec des personnes ou des situations existantes ne saurait être que fortuite.

Ce n'est pas parce que tu es un vieux pommier que tu donnes de vieilles pommes.

Félix Leclerc

J'ai appris que tout le monde veut vivre au sommet de la montagne sans savoir que le véritable bonheur réside dans la manière de l'escalader.

Éric-Emmanuel Schmitt

J'ai appris qu'un homme n'a le droit d'en regarder un autre de haut que pour l'aider à se lever.

Éric-Emmanuel Schmitt

À Jean-Baptiste, Pierre et Monique

NOTE DE L'AUTEURE

Je n'ai pas écrit le premier chapitre. Je m'apprêtais justement à en entreprendre la rédaction le jour même où j'ai reçu, par la poste, le témoignage vécu, réel et ô combien bouleversant de l'un de mes lecteurs tout à fait inconnu mais fidèle à m'envoyer ses commentaires après avoir parcouru chacun de mes romans. Par un hasard béni des dieux, ses confidences criantes de vérité et fort bien écrites convenaient parfaitement à la trame de ce roman qui habitait déjà mon esprit depuis quelques mois. En effet, Vincent de Bellefleur, personnage sorti tout droit de mon imagination, aurait très bien pu vivre un tel drame et écrire ce récit pathétique au terme de son adolescence.

Avec sa permission, naturellement, l'idée m'est venue de transmettre intégralement et sans rien y changer, la touchante confession de ce lecteur en guise de premier chapitre. Sa dédicace, au terme de sa narration, a achevé de me conforter dans mon initiative :

> *Je dédie ce texte à tous mes frères qui, comme moi, se découvrent différents et doivent se battre pour ne pas trop en arracher avec le bonheur de vivre leur vie.*

B. B.

En espérant voir ce témoignage ouvrir la porte sur la compréhension d'un certain monde marginal trop souvent sans voix, je joindrai, tout au long de ce roman, une autre voix, soit celle des hommes et des femmes de plus en plus nombreux dans notre société actuelle, dont l'âge enneige la chevelure et refroidit dramatiquement l'existence au fil du temps : les aînés.

Voici donc cette lettre en guise de premier chapitre.

CHAPITRE 1

Une croix de branches sur la neige

Je fais une importante année d'études, au secondaire 5, un diplôme nécessaire y étant rattaché. J'aurai bientôt 18 ans, le bel âge. Le plus beau printemps de ma vie s'en vient… Pourtant, rien ne va plus, je suis submergé par de sérieux problèmes. Mes notes scolaires sont dangereusement à la baisse, je perds l'appétit, je ne dors presque plus. Que se passe-t-il donc?

Je viens de tomber en amour… avec un garçon! Eh oui, je savais déjà que j'avais une attirance très forte pour les gens de mon sexe, mais là, que je sois amoureux et dans la nuance «fortissimo», pour employer un terme de musicien, cela me fait chavirer. Pour comble de malheur, ou de bonheur, selon le point de vue où l'on se place, je partage la même chambre que lui à la résidence du collège.

Que faire? Comment sauver mon année scolaire? Quoi dire? Et surtout, à qui le dire? Même compléter ma toilette du matin, mon lavabo se trouvant à côté du sien, m'est devenu un supplice. Comme il se sent très à l'aise de faire la sienne en bobettes blanches moulantes, cela augmente mon manque de contrôle.

Bien sûr, il s'en aperçoit. Je pense que je dois lui parler ouvertement de mes sentiments, cela serait plus facile à vivre. OK, je le ferai ce soir même. À ma grande surprise, il se montre très ouvert à ma confidence. Il me conseille toutefois de demander une chambre pour moi seul, surtout pour m'aider à me concentrer sur mes études.

J'en fais la demande le lendemain au directeur de notre pavillon, un homme de tête très rigoureux mais quand même compréhensif. Il accepte sans trop me poser de questions. Cependant, la pression devient trop forte, je crois bien qu'il va me falloir des pilules pour dormir ! Se découvrir homosexuel dans un collège à caractère religieux, c'est une chose terrible. Je risque de me faire mettre à la porte pour cause de perversion.

Comme je suis d'une éducation catholique solide et issu d'une famille très correcte, il ne faut faire de peine à personne, surtout pas au bon Dieu ! Alors, c'est le refoulement, la solitude… Pas la bonne, remplie d'une présence heureuse comme cela se vit chez les « vrais » amoureux, mais la mauvaise, celle qui isole, celle qui vous enlève l'estime de vous-même, qui vous entraîne dans un état dépressif et même suicidaire.

À l'aube de l'âge adulte, est-ce possible ? Trop conscient de devoir porter mon sac à problèmes avec moi, j'aimerais bien fuir, mais où ? Au moins, au pavillon, il y a des rencontres, des repas fraternels. Et puis, le congé de Noël s'en vient, et j'irai dans ma famille. J'appréhende pourtant ces vacances. On va sûrement me dire : « Tu as donc bien maigri ! »

Une tempête s'annonce aujourd'hui, 8 décembre, jour de fête dans notre communauté et congé pédagogique. Les pensionnaires qui habitent dans une région trop éloignée resteront au collège. Une bordée de neige nous envahit, il en tombe à plein ciel. Soudain, après le dîner, les gars organisent un match de volley-ball intérieur dans le gymnase de notre pavillon. On me demande si je veux donner mon nom pour faire partie d'une équipe. Je refuse, je n'en ai pas la force.

Une autre idée me trotte derrière la tête : aller marcher dans la tempête. J'ai toujours aimé les tempêtes hivernales, je ne sais trop pourquoi, mais cela me rend tout joyeux et plein d'énergie. Je me dis que cela sera peut-être bon pour m'enlever la déprime et j'enfile ma cagoule vert forêt, longue jusqu'en bas des fesses. Je me sens bien au chaud dans cette bonne étoffe du pays avec des boutons de bois et un capuchon très enveloppant contre le vent. Et hop ! Voilà que je pars d'un pas allègre. Il doit être environ deux heures de l'après-midi.

Longeant le chemin du campus, je passe devant les premières résidences voisines. Je vois quelques autres pensionnaires, courageux comme moi, qui traînent dehors. Certains ont déjà commencé à déneiger la patinoire, luttant contre la tempête acharnée, d'autres s'amusent à lancer des mottes dans une classique bataille de balles de neige où tout le monde est perdant, évidemment !

Rendu au bout du long terrain du campus voisin, ce qui doit bien me faire déjà un bon kilomètre de pas de chasse-neige, j'ai une décision à prendre : je reprends ma route en sens inverse ou je continue vers la forêt. Un, c'est le retour au collège en toute sécurité dans une demi-heure, deux, c'est l'inconnu, le chemin des bûcherons, étroit et mal déneigé, avec risque de retour à la noirceur, car il fait au moins cinq ou six kilomètres.

Je choisis la seconde option. Pourquoi ? Un vague état d'âme m'envahit, du genre : si je me perds, c'est tant mieux, je dormirai dans la neige comme le héros de Maria Chapdelaine, le soir de Noël. Il était un grand amoureux, lui aussi, prêt à tout pour rencontrer sa douce bien-aimée. Et ce soir-là, il s'endormit pour toujours. Paraît-il qu'on ne souffre pas tant que ça, de mourir ainsi, engourdi par le froid. Ce serait une bonne solution à mes problèmes, ne sachant plus comment vivre avec moi-même.

Le premier pas est fait, puis un deuxième, puis un troisième. J'ai maintenant franchi la barrière qui sépare le terrain du collège de celui des bûcherons. Je baigne dans un état d'euphorie. Dans les minutes qui vont suivre, je ne marche plus, je vole. On dirait que je suis comme cet oiseau du nord qui nous visite l'hiver, le grand harfang des neiges. Il survole le tapis blanc pour y déceler une proie et, tout à coup, il s'arrête, se pose sur un piquet de clôture et reste là, comme s'il voulait orner fièrement notre paysage hivernal de son plumage majestueux.

Et je continue ainsi de marcher, le vent me poussant dans le dos, comme pour m'aider dans ma course folle vers… l'aventure. Je n'ose pas encore mettre le mot, je file trop bien pour l'instant, je me sens même « euphoriquement » libre. Enfin, je plonge dans le destin et n'ai plus de compte à rendre à personne ! Je suis ce que je suis, tel que je suis né, je m'aime ainsi, et seuls les anges peuvent me comprendre.

Cela doit faire plus d'une heure que je marche. Je regarde ma montre : il est trois heures trente, et la clarté semble déjà décliner. C'est vrai qu'il fait tempête, que décembre nous vole la lumière du jour et que je suis en forêt… Je m'arrête un moment pour calmer mon essoufflement et j'aperçois un sentier devant moi. Je me souviens y avoir marché en automne pour admirer la couleur des feuilles.

Je décide de prendre de nouveau ce sentier et m'engage péniblement sur le tapis de neige de plus en plus épais. Mais j'ose continuer, d'un pas lourd cette fois, car je commence à avoir soif. Un souvenir d'enfance remonte alors à ma mémoire. Quand nous avions soif en remontant en toboggan dans la neige, après l'école, nous prenions tout simplement cette belle manne blanche à pleines mains dans nos mitaines tricotées et la léchions comme une bonne nourriture tombant du ciel. Ce que je m'empresse de faire aussitôt. Et la même sensation se produit : cela me donne des forces pour continuer encore et encore jusqu'à ce que…

Mon Dieu ! il fait presque noir, je me suis aventuré beaucoup trop loin dans le bois et je ne distingue plus aucune trace du sentier, maintenant. Il n'y a que des arbres, et des arbres, et encore des arbres. Il me semblait aussi que je ne sentais plus rien de solide sous mes pas. Mes pieds s'enfoncent dans la neige et je me fatigue vite, très vite… Alors, je m'arrête et me tourne de tous côtés. J'essaie deux pas dans une direction, trois dans une autre, et je dois finalement me rendre à l'évidence : je suis bel et bien perdu dans la forêt.

Il est quatre heures quarante, il commence à faire très noir et je n'arrive plus à retrouver le chemin des bûcherons. Et la neige tombe, de plus en plus épaisse, avec un petit vent qui me gèle la figure et les pieds. Je sais maintenant que mon cœur fragile ne parvient plus à pomper le sang jusqu'à mes mains et mes pieds.

Alors, je suis d'accord : je fais une courte prière pour accepter tout ce qui arrive et pour vite évacuer le moment de panique. Tu l'as voulu, tu l'as, ton beau scénario d'amant s'endormant pour toujours dans la tempête. Le 8 décembre n'est pas le soir de Noël mais celui de l'Immaculée Conception, et j'ai la vague intuition que Marie, de là-haut, me comprend et m'accepte comme je suis. Elle n'aura qu'à ouvrir les bras et à m'accueillir.

Mais si je dois mourir ici, il me faut un lit de branches, comme celui que l'amant de Maria Chapdelaine s'est fait, lui aussi. Il y a plein de branches sèches. Je ramasse le peu d'énergie qu'il me reste et me mets en devoir de casser des branches. Une, puis deux, puis dix, puis une bonne trentaine. Je les dépose au sol, dans un espace au pied d'un grand sapin vert, en les plaçant parfaitement en forme de croix pour ne pas qu'elles calent trop vite. Plus j'en empile, plus mon lit se dessine, et je les compresse avec un pied pour que le tout soit le plus solide possible. Voilà qui est bien. J'ai enfin mon lit, celui de mon dernier repos: une croix de branches sur la neige. Je dois maintenant essayer de m'y étendre. Je m'allonge délicatement dessus pour ne rien déranger et, ô bonheur! je me repose quelques instants jusqu'à ce que…

Un bruit soudain me fait sursauter, celui d'une motoneige qui vient de loin, qui passe et qui s'en va, avec des voix qui poussent des cris incompréhensibles. Je réalise alors qu'on est à ma recherche, mais la neige ayant vite fait d'effacer mes traces, mes sauveteurs ne les voient pas. Peut-être est-ce mieux comme ça? Je sursaute un instant, m'assois sur mon lit de branches et, posant ma tête sur mes genoux, je me demande ce que je peux faire maintenant, car je n'ai plus assez de force pour prendre le chemin de retour. Mon lit est là qui m'attend…

Alors, allons-y et faisons les choses en grand, comme disait mon père. Mais le seul fait de penser à lui, et aussi à ma mère, me réveille de ce cauchemar. Non, non, non, je ne veux plus mourir. Pas tout de suite, pas cette nuit. Je veux revoir mes parents à Noël, je vais tout leur dire. Oui, je vais leur dire la pure vérité, leur avouer ce que je suis. Mais… je dois faire quelque chose maintenant pour survivre.

Que le grand harfang des neiges m'inspire ! Là, mon instinct très fort en débrouillardise me suggère une tactique. Je ne dois pas marcher comme ça, en n'allant nulle part, car je sais très bien que dans pareille situation on tourne en rond et on revient toujours fatalement au point de départ. Donc, il faut briser le cercle.

Les yeux pleins de larmes, je regarde mon lit de branches, et une idée me vient enfin. La croix… Oh oui ! ici, la bonne vieille croix, pas celle de mon père accrochée dans sa chambre, mais la mienne, sur la neige, elle va me sauver. Je vais tenter de m'en servir pour rebrousser chemin, mais je devrai faire vite pour éviter que mes empreintes ne soient effacées par la neige qui, par bonheur, ne tombe plus abondamment.

Je commence alors par me déplacer dans le sens indiqué par le pied de la croix et je compte trente pas. Je fais alors demi-tour et retrouve distinctement mon chemin vers la croix. Je répète ensuite le même manège en faisant courageusement mes trente enjambées dans chacune des autres directions, celle d'un bras, puis de l'autre bras, puis de la tête. Je constate alors que mes quatre trajets ne se sont pas effacés. Je sais donc maintenant, après deux ou trois tentatives, que je pourrai nécessairement retrouver le chemin des bûcherons.

Tout ce travail met du temps. Il fait noir, mais pas complètement, car les lueurs de la ville, au loin, sont devenues apparentes, autre signe qui m'aide à m'orienter. Je sais, en regardant cette clarté dans le ciel, que l'ouest se trouve dans cette direction. Et je recommence les quatre chemins d'aller et retour vers ma croix en augmentant de cinq pas chaque fois. Cela devient facile, car le fond du sentier se durcit de plus en plus.

J'en suis rendu à quarante pas quand, ô bonheur !, à la fin de mon troisième parcours, je vois une éclaircie. Est-ce que je rêve ? Non, je ne me trompe pas, c'est bel et bien le chemin des bûcherons. Je ne m'en trouvais pas si loin, après tout. Comme il est facile de perdre sa route et d'être piégé, un soir de tempête !

Je dois maintenant m'orienter et prendre la bonne direction. Je lève la tête, regarde les lueurs de la ville et, là, je sais que je dois marcher en sens opposé, sinon je vais me ramasser en ville, à vingt-cinq kilomètres de distance. Beaucoup trop loin pour moi, ce soir, car je suis à bout de forces. J'espère quand même que la motoneige fera une autre sortie pour faciliter mon retour. Je sais que j'ai cinq kilomètres à marcher, mais au moins, le chemin est là, devant moi.

Après quinze minutes, je réalise que mes espoirs sont fondés, et une lumière m'aveugle soudain. Je vois deux motoneiges revenir, la première conduite par un jeune professeur et la seconde, par celui que mon cœur aime. Il a peut-être deviné ma fugue. Il savait que j'étais parti marcher et que je pouvais prendre des décisions à risques à cause de mon lien avec lui. Nul besoin de préciser laquelle des deux motoneiges je choisis pour le retour au pavillon !

Il est six heures, le souper est terminé, mais on m'offre quand même un bon bouillon de poulet pour me remettre de mes émotions. Pour le reste, on verra demain. Quoi dire et quoi faire ? Pour l'instant, c'est bel et bien mon lit que je désire sans nul goût de réfléchir.

Exténué comme je suis, mon grenier de rêves va me faire un beau cinéma. Je sais bien que je vais rêver aux garçons, puisque finalement je ne serai jamais comme mes frères jumeaux qui sont facilement émus par les belles femmes. L'un d'eux est même déjà marié. Le chanceux !

B. B.

CHAPITRE 2

Monsieur Legrand porte bien son nom. Non seulement le considère-t-on comme un géant en raison de sa stature colossale, mais sa force de caractère en impose à tout le monde. Nul n'ose résister à cet homme autoritaire, pas plus les profs que les élèves. Je me demande même si, certains jours, la direction du collège arrive à tenir tête à ce directeur responsable de l'encadrement pédagogique et de la discipline.

Me voilà bien fait ! La journée à peine entamée, au lendemain de mon escapade dans la neige, la secrétaire du collège vient me présenter, sur un billet, l'ordre de me présenter au bureau de l'homme de fer. Je quitte à regret la classe de mathématiques et monte à petits pas au deuxième étage, appréhendant ce qui m'attend. Sermon à n'en plus finir ? Leçon de savoir-vivre ? Sanction pour insubordination ? Promesse de rapport à mes parents ? Renvoi du collège ? La pire punition serait de m'imposer une longue recherche dans les multiples livres religieux de la bibliothèque sur la perversité et les périls de l'homosexualité.

Étonnamment, lorsque je pénètre dans son bureau, monsieur Legrand me tourne le dos, planté debout, les bras croisés devant la fenêtre. Je remarque ses cheveux grisonnants et plutôt longs, couvrant le collet de sa chemise noire. Il ne se retourne même pas pour me saluer.

— Asseyez-vous, monsieur de Bellefleur.

Oh là là ! Ça augure mal ! Je m'installe en me taisant, le cœur étranglé d'angoisse. Me taire, toujours me taire, voilà mon lot, la condamnation dont j'ai écopé pour le reste de mon existence. L'exaltation d'hier, lorsque j'ai retrouvé mon chemin dans la tempête, a vite fait place au regret. J'aurais dû me laisser mourir comme j'en ai eu l'intention. Trop tard, maintenant, tout est à recommencer. Cette victoire de la vie sur ma mort grâce à la pensée de ma famille n'a absolument rien changé à ma réalité et ne changera jamais rien, car, dans ma fuite autour de mon lit de neige, aucun de mes pas ne m'a éloigné de moi-même ni de ma véritable croix. Je suis ce que je suis de par ma naissance et ma nature : un homosexuel. C'est à prendre ou à laisser.

Devant le tragique tas de branches, ai-je vraiment choisi de prendre plutôt que de laisser ? De prendre quoi ? De continuer à vivre derrière le masque de l'hypocrisie et de la dissimulation ? En choisissant de me relever, ai-je délibérément décidé de poursuivre cette vocation de visage à deux faces, intègre en surface mais véreux à l'intérieur ? Et puis, non ! Je ne suis pas véreux à l'intérieur ! Je refuse de me laisser considérer de la sorte par la religion démodée de mes parents encore enseignée ici, et par mon entourage. Et encore moins par moi-même. Marginal, je veux bien, mais véreux… non ! J'ai le droit de vivre selon ma vraie nature. Hélas, la mésestime de soi est là, sournoise, prête à m'empoisonner. Comment surmonter la honte ?

Ce matin, tête baissée devant le fameux responsable de la discipline, je me sens l'élève le plus malheureux du collège, le garçon le plus déstabilisé de la terre. Me montrer à nu et sans masque devant lui ne signifie-t-il pas devenir, concrètement et à ciel ouvert pour la société des bien-pensants, celui qui n'a pas le droit d'aimer son semblable au grand jour, l'anormal, l'antinaturel, le marginal ?

Déjà, des élèves me montrent du doigt et se moquent méchamment sous cape. Ne suis-je pas devenu pour eux « la tapette », « la moumoune » qu'on élimine d'instinct du troupeau ?

Hier soir, après avoir ingurgité mon bouillon de poulet et barbouillé quelques pages de mon journal, je me suis retrouvé épuisé au fond de mon lit, seul avec le même désarroi que durant l'après-midi, écrasé par le même terrible secret jamais révélé à personne sauf à Samuel, mais deviné par tout le monde. Pourtant, combien de fois, comme les autres et avec les autres, n'ai-je pas tenu, ces dernières années, des propos homophobes et, en bon petit mâle un peu macho, n'ai-je pas dénigré les gais ? J'ai même feint quelques attirances pour des filles qui, au fond, ne me disaient absolument rien. Seul le beau Samuel a eu vent de ma véritable nature quand j'ai enfin trouvé le courage de lui avouer mon amour, un certain soir. Voilà ce que ça a donné !

Assis derrière lui sur la motoneige lors du retour au collège, hier, je me pressais contre son corps en sanglotant. Mon amour se trouvait là, entre mes bras, et, en dépit de l'épaisseur de nos vêtements, je me sentais tout ragaillardi. Cependant, dès notre arrivée dans la cour de l'école, au lieu de me consoler, Samuel m'a tourné le dos en se dirigeant vers le gymnase sans m'adresser la parole, sans même esquisser un regard de compassion. Si jamais, avant de venir me chercher dans la tempête, il a révélé aux autorités les véritables motifs de ma déroute, je ne suis pas sorti du bois !

Ils n'ont pas à savoir ça, eux, ces dignes directeurs du collège Saint-Anselme. Ah ça, non ! Ce qui se passe dans mon cœur et dans mon corps ne les regarde pas. Quand j'ai réclamé et obtenu une chambre pour moi seul, l'autre jour, j'ai brandi bien haut mes faux arguments : nombreuses crises d'allergie et insomnie persistante dérangeant mon compagnon et l'empêchant de dormir. J'ai apprécié l'ouverture d'esprit de la direction à ce moment-là, mais aujourd'hui, si on a appris la vérité sur mon orientation sexuelle, je doute très fort de la sympathie du directeur. Il me mettra probablement à la porte et c'en sera fait de ma cinquième secondaire. Dehors, la brebis galeuse! À la poubelle, la pomme pourrie qui risque de contaminer les autres au fond du panier!

Que deviendrais-je alors? Mes parents se cassent la tête pour me payer des études et me maintenir tant bien que mal dans ce collège catholique prestigieux, réputé pour son haut calibre d'enseignement. Et moi, en plus d'avoir laissé indifféremment mon bilan scolaire se détériorer depuis septembre, je me retrouverais sur le trottoir et sans diplôme, six mois avant la fin de l'année? Ouille! Adieu études postsecondaires, adieu choix de carrière et avenir florissant, sans compter la marque de « suicidaire » étampée sur le front et l'étiquette de « fif » collée en bas de la ceinture!

Quelle affaire! De quoi tuer ma mère de chagrin et pousser mon père au meurtre! Ah! La barre est haute pour un enfant quand des parents dans la quarantaine le mettent au monde dix ans après deux frères jumeaux fort brillants. Des frères maintenant installés dans la vie à titre de professionnels, des frères conventionnels, ordinaires, normaux et conformes. Inconsciemment, ils ont tracé le chemin de mon avenir. Je n'ai pas le choix de leur ressembler.

L'accueil glacial de monsieur Legrand n'annonce rien de bon. Non, je ne dirai rien, je n'avouerai pas à cet homme-là le véritable motif de mon envie de mourir. Il n'a aucune idée de ce que peut représenter, pour un jeune comme moi, le fait de tomber amoureux d'un autre gars. Qu'il continue de regarder dehors et qu'il me fiche la paix, le monsieur, je ne demande rien d'autre! Je me croise les bras et m'enfonce rageusement dans mon siège.

— Alors, Vincent, racontez-moi ce qui s'est réellement passé, hier.

— Il ne s'est rien passé, monsieur, j'ai juste perdu mon chemin.

— Quelqu'un est retourné sur les lieux, tôt ce matin, et a découvert, sous la couche de neige, une croix faite de branches. Vous ne trouvez pas cela étrange ?

— Oh ! je voulais seulement m'étendre sur la neige. Je me sentais égaré et épuisé.

— Pourquoi alors un lit en forme de croix ?

— De croix ? Mais non ! J'avais tout simplement empilé quelques branches mortes, rien de plus.

— Vincent… je ne vous crois pas.

Il ne me croit pas ! Ils avaient juste à ne pas m'obliger à lire et à étudier le roman *Maria Chapdelaine*, dans ce foutu collège, et je n'aurais pas alors songé à mourir sur la neige. Ah ! tenir ma langue, surtout tenir ma langue ! Si Samuel n'a pas divulgué la vérité, hier, personne ne pourra deviner mon projet d'en finir.

Par malheur, le coquin de directeur revient à la charge et insiste, toujours en me tournant le dos. Tant mieux ! Plus facile de mentir à un dos qu'à deux yeux perçants et dévorants de curiosité !

Vincent ? Aviez-vous par hasard des idées suicidaires ? Cette croix…

Cette fois, monsieur Legrand a quitté la fenêtre et s'approche tout doucement. Son regard redoutable s'empare du mien et tente de me scruter jusqu'à l'âme. Un regard bleu, glacial. Un regard féroce. Je me sens frémir de la tête aux pieds. Vite, trouver une échappatoire, lui lancer la réponse qui le satisfera et lui fermera la trappe !

— Vous vous inquiétez pour rien, monsieur. J'ai simplement adressé une prière à la Sainte Vierge afin de retrouver mon chemin.

Un silence embarrassant s'installe entre nous. N'en pouvant plus, je baisse la tête pour apercevoir ses pieds s'avancer encore plus près de moi. Aussitôt, je sens une main se poser sur mon épaule, une main à la fois pesante et douce. Et chaude. Et caressante. Un peu plus et j'aurais envie de me laisser fondre, d'implorer cette main, ces bras, de me bercer comme le petit garçon perdu que je suis devenu.

Soudain, le regard de l'homme plongé dans le mien se métamorphose. Étonné, je le vois s'imprégner de douceur et s'embuer peu à peu jusqu'à ce qu'une larme silencieuse perle au coin de l'une de ses paupières. Quoi ? monsieur Legrand pleure ? Je n'en reviens pas ! Que se passe-t-il donc ?

Le silence perdure, déconcertant. Il en dit plus long sur la compréhension et le partage que les paroles les plus précises et les épanchements les plus intimes. Cet homme a tout deviné et il me comprend, je le sens, je le sais tout à coup avec certitude. Et voilà que, sans crier gare, des mots venant de lui s'imposent, un à un, prononcés d'une voix émue à peine audible. Des mots adressés en me tutoyant et que je n'oublierai jamais.

— Mon pauvre, pauvre garçon, tu es gai, n'est-ce pas ? Ainsi, le destin t'a marqué au fer rouge, toi aussi. Je t'en prie, ne choisis pas de vivre dans la nuit et dans le silence. Tu risquerais trop, à un certain moment, de ne plus pouvoir en revenir. Hier, tu as réussi à t'en sauver, mais… ne répète pas l'erreur que j'ai moi-même commise et traînée durant toute mon existence.

Cette fois, d'autres larmes jaillissent et mouillent le visage de l'homme. Il enchaîne sans tenir compte de ma stupéfaction.

— Moi aussi, à ton âge, j'ai essayé de dissimuler ma nature. J'ai finalement tenu le coup pendant toute ma vie, croirais-tu ça ? Moi, le directeur de l'encadrement pédagogique et de la discipline du collège Saint-Anselme, n'ai jamais avoué la vérité. Évidemment, je fais partie d'une autre génération. À l'époque, l'homosexualité constituait un sujet tabou et honteux, et on considérait les gais comme les pires pécheurs, et même comme des désaxés et des monstres. Longtemps, j'ai nié et tenté de réprimer mon attirance pour le sexe masculin. Si tu savais à quel point j'ai essayé de ressembler à un homme. À un mâle, s'entend, parce qu'un homme, j'en suis un, n'est-ce pas ? J'avais même la réputation de coureur de jupons, tu te rends compte ! Socialement, les femmes adoraient ma sensibilité et ma délicatesse, ma gentillesse naturelle. Mais au lit, je faisais piètre figure, je te jure, et j'en ai déçu plus d'une.

Les confidences de monsieur Legrand me jettent par terre. Sidéré, je n'ose répliquer ni bouger d'un poil. Mais mon interlocuteur ne résiste plus à son élan et me bombarde de souvenirs.

— Un jour, à la fin de mon cours classique, je suis tombé amoureux du plus beau gars de ma classe, homosexuel lui aussi. Sérieusement, intensément, follement. Là, mon univers a basculé. J'ai tout lâché pour m'enfuir avec lui dans une autre ville et vivre cet amour loin des regards. J'avais trop honte, tu comprends ? J'ai même coupé les ponts avec mes parents pour qu'ils n'en sachent rien.

Le directeur s'arrête pour reprendre son souffle. Tranquillement, il se tire une chaise et s'installe carrément devant moi. Avant de poursuivre son émouvant discours, je le vois prendre sa tête à deux mains et fermer les yeux pendant quelques secondes, comme si, submergé par un flux de souvenirs insoutenables, il tentait de se ressaisir. Je retiens ma respiration.

— Quand mon amoureux m'a laissé pour un autre, j'ai voulu mourir, comme toi, mais le bon sens l'a finalement emporté. À un moment donné, j'ai repris mes études. Tu vois, Vincent, je travaille dans ce collège depuis bientôt trente ans et jamais, au grand jamais, je n'ai affirmé mon homosexualité à qui que ce soit dans ce lieu, même dans le climat actuel du vingt et unième siècle, où on parle de la libération des mœurs et des droits de la personne. Évidemment, tout le monde a deviné ma condition, mais en aucun temps il n'en a été question. Aucune preuve n'existe. Trop de parents craindraient des sévices sexuels sur leur enfant si mon orientation devenait officielle. Curieusement, dans l'esprit de bien des gens, la pédophilie s'associe très souvent à l'homosexualité. Bref, ici, on me considère comme un vieux garçon, célibataire endurci mais bon diable. Un type honnête et sans histoire, vivant seul et faisant paisiblement son boulot en toute impunité. Quelqu'un à qui on fait confiance.

L'espace d'une seconde, je me demande pour quelle raison monsieur Legrand me tient un tel discours. À croire qu'il m'a fait venir ici simplement pour me confier sa propre histoire ! Lancé sur sa trajectoire, il semble ne plus vouloir s'arrêter.

— Toi seul, Vincent, connais mon secret. J'ignore pourquoi je te raconte tout ça. Sans doute me faisais-tu trop pitié, hier soir, quand on t'a ramené de la forêt, éperdu et engourdi par le froid. Tu ne tremblais pas que de froid, je le savais bien. Depuis longtemps, je t'observe de loin, devinant ta détresse. En dépit de mon attitude rigide et sévère, je possède des antennes pour repérer ce genre de misère. Et tu n'es pas le seul dans ce collège, crois-moi !

À mon tour de dévorer des yeux cet homme fort dont j'ai toujours envié la stature et admiré la fermeté teintée d'humanité. Un homme bon et respecté de tous, mais exigeant. Intransigeant, même ! Jamais je n'aurais mis en doute son authenticité. Monsieur Legrand, un gai ! Je n'arrive pas encore à y croire, je dois rêver. Je vais me réveiller tantôt, seul dans ma chambre avec ma peine d'amour et mes embêtements.

Non, je ne rêve pas. La voix du responsable de la discipline, de plus en plus ferme et précise, me ramène vite à la réalité.

— Ne fais pas comme moi, mon petit Vincent. N'aie pas peur de t'affirmer tout haut et ne te soucie pas des autres. Vis à ta manière, et dis-toi bien que ceux qui ne t'accepteront pas ne méritent pas ta considération.

Quoi ? Il me conseille de m'afficher comme un gai ? Trop de questions m'assaillent, je préfère me réfugier dans le silence. Monsieur

Legrand a peut-être raison, mais… Si je me découvre ouvertement ici, au collège, que va-t-il m'arriver ? Et mes parents surtout, comment vont-ils réagir ? Comme s'il avait deviné mon questionnement intérieur, l'homme poursuit son discours en jetant sur moi un regard insistant.

— Bien sûr, tu devras faire fi des qu'en-dira-t-on chaque jour de ton existence, mais au moins tu vivras au chaud et en plein jour. Tu seras toi-même et non une ombre fuyante au fin fond des bois, tu m'entends ? Comprends-tu bien ce que je te dis, mon cher Vincent ? Sois toi-même et personne d'autre.

Mon cher Vincent… Il m'appelle son cher Vincent, sans colère et sans admonition ! Dire que je m'attendais à être criblé de bêtises ! Oh ! que oui ! je vous comprends, monsieur Legrand ! Mais comment vous le dire ? Je ne sais pas trouver comme vous les mots pour discuter de ces choses-là. Je n'ai pas l'habitude, moi ! J'ai encore trop peur, je me sens gauche, confus surtout. Et combien timide !

Devant mon mutisme obstiné, il revient à la charge.

— Écoute bien ce que je vais te dire, mon garçon. Si jamais tu te sens dérouté ou découragé, avant d'aller te pendre ou te perdre dans la tempête, comme tu l'as fait hier, jure-moi de venir m'en parler, compris ? Tu peux dorénavant me considérer comme ton ami. Ton complice, même. Comme ton père, tiens ! Ton père spirituel, s'entend !

Le voilà qui se met à sourire, maintenant. Et ce sourire brille à mes yeux comme un rayon de soleil. Je me retiens pour ne pas me jeter dans ses bras, dans les bras de mon complice, comme il le dit.

— Merci, monsieur. J'apprécie, monsieur. Mais ici, au collège…

— Ici, dans ce collège catholique et mixte, on ne tolère pas les rapports intimes, qu'ils soient hétérosexuels ou homosexuels, peu importe. Ni l'un ni l'autre ne se pratiquent au grand jour, et tu le sais. Deux étudiants, de même sexe ou de sexes différents, pris en flagrant délit de relations sexuelles ou même de simples attouchements, sont automatiquement mis à la porte. Je ne t'apprends rien, on vous en avertit sérieusement dès la première année et on vous le rappelle continuellement. Bien sûr, ça n'empêche en rien des intrigues amoureuses mais platoniques de se tisser, nourries de fantasmes et de désirs qui devront s'assouvir à l'extérieur. Tu as le droit de tomber amoureux de quelqu'un et de le manifester sans gêne.

— C'est exactement ce que j'ai fait, monsieur. Je le lui ai dit. Vous voyez le résultat !

— Un jour, tu trouveras le véritable amour, ne t'inquiète pas. Quant aux autres…

— Le gars n'a pas ri de moi, il s'est même montré très correct, mais… il m'a poliment repoussé.

— Prépare-toi, cela va sûrement se reproduire au cours de ton existence. Et même ici, un jour ou l'autre, certains élèves bornés ne se gêneront pas pour te traiter de « fif » et de bien d'autres choses.

— Ça arrive souvent, même si j'essaie de le dissimuler. Ça se voit donc tant que ça ?

— Oh ! tu sais, il suffit d'un geste, d'un mot, d'une attitude, d'une façon de marcher… D'ici à juin, Vincent, ton principal objectif reste d'obtenir ton diplôme d'études secondaires, cela va de soi. Toutefois, je te donne un autre but : celui d'apprendre à te sentir bien dans ta peau. À mes yeux, ça m'apparaît encore plus important que les notes de ton bulletin. Compris ?

— Compris, monsieur.

— Vois-tu, dans le monde de l'enseignement, surtout ici, on dénonce le racisme, mais on ne fait rien pour démystifier la réalité gaie. Il est temps pour nous, pour le collège Saint-Anselme en tout cas, de dénoncer l'homophobie dans sa lutte contre les intimidations de toutes sortes.

Je me retiens de répondre à monsieur Legrand que de partir en campagne pour une cause, peu importe laquelle et même la mienne, ne m'intéresse guère. Je veux simplement vivre ma vie en paix et sans faire de bruit, moi, rien de plus ! Comme s'il soupçonnait mon indifférence, il poursuit en prenant un ton qu'il veut convaincant.

— Il s'agit de TA cause, mon garçon. Et tu contribueras à la gagner simplement en te montrant toi-même, ici, entre ces murs. En as-tu le courage ?

— …

Je réprime avec peine l'envie de lui répondre : « Et vous, monsieur le directeur de l'encadrement pédagogique et de la discipline, allez-vous un jour dévoiler votre propre secret et vous montrer vous-même, ici, entre ces murs, pour la gagner, cette fameuse cause ? ». Bien sûr, en garçon bien élevé, je choisis de me taire.

Devant mon silence obstiné, il tente une autre approche.

— À la suite des événements d'hier soir, le collège peut t'offrir les services d'un psychologue pour t'aider à terminer l'année avec succès et la tête haute. Je te recommande fortement de prendre rendez-vous avec lui. Tiens, voici ses coordonnées.

— L'homosexualité, ça se guérit ?

— Non, Vincent, l'homosexualité, ça ne se guérit pas, ça s'accepte.

CHAPITRE 3

Une dizaine de jours se sont écoulés depuis l'incident du 8 décembre et ma rencontre du lendemain avec monsieur Legrand. L'effervescence des examens de fin de session et des préparatifs de Noël a vite fait oublier, dans tout le collège, ma mésaventure en général considérée comme un simple égarement dans la forêt. Mais moi, je n'ai pas oublié. Même un week-end chez ma grand-mère Thérèse, la semaine dernière, le nez dans mes livres, n'a rien changé à ma confusion.

Une première rencontre chez le psychologue du collège n'a guère mieux réussi à me rassurer. « L'assurance, ça viendra avec le temps », m'a-t-il spécifié à plusieurs reprises, insistant davantage sur mes idées suicidaires que sur mon orientation sexuelle pourtant mère de tous mes maux. Lorsque je lui ai mentionné que mon premier geste d'acceptation de ma condition consisterait à avouer la vérité à mes parents, il m'a regardé d'un drôle d'air.

— La vérité… Tu veux dire celle au sujet de la croix sur la neige ou bien celle à propos de ton homosexualité ?

— La vérité sur mon homosexualité, évidemment !

— Bonne idée, mais il faudra aussi leur confier ton drame sur la neige. Tes parents sont là pour t'aider, Vincent. Quant à ton orientation, ils doivent sûrement s'en douter.

— Je ne pense pas. Je vois rarement mes parents, vous savez, et je leur ai toujours masqué mon attirance pour les garçons. Depuis bientôt cinq ans, je passe la majeure partie de mon temps ici, comme pensionnaire. Mes étés, je les ai vécus principalement dans les camps d'été, d'abord comme résident en vacances et, plus tard, comme moniteur. Je n'ai donc pas beaucoup de contacts avec mon père et ma mère, qui doivent s'absenter très souvent pour leurs affaires pendant les fins de semaine. Je sais me débrouiller tout seul, maintenant.

— Tu n'as donc personne d'important dans ta vie ?

— Je m'entends très bien avec ma grand-mère maternelle. Elle vit seule, pas très loin de chez nous, et je vais souvent bouffer et même dormir chez elle. Elle fricote mes plats favoris et, moi, je lui apporte des bonbons à la menthe et d'autres gâteries. Je lui confie parfois mes petites affaires, mais jamais rien de grave ou d'important. De son côté, elle prend plaisir à me raconter plein d'histoires sur son passé. On jase, on joue aux cartes, on rit, on regarde la télé ou on écoute de la musique, car j'interprète souvent pour elle mes pièces préférées au piano. Ma grand-mère Thérèse, je l'adore !

— Tu lui as déjà parlé de ton orientation sexuelle ?

— Jamais de la vie ! Elle n'a plus l'âge pour… pour jaser de ces choses-là ! Je vous l'ai dit : à part Samuel et, maintenant, monsieur Legrand, personne n'est au courant.

— Bon. En parler à tes parents ou, à tout le moins, à une autre personne de confiance, constitue une excellente idée. Il faut éviter de t'isoler, car garder tout ça pour toi m'apparaît très malsain. Si tu ne réussis pas à leur faire des aveux pendant les vacances des Fêtes, nous en reparlerons dès janvier. À partir de là, je te verrai sur une base régulière. Essaie tout de même de passer un beau Noël.

Des aveux, des aveux… Pas de conseils précis ni de trucs ? Pas de recommandations sur le langage à tenir ni sur la façon de le dire ? Quel drôle de pistolet, ce psychologue à la con ! À quoi servent donc ses diplômes s'il n'est là que pour condescendre à mes idées sans me donner de moyens concrets ? Aussi bien aller en thérapie avec le responsable de la discipline, il me semble plus compréhensif et avisé, lui ! Plus parlable, en tout cas.

En cette fin d'après-midi glacial de décembre, affalé sur le siège arrière de l'autobus bondé dans lequel je franchis chaque semaine les kilomètres me séparant de la maison, je regarde défiler d'un œil impassible le paysage à travers la vitre sale et embuée. Contrairement à mes aspirations habituelles, je voudrais que la traversée de l'interminable parc provincial s'étire encore et encore pour ne pas voir surgir, au loin, les clochers et les cheminées industrielles de mon patelin.

J'ignore si la direction du collège a informé mes parents de ma stupide escapade sur la neige. J'ai eu beau fanfaronner devant le psy, l'idée de leur déballer mes bêtises me rend malade. Troisième et dernier rejeton d'un couple plutôt avancé en âge, j'ai dû apprivoiser la solitude dès l'enfance. Mon existence ne s'est pas toujours avérée une sinécure auprès d'une mère gérante d'une chaîne de magasins et d'un paternel délégué syndical dans la construction.

Après une petite enfance passée à la garderie, j'ai vécu mes années de primaire sous la férule de différentes gardiennes, à cause des nombreuses obligations de mes parents hors du foyer. Heureusement, mes cours de musique, domaine pour lequel j'ai manifesté très jeune des dispositions naturelles, ont transformé à la longue le piano du salon en un ami et confident. Je ne sais combien d'heures j'ai passées, après l'école, à épancher sur le clavier autant mes chagrins d'enfant que mes petits bonheurs.

Quelques années plus tard, à l'instar de mes frères, on m'a finalement envoyé comme pensionnaire au collège Saint-Anselme, éloigné mais bien coté, pour y faire mon cours secondaire. Dès les premières années, je m'y suis senti à part des autres. Je détestais les sports d'équipe et les cours d'éducation physique. À vrai dire, sauf pour les heures écoulées en solitaire dans les studios de musique, je n'avais de plaisir qu'en présence des filles.

Auprès d'elles, je ne ressentais pas d'excitation physique comme j'en éprouvais de plus en plus avec les garçons, ces fourmillements insensés que j'essayais désespérément de réfréner. Tout cela me rendait dingue, surtout à cause de ma crainte de devenir l'objet de sarcasmes si jamais on en venait à dévoiler mon secret. Malgré tout, personne parmi mes copines ne se moquait de mon maintien ou de ma façon de marcher. On ne riait pas de moi, point.

Finalement, avec le temps, toutes mes caractéristiques mâles ont fini par apparaître, ma voix a mué et le poil a noirci mon menton, mais cela n'a pas empêché quelques élèves de me traiter d'efféminé. Je parlais, déambulais, m'habillais comme les autres gars de la classe, pourtant. D'accord, je préférais profiter seul de mes loisirs, à lire ou à jouer de la musique, au lieu de me joindre aux équipes de hockey. Puis après ? Cela ne faisait pas de moi un fifi ! Après tout, je possédais une voix d'homme, des manières d'homme !

Je n'oublierai jamais le jour où, à la fin de ma troisième secondaire, j'ai eu une érection devant les gars de mon équipe, au moment de la douche, après une partie de soccer. L'un d'eux s'en est aperçu et m'a crié par la tête :

— Hé ! Vincelette, c'est pas ici qu'il faut bander, c'est dans la douche des filles !

Jamais de ma vie, je ne me suis senti aussi humilié. Non seulement mon corps nu venait de trahir ce que j'essayais désespérément de dissimuler, mais ce qui se développait à l'intérieur de moi, malgré moi, oh combien malgré moi ! cette attirance folle envers les élèves de mon sexe se trouvait à découvert et attisait la risée de tous. Il ne me restait qu'une solution : me replier sur moi-même.

Voilà que, toujours aussi isolé, toujours aussi esseulé, j'achève maintenant ma cinquième secondaire. Dans moins de six mois, juin mettra enfin un terme à ces cinq ans de réclusion qui m'ont tenu enfermé à longueur de semaine dans une institution. Cinq années de solitude parmi la foule, pratiquement coupé des liens familiaux à part ma relation bénie avec ma grand-mère. Cinq années à m'agripper au paternalisme des professeurs, à me river à la camaraderie de ceux qui, parmi mes compagnons et compagnes de classe, sont demeurés respectueux envers moi. Cinq années pour quitter l'enfance et passer à l'âge adulte. Cinq années à me chercher, à découvrir qui je suis, avec mes goûts, mes talents, mes aspirations, mes penchants aussi. Cinq années à réprimer ma sexualité explosive, à lutter dans le plus profond désarroi contre une orientation déroutante. Cinq années à fabriquer le jeune adulte que je suis devenu, seul au monde dans mon jardin secret maladroitement gardé. Cinq années de chasteté et d'abstinence, à cultiver la honte…

Ceux qui me traitent de « tapette » dans les corridors de l'école ne se doutent pas que je reçois ces moqueries comme des coups de poignard, car ces cinq années de pensionnat ont fini par devenir un enfer.

Oh ! j'ai bien essayé de fréquenter des filles, des filles belles et attirantes qui, au fond, ne m'inspiraient guère. Même cet automne, j'ai risqué une ultime tentative avec Émilie pour laquelle j'ai certainement éprouvé, sinon une forme d'amour, à tout le moins un véritable sentiment d'amitié. Je me sentais bien auprès d'elle. Seulement cela : je me sentais décontracté et détendu en sa présence. Naturellement, elle n'a pas mis beaucoup de temps à essayer de me séduire.

Un soir de novembre, nous nous sommes retrouvés en groupe chez un ami commun. Après avoir ingurgité de nombreuses bières devant le hockey à la télé pour célébrer à l'avance la victoire des Canadiens, j'ai bien vu, en fin de soirée, la plupart des couples se rapprocher pour se tripoter avec, dans les yeux, un désir et une promesse d'aller plus loin. L'absence des parents du copain et la disponibilité de plusieurs chambres vides en ont réjoui plus d'un. Pas moi.

Moi, je n'ai pas pu. C'était la première fois que j'approchais une fille à ce point. Une fois isolés tous les deux dans une chambre du sous-sol, Émilie a eu beau m'inonder de baisers après avoir outrageusement déboutonné son chemisier et soulevé sa jupe, je n'ai nullement éprouvé l'envie de franchir l'étape suivante. J'ai bien essayé, mais mes pensées allaient vers Samuel et son grand corps lisse et svelte. Ma gêne et surtout mon embarras ressentis devant Émilie, à ce moment-là, n'ont pas de nom. Je n'ai pas eu le choix d'admettre définitivement ce que j'avais toujours refusé de reconnaître : j'étais vraiment un gai, la tapette dont certains prenaient plaisir à se moquer avec cruauté. Un fif…

N'acceptant aucun compromis, vaincu et humilié, j'ai poussé un long soupir et, malgré quelques hésitations, j'ai avoué mon impuissance à Émilie.

— Excuse-moi, je… je ne peux pas ! On ferait mieux de s'en aller.

— Quoi ? Je ne suis pas assez belle pour toi ?

— Non, non, loin de là ! Je te trouve superbe et adorable. C'est moi qui… Je pense que… C'est-à-dire que… euh… je ne peux pas faire l'amour avec toi ! Ne m'en veux pas, je ne suis probablement pas un gars… euh… normal !

En réalité, dans la petite chambre sombre de cette maison inconnue, une honnête fille venait, sans le savoir, de m'aider à confirmer irrémédiablement mes horribles doutes. Vincent de Bellefleur n'est pas un homme comme les autres. Je me considère comme un homme, certes, mais je me sens incapable de satisfaire sexuellement une femme. Je suis un homme attiré par les hommes. À bien y songer, peut-être suis-je une femme emprisonnée dans un corps d'homme ou un homme habité par une femme. Un caprice de la nature, quoi ! Je me demande ce qu'en pensent les biologistes.

Ce soir-là, devant le miroir de la salle de bain chez mon ami, j'ai osé regarder de plein front ce quelqu'un d'autre auquel j'avais toujours refusé de m'identifier. Un quelqu'un redouté depuis trop longtemps. Là, à ce moment précis, je n'avais plus le choix de l'accepter. Alors, j'ai abdiqué, et la longue lutte s'est terminée aussitôt. À onze heures cinquante-six minutes précises, le 30 novembre, j'ai perdu cette stupide bataille que je me livrais à moi-même depuis déjà quelques années. Ce soir-là, j'ai braqué mes yeux sur moi et j'ai enfin admis la vérité. La vérité crue, définitive, indiscutable. Ma vérité. Le gars aperçu dans le miroir était un homosexuel. Un vrai.

J'ai alors pris ma résolution. Désormais, j'allais vivre selon ma véritable nature. Tant pis pour les convenances et tant pis pour les filles ! Évidemment, la belle Émilie s'est enfuie sans demander son reste, après une vague promesse de demeurer mon amie, promesse qu'elle n'a d'ailleurs pas tenue. Elle n'avait qu'à aller se coller ailleurs et à se trouver un amoureux plus fringant. Après tout, moi aussi, j'avais bien droit à ma place au soleil, à ma manière et selon mes aspirations.

Fort de cette prise de conscience, dès le lendemain, j'ai décidé de m'approcher de mon compagnon de chambre, au sortir de la salle de bain, les reins entourés d'une serviette blanche. Samuel le beau, le merveilleux, Samuel mon chéri, mon trésor, l'objet de tous mes rêves.

— Samuel, je suis en amour avec toi. Laisse-moi te toucher, t'embrasser, j'en ai tellement envie !

Je n'avais pas prévu me heurter à un mur. Hélas, ce mur de béton ne cesse de s'épaissir depuis ce jour et de me retenir prisonnier. Samuel n'a pas voulu de moi. Mur de l'impasse et du revers amoureux. Mur glacial du rejet et de l'indifférence. Mur de la solitude. Va-t-il un jour s'effondrer et disparaître, ce mur diabolique ?

En cet instant présent, dans l'autobus qui me ramène chez moi pour le congé de Noël, j'invente mentalement différents scénarios tous plus dramatiques les uns que les autres, pour arriver à le sauter, ce fameux mur. Aucune solution n'apparaît réconfortante à celui qui a désiré mourir, il y a quelques jours à peine. J'ai mal et j'ai peur.

Et puis, non! La phrase de monsieur Legrand rebondit dans mon esprit comme un ballon: « L'homosexualité, ça ne se guérit pas, ça s'accepte. » M'assumer avec plus de conviction me permettrait sans contredit de le franchir enfin, ce mur, ou à tout le moins d'y creuser quelques brèches. Encore faudrait-il, comme l'a mentionné le psy, que ma famille admette et partage ma réalité, elle aussi. J'en sens le besoin pressant. Ne revient-il pas aux miens, en premier lieu, de m'accepter, de me soutenir, de m'encourager? S'ils le veulent bien, naturellement. Hélas, je perds déjà contenance à la seule perspective de les affronter...

La tête appuyée sur le dossier de mon siège, je laisse mon esprit vagabonder. Le souvenir des paroles du directeur de l'encadrement pédagogique et de la discipline me réconforte quelque peu. « Si jamais tu te sens dérouté, jure-moi de venir m'en parler... » Un père spirituel, ça fait partie des miens, n'est-ce pas? Jamais je n'oublierai cette larme coulant sur sa joue. Oui, monsieur Legrand, je vais retirer mon masque et me faire confiance. Oui, monsieur le psy, je vais informer mes parents. Puisque l'homosexualité n'est pas une maladie, puisque je ne peux pas changer, je dois et je vais m'assumer. Je le veux plus que jamais. Dans quelques minutes, c'est un Vincent nouveau qui descendra de l'autobus.

CHAPITRE 4

À la gare d'autobus, ma mère m'accueille avec un furtif baiser du bout des lèvres. Je ne l'ai pas vue depuis quelques semaines, car elle se trouvait en voyage lors de mes deux dernières visites à la maison. Compte tenu de ce que je viens de vivre, j'aurais envie de me jeter dans ses bras sans rien dire et de pleurer comme un petit enfant toutes les larmes de mon corps, là, au milieu de la salle des pas perdus où elle est arrivée avec vingt minutes de retard. Mais rien de cela ne se produit, elle ne remarque même pas ma maigreur.

— Salut, Vince ! Ça va ?

— Hum… oui, ça peut aller.

Je réalise tout de suite que ma réponse ne l'intéresse guère. Quelque chose d'autre ne me concernant pas semble la préoccuper. Dans un sens, cela me rassure. Si les autorités du collège l'avaient mise au courant de mes bêtises du 8 décembre, elle me manifesterait plus d'intérêt. Je pousse secrètement un soupir de soulagement, bénissant l'or du silence.

— Et toi, m'man, comment ça va ?

— M... ouais, ça va pas pire.

Dialogue à vide, langage routinier, taxé d'insensibilité. Même d'or, le silence peut trahir le détachement et l'éloignement, voire l'indifférence. A-t-elle deviné mes pensées ou désire-t-elle absolument me contredire ? Ma mère prend tout de même quelques informations pertinentes à mon sujet.

— Et puis, tes examens d'avant Noël, mon grand, pas trop difficiles ?

— Non, non, je passe dans toutes les matières.

— Tu passes haut la main ou bien au ras du sol ?

— Euh... je ne coule pas, c'est déjà ça, non ?

— J'ai hâte de voir ton bulletin.

L'intérêt surgit enfin. Mon bulletin... L'obsession des notes hantera toujours ma mère. Comme si la hauteur des résultats avait de l'importance ! On finira bien par m'accepter l'an prochain au cégep[1], en technique de soins infirmiers. C'est à croire qu'un dossier scolaire exemplaire garantit la réussite et le bonheur futurs ! De hauts scores en français et en sciences protégent-il contre l'apparition d'autres problèmes ? Les premiers de classe ne souffrent-ils donc jamais de carence ou de lacune, ni d'aucune complication d'ordre psychique ou social ? Allons donc ! Je refuse d'admettre que seuls les plus brillants deviendront les grands hommes de demain et, surtout, les êtres les plus heureux de la terre.

Eh bien, moi, maman, non seulement mon intérêt pour les études a baissé d'un cran ces derniers temps, mais j'ignore si je pourrai devenir un grand homme de demain, car pour l'instant, je me sens un homme très différent des autres, croirais-tu ça ?

---

1. Collège d'enseignement général et professionnel.

Te rappelles-tu, quand j'étais petit, je protestais toujours pour ne pas me faire couper les cheveux chez le barbier ? « Tu ressembles à un ange », m'avait déjà dit grand-maman Thérèse en ébouriffant ma longue chevelure blonde et bouclée. J'adorais l'idée de ressembler à un ange et je détestais ce répugnant barbier qui prenait plaisir à me transformer en « beau petit garçon qui a l'air propre ».

Et puis, maman, n'as-tu jamais remarqué ma sensibilité exacerbée dès mon plus jeune âge ? Un rien, un détail, une vétille me réjouissaient ou, au contraire, me faisaient de la peine et me jetaient littéralement par terre, mais je n'osais pas le montrer. Tu me disais qu'un grand garçon raisonnable, ça ne pleurait pas pour rien. Alors, j'allais me cacher la tête sous mon oreiller pour verser mes larmes en regrettant justement cette triste condition de grand garçon raisonnable.

Je me rappelle qu'un jour, je devais avoir neuf ou dix ans, la parenté du côté de papa avait organisé un pique-nique sur la plage avec les cousins. Tous les garçons s'amusaient le long du quai à se bousculer et à se jeter mutuellement dans l'eau. Ça riait et jouait dur, et je n'aimais pas ça. À vrai dire, je détestais me tirailler avec les gars. Ils m'avaient finalement laissé de côté et avaient poursuivi le jeu sans moi. L'un d'eux m'avait même traité de « fifi ». Je ne savais pas trop ce que ça signifiait, à l'époque, mais ça m'avait fait mal de me sentir à part des autres et, pire, de me voir rejeté. Surtout que je n'avais pas osé m'informer sur la signification de ce mot-là.

Puisque les jeunes de mon âge avaient déjà décelé mes tendances particulières, à cette époque, tu avais bien dû t'en rendre compte, toi aussi, maman… Te souviens-tu comme je détestais les monstres de mes livres d'enfants, mes jouets en forme de robots, les dragons et les héros de fer et de feu qui faisaient rêver les autres petits garçons ? N'as-tu jamais eu la puce à l'oreille, un jour ou l'autre ? Ne t'apercevais-tu pas, maman, que ton dernier fils était en train de devenir un « fifi » ?

Eh bien ! Aujourd'hui, en débarquant ici à la gare, la décision ferme du « fifi » de révéler son orientation sexuelle à ses parents pèse lourd dans ses bagages. On a eu beau se souhaiter un joyeux Noël entre élèves et professeurs, ce midi, au moment de quitter le collège, je doute que ces vacances s'avèrent les plus heureuses de mon existence. Et devant ton accueil plutôt froid, j'en doute encore davantage.

— Toi, maman, tu me sembles préoccupée par quelque chose.

— Pour être franche, ça ne va pas bien du tout.

— Comment ça ? Papa est malade ?

— Non, c'est ma mère qui est à l'hôpital depuis trois jours.

— Grand-maman Thérèse est malade ? Ah non ! Je l'ai trouvée un peu enrhumée à ma dernière visite, mais sans plus. C'est grave ?

— Oui, assez. Une pneumonie double. Et ton frère Guillaume vient de se faire bêtement, platement plaquer par sa femme, hier, cinq jours avant Noël. Il ne manquait plus que ça ! Il est dans tous ses états, je crains qu'il n'entretienne des idées… euh… des idées noires. Imagine, après deux ans de mariage !

Dis-le, maman, le vilain mot. Les idées noires que tu n'oses pas nommer s'appellent des idées suicidaires. Tu crains de voir Guillaume attenter à ses jours, n'est-ce pas ? Je pourrais comprendre ça, tu sais. L'espace d'une seconde, l'image de ma belle-sœur, ou plutôt de mon ex-belle-sœur, m'effleure l'esprit : poupoune grimée, peinturlurée et parfumée à outrance. La dernière femme au monde qui m'aurait attiré, si jamais les femmes m'avaient intéressé, évidemment ! Mourir pour mon beau Samuel, je ne dis pas, mais pour elle, peuh ! Elle a dû abandonner mon frère pour un autre sans doute plus riche.

Sans s'en rendre compte, maman confirme mes suppositions.

— Le mois dernier, elle est partie en Europe avec une copine. Dans l'avion, elle a rencontré un homme d'affaires qui lui a fait les yeux doux. Ils se sont revus plusieurs fois à Paris, paraît-il, et au retour elle a décidé de quitter ton frère pour vivre une aventure avec ce type de cinquante ans, très riche et très puissant. Voir si ça a du bon sens!

— Ah bon! Ça ne devait pas marcher très fort entre Guillaume et elle, je présume.

— Qu'est-ce que tu en sais? Ton frère a une grosse peine d'amour, tu sauras, et il fait réellement pitié. Le pauvre s'imagine qu'elle va lui donner signe de vie d'ici à Noël et revenir se jeter dans ses bras. Elle ne le fera jamais, j'en mettrais ma main au feu. Je déteste cette courailleuse. Une vraie catin!

Moi aussi, maman, j'ai une peine d'amour. La première de ma vie. Une vraie. Et moi, je n'ai pas d'espoir de voir revenir Samuel. Quant aux idées noires, mes idées noires à moi… Non, je ne te raconterai pas le drame de ma croix sur la neige. Pas cette fois-ci. À ce que je vois, tu en as bien assez sur les épaules avec ton Guillaume et aussi grand-maman.

Je ne te dirai pas non plus que ce midi, dans le stationnement du collège, Samuel est parti chez lui avec sa valise, sans même jeter un regard dans ma direction. Par contre, il n'a pas manqué d'embrasser ostensiblement sa nouvelle blonde devant moi, une fille de la classe. Celui que j'aime refuse même mon amitié et il m'a systématiquement évité depuis le 8 décembre. Je suis désespéré, maman.

Évidemment, je n'étais pas marié et je ne couchais pas avec lui depuis deux ans, moi! Mais ça ne l'empêchait pas de me rendre fou. En rêve, je l'embrassais, je le caressais, je me donnais à lui tout entier. Depuis septembre dernier, j'arrivais de moins en moins à contrôler ces fantasmes et à me refuser de les concrétiser. Tu n'as pas idée, maman! Une fois, une seule fois, j'ai osé m'approcher et poser doucement la main sur lui, seulement ma main sur son torse nu… Une main hésitante, frémissante, qu'il s'est empressé de repousser brutalement. Je n'aurai eu le bonheur de le serrer dans mes bras que quelques minutes, lors du retour au collège en motoneige, à la suite de mes « idées noires »… Sais-tu quoi, maman ? J'aurais voulu m'être éloigné à mille kilomètres pour voir ce moment de grâce se prolonger encore et encore.

Mais mon amour pour lui n'est pas que physique, tu sais. Samuel, je l'aime pour de vrai, pour ce qu'il est, pour son intelligence, son intégrité, sa façon de réagir, pour sa force et sa vision des choses. Un gars sain, plein d'idées et de projets. Tu l'adorerais, maman, j'en suis convaincu. Tu devrais entendre son rire, un rire franc et communicatif. Et sa voix chaude et ronde, sa voix calmante, comment y résister ?

Tu sais, son indifférence m'a causé tellement de chagrin que j'ai voulu en mourir. Seule la pensée de toi et de papa m'a sauvé la vie. L'image de vous deux hurlant de douleur de m'avoir perdu, je ne pouvais la supporter. Alors, j'ai quitté ma croix de branches et j'ai marché longtemps à la recherche de mon chemin. Pas seulement mon chemin dans la neige, mais mon chemin vers vous, mes parents et mes frères, mon chemin vers ma maison et ma famille, le seul lieu paisible et rassurant de mon existence. Mon chemin vers mon destin…

Aujourd'hui, l'autobus vient de me conduire une fois de plus dans ce petit monde bien à moi, dans ce lieu où j'avais l'intention, maman, de t'ouvrir mon cœur d'adolescent qui ne connaît rien de la vie. Hélas, maintenant, je ne sais plus comment te dire tout ça. Le silence est là, à ma portée, il constitue l'unique refuge dans lequel je me suis tapi depuis déjà quelques années. Trop d'années ! Mon silence à moi…

Parce que le tien, maman, il ne cesse de me dérouter, meublé de questions que tu ne me poses pas, que tu ne me poses jamais…

Les vacances de Noël s'avèrent les plus tristes de mon existence. Non seulement la femme de Guillaume n'est pas rentrée au bercail comme il l'espérait, mais mon autre frère, Alexandre, stagiaire en sciences politiques à Vancouver, n'a pas trouvé le moyen de revenir au Québec pour la période des Fêtes. Il vit là-bas, paraît-il, une merveilleuse idylle avec la plus jolie Chinoise de l'ouest du pays. En tout cas, l'amour ne manque pas de fleurir dans le cœur des frères de Bellefleur !

Si j'avais rêvé de joyeuses excursions de ski en compagnie de mes deux frangins, j'en suis quitte pour de nombreux allers et retours à l'Hôpital général Saint-Louis pour y visiter Thérèse, ma grand-mère chérie, branchée à de multiples appareils dans un espace restreint des soins intensifs. Pauvre grand-maman ! Livide et amaigrie, au bord de l'inconscience, elle reconnaît à peine l'unique personne admise à ses côtés. Quand vient mon tour, je la supplie mentalement de ne pas nous quitter. Grand-maman, ma source de chaleur, de quiétude, mon havre de paix… Doucement, je caresse ses cheveux blancs épars sur l'oreiller, ses joues ridées, sa peau moite et plissée. Ne meurs pas, je t'en prie. C'est moi qui n'en pouvais plus de vivre, l'autre jour, pas toi ! J'ai tant besoin de toi !

Un soir où je me trouve à ses côtés depuis près d'une heure, elle semble soudain retrouver un soupçon d'énergie. Tournant légèrement sa tête dans ma direction, elle marmonne quelques mots à peine intelligibles.

— …incent ?… est toi ?

Je bondis sur mes pieds et m'approche du lit pour saisir sa main glacée.

— Mais oui, c'est moi, grand-maman. Tu vas bien ? Tant mieux ! Je suis là pour te dire que je t'aime.

— …oi …ssi… t'aime.

Elle referme les yeux et semble replonger dans un sommeil profond. Décontenancé, je n'ose bouger et reste là, prostré, effleurant sa main inerte sans émettre un son. Je sens pourtant les mots se bousculer dans ma tête. J'ai tellement envie de lui confier tout ce que j'ai sur le cœur, non seulement ma détresse et ma peur de ne pouvoir assumer mon homosexualité, mais, avant tout, je voudrais lui dire mon amour et mon sincère désir de la voir recouvrer la santé.

Alors, ces mots, je les murmure spontanément à mi-voix, un à un et lentement au creux de son oreille, convaincu que, même sur le bord de l'inconscience, grand-maman peut les entendre, les mots de mon cœur de petit-fils adressés à son cœur de grand-mère adorée.

— Grand-maman, laisse-moi te dire combien je t'adore et combien tu es importante pour moi. J'ai un secret à te confier, à toi toute seule. Toi, au moins, tu ne me jetteras pas la pierre, toi, au moins, tu vas me comprendre et m'aider. J'ai voulu mourir, tu sais, parce que j'aime quelqu'un. Un garçon. Je suis un gai, grand-maman, un homosexuel…

À genoux, la tête posée contre le flanc de ma grand-mère, je me mets à pleurer silencieusement. Contre toute attente, elle entrouvre les yeux et murmure, d'une voix presque inaudible :

— Pas grave… J'savais… T'aime pareil…

Puis, plus rien. Je sens soudain sa respiration ralentir et devenir plus laborieuse, accompagnée de bruits rauques. J'ai à peine le temps de me relever pour appuyer sur le bouton d'urgence que l'alarme de l'électrocardiographe me fait sursauter. L'infirmière de garde arrive alors en courant et me montre, d'un signe de la main, le stylet, marqueur du rythme cardiaque. Il ne trace plus qu'une longue ligne horizontale.

Avant de quitter la chambre pour accourir chercher ma mère dans la salle d'attente, j'embrasse grand-maman en la remerciant secrètement, convaincu d'avoir trouvé en elle une alliée au paradis.

Quelques jours plus tard, après un sombre Noël écoulé au salon funéraire, je retourne au collège au volant de ma propre voiture, une petite Honda Civic d'occasion, offerte par papa et maman, de connivence avec Thérèse. Bien avant l'apparition de la maladie de ma grand-mère, tous les trois avaient planifié ensemble de m'offrir ce cadeau à la fois pour Noël et pour célébrer mes dix-huit ans dans quelques semaines. Les clés m'attendaient sous l'arbre de Noël, emballées dans une minuscule boîte dorée marquée à mon nom. Mes parents ne se montraient pas peu fiers de leur idée. Moi, j'ai reçu ce présent comme si ma grand-mère Thérèse me tendait la main, par-delà sa tombe.

Papa s'est pété les bretelles.

— Comme ça, tu pourras circuler librement, te déplacer entre ici et le collège plus facilement, mon Vincent. Terminés, les transports en autobus qui n'en finissent plus ! À oublier, les jours de congé, obligé de rester sur le campus !

Malgré mon moral toujours chancelant, j'ai éclaté de joie. Bien sûr, posséder une voiture ne changera rien au fait de trouver la maison trop souvent vide pendant les fins de semaine, surtout en l'absence de grand-maman dans la rue d'à côté. Par contre, ces clés représentent pour moi les clés de la liberté. J'aurai tout le loisir d'organiser mes week-ends à ma guise et de gérer chacune de mes allées et venues. Génial ! Mes parents se rendent-ils compte que ce présent m'ouvre la porte sur mes premières activités comme adulte ? Merci, papa et maman, merci, grand-maman !

Les mains sur le volant, fonçant à vive allure sur cette route enneigée qui me conduit vers mes derniers mois de collège, je me sens, malgré tout, le cœur plus léger qu'avant les Fêtes. Certes, la perte de ma grand-mère chérie m'a jeté par terre. Et l'échec de mon projet de révéler la vérité à mes parents n'est pas sans me décevoir.

Mais un miracle inattendu s'est produit durant ces sinistres vacances : grand-maman Thérèse a emporté mon lourd secret avec elle. Pendant que je lui parlais, immobile contre son lit, elle vivait encore. Ainsi, elle connaissait déjà ma vérité et n'a jamais cessé de m'aimer… « J'savais », m'a-t-elle murmuré. De là où elle s'en est allée, elle me protégera. Cette pensée me soulage d'un poids immense. Je ne me sens plus seul.

À l'avenir, j'ai bien l'intention d'affronter positivement ma réalité et de l'assumer. Ma résolution ferme, prise auprès de sa dépouille, illuminera chacun des jours de cette nouvelle année, je l'ai décidé. Je ne fais plus partie des sans-voix. J'ai une voix au chapitre, ma voix à moi, la mienne, la seule, la vraie, et je m'en servirai. Je vais m'affirmer.

Déjà, je me sens revivre.

CHAPITRE 5

Au nom de la paix et en dépit de mes fermes résolutions, je me suis lâchement rangé du côté des gars ordinaires au camp d'hiver du collège, pendant les trois jours de février écoulés au mont Sainte-Flavie. La pensée du regard bienveillant de ma grand-mère, du haut de son nuage, n'a pas suffi à me donner le courage d'agir autrement.

Avec les élèves de mon école, j'ai joué à l'homme fort, j'ai franchi des kilomètres en raquettes et en skis de fond, j'ai glissé en toboggan sur les pentes vertigineuses, et j'ai aidé à construire le fort de neige des finissants, le « Sec-V », autour duquel s'est organisée une bataille en règle contre le « Sec-IV », celui des élèves de quatrième secondaire en vacances. J'ai aussi planifié la stratégie de l'attaque, élaboré des plans, lancé des balles de neige et participé, le cœur joyeux, à la célébration de notre victoire. De quoi débarrasser à jamais tous les esprits de mon image de moumoune ! Et le soir, quand la cafétéria s'est transformée en discothèque, je suis devenu le danseur le plus zélé de la classe. Les filles n'en croyaient pas leurs yeux, Samuel non plus, qui me regardait sous cape avec un drôle d'air.

Même s'il m'ignore complètement depuis deux mois, j'observe toujours, en catimini, l'ancien objet de mes rêves. Infailliblement, il flotte sur un nuage dès qu'il aperçoit au loin sa belle amoureuse. Petit à petit, je sens ma peine s'amoindrir. À la vérité, après m'avoir tant fait souffrir, il n'y a pas si longtemps, son détachement si blessant me porte maintenant secours et m'aide à l'oublier. Tant pis, qu'il fasse sa vie, je ferai la mienne !

Le premier soir des classes de neige, quand on a éteint les lumières dans le dortoir des garçons, je me sentais bien, blotti douillettement sous mes couvertures, savourant la fierté d'avoir joué au mâle durant toute la journée et d'avoir réussi à berner tout le monde, moi le premier. Je me suis même demandé si je n'étais pas « aux deux ». Qu'à cela ne tienne, j'allais vérifier.

Le lendemain, je me suis mis à flirter avec les plus jolies filles du groupe. J'ai alors proposé à l'une d'elles de venir glisser avec moi sur la pente la plus abrupte. Nous nous sommes assis sur le traîneau, elle devant, entre mes jambes, et moi derrière, l'entourant de mes bras. Hélas ! Ce geste n'était pas sans me rappeler un certain soir avant Noël, lorsque j'ai enserré Samuel sur la motoneige. Non, avec cette fille, je ne ressentais rien de semblable, pas même l'ombre d'un désir. Que de l'amusement pur et simple. Quand notre toboggan a chaviré au bas de la côte, que nos corps ont roulé l'un sur l'autre et que nos visages se sont frôlés, je n'ai éprouvé aucune envie de l'embrasser. Je me suis alors mis à rire, simplement pour avoir ainsi culbuté, à la manière du petit garçon que j'étais momentanément redevenu. Ou que je voulais redevenir.

Étonnante aventure que celle du camp d'hiver… Si ces quelques jours ont largement contribué à me confirmer mon orientation sexuelle, mon comportement en a déconcerté plus d'un. Pour le reste de l'année scolaire, je serais assez surpris de voir quelqu'un s'aventurer à me traiter encore de fif… Voilà au moins un bon point de marqué, même si j'ai dû acheter la paix par un mensonge.

Me voici, en cette fin d'après-midi d'avril, dans l'un des studios de musique du collège, refuge béni où j'ai de plus en plus tendance à fuir et à m'isoler entre de longues périodes à la salle d'étude ou à la bibliothèque. Ces derniers mois, en plus de tenter d'adopter une attitude de « vrai » gars, j'ai repris mes livres avec plus d'assiduité et d'ardeur afin d'améliorer mon dossier scolaire. D'apprendre le nombre limité d'élèves acceptés au département de technique de soins infirmiers du cégep, malgré les multiples demandes, suffit à me motiver de nouveau. À mon grand contentement, mon zèle porte fruit, et mes notes progressent dans toutes les matières. Mon rêve de devenir infirmier a maintenant des chances de se concrétiser. Je veux le réaliser, et je vais le réaliser.

Fiévreusement, je laisse mes doigts chercher, sur les touches du piano, l'âme de Beethoven, lui aussi devenu marginal bien malgré lui, mais d'une autre manière. Sur le lutrin, à côté de la partition, j'ai déposé des extraits, recopiés d'Internet ce matin, concernant la lettre d'adieu[2] du compositeur, destinée à ses frères.

Il me faut vivre comme un proscrit – quand je m'approche d'une société, une peur poignante d'être obligé de laisser voir mon état me saisit. [...]

Il s'en fallut de peu que je ne misse fin à ma vie, mais seul, lui, l'art m'en retint. Oh ! Il me semblait impossible de quitter ce monde avant d'avoir accompli ce à quoi je me sentais disposé [...].

Peut-être les choses iront-elles mieux, peut-être que non, je suis prêt à subir mon sort [...].

Divinité, du haut tu vois sur mon âme, tu la connais, tu sais que l'amour du prochain et le besoin de faire le bien l'habitent.

2. Testament d'Heiligenstadt, 6 octobre 1802.

> *Oh ! Humains, quand vous lirez ceci, pensez que vous m'avez fait du tort, que les malheureux se consolent d'avoir trouvé un de leurs semblables qui, malgré tous les obstacles de la nature, a fait tout ce qui était en son pouvoir pour être recueilli dans le rang des artistes et des hommes dignes…*

Beethoven n'expédia jamais cette lettre. J'ignorais que, assailli par les symptômes d'une surdité impitoyable, le génie de la musique avait songé à mettre un terme à ses jours. Qui oserait lui lancer la pierre ? Si quelqu'un, à travers les siècles, méritait de conserver une oreille parfaite, c'était bien lui, l'un des plus grands musiciens de l'histoire.

Mais il ne s'est pas suicidé. Pour le plus grand bien de l'humanité, pour le plaisir des mélomanes du monde entier, pour tous ceux qui ont chanté et chanteront de siècle en siècle son *Hymne à la joie* et pour mon bonheur à moi aussi, humble pianiste de formation plus personnelle qu'académique, Beethoven, même complètement sourd, a résisté à la déprime et a courageusement continué de composer sa merveilleuse musique. Voilà pourquoi tous les humains peuvent retrouver, dans son œuvre magistrale de création, autant la tendresse que la mélancolie, autant la révolte qu'une farouche détermination et un fougueux appétit de vivre.

Si certains de tes *adagios* me ramènent de temps à autre au creux de ma détresse, mon cher Beethoven, tes *allegros* réussissent toujours à m'en libérer. Parce que tu m'habites profondément et parce que j'ai la chance de pouvoir évacuer le trop-plein de mon âme sur le piano, je te dois une fière chandelle. Comme toi, je me tiens debout même si, parfois, j'arrive encore mal à accepter ma condition de marginal, malgré mes bonnes résolutions. Résolutions pas vraiment tenues, à la vérité…

Ah ! Que m'emporte toujours plus haut, toujours plus loin et au-delà de moi-même, l'impétuosité du *presto agitato* de la sonate *Clair de lune*. Ce troisième mouvement éveille immanquablement en moi l'image d'un cheval sauvage galopant sur d'immenses plages de sable. Je suis ce cheval sauvage, mais un cheval encore encagé, claquemuré, séquestré, autant dans ma vie que sur ce piano. Et ma difficulté à reproduire sur le clavier ces séries de notes dont l'élan effréné s'interrompt sur des accords brusques et secs traduit bien mon mal de vivre. Un blocage… Je ne rêve pourtant que de courir en toute liberté sur ces plages où poussent secrètement des petites fleurs bénies des dieux. Les plages de mon cœur… Y arriverai-je jamais ?

Un léger cognement vient interrompre mon épopée. Ai-je bien entendu ? Lentement, la porte du studio s'entrouvre pour laisser passer la tête de monsieur Legrand. Il me décoche un sourire accompagné d'un clin d'œil.

— Salut, Vincent ! Je viens t'avertir qu'un exercice d'évacuation aura lieu dans quelques minutes. Ne t'énerve pas si les sirènes d'alarme retentissent subitement. Tu n'auras qu'à sortir calmement dehors par l'escalier au bout du corridor.

— Oui, monsieur. Merci, monsieur.

Au lieu de partir, le directeur de l'encadrement pédagogique et de la discipline semble vouloir s'attarder. Immobile devant moi, il me regarde sans prononcer une parole pendant un moment qui me paraît une éternité. Je me sens fondre, dévoré par l'envie de me dissoudre sous le piano. Je gagerais un million qu'il est sur le point d'aborder le dernier sujet dont je voudrais discuter. Pas aujourd'hui, pas maintenant. Ma thérapie, aujourd'hui, je la fais avec Beethoven. Qu'il me fiche la paix et aille vaquer à ses occupations de superviseur ! En ce moment, je me sens bien et serein, et je refuse de gratter mes bobos. Bon ! Le voilà qui se racle la gorge et prend une longue inspiration. Je ne me suis pas trompé, celui qui se prétend mon père spirituel passe à l'attaque.

— Dis donc, Vincent, as-tu parlé de… de ton orientation sexuelle à tes parents depuis Noël ? Je m'attendais, un jour ou l'autre, à te voir revenir à mon bureau en criant victoire ou pour en discuter un peu, mais je ne t'ai pas revu. Tes visites chez le psychologue te suffisent pour maintenir le cap, je suppose ?

— Non, je n'ai rien avoué à mes parents. Pas encore. L'occasion ne s'est pas présentée, voilà tout. Quant au psychologue, je n'y suis pas retourné non plus.

— Autrement dit, c'est le *statu quo*.

— Euh… non, pas vraiment le *statu quo*. Vous m'avez dit vous-même que mon… ma condition, ça s'accepte. Alors, je l'accepte maintenant. À tout le moins, je travaille là-dessus, mais je ne réussis pas toujours, je l'avoue. Au camp d'hiver, je… Bref, je marque des points de temps à autre, même si ça n'arrive pas trop souvent. Ne vous inquiétez pas.

— Bravo, mon garçon ! Tu sembles progresser sur le bon chemin. Il faudra tout de même aviser ton père et ta mère, un jour ou l'autre, tu ne penses pas ?

— Euh… oui, monsieur, quand ça adonnera.

Je ne vais tout de même pas lui dire qu'après Noël, mes parents ont passé trois semaines en Floride, sans parler des deux voyages d'affaires de mon père dans l'ouest des États-Unis et des nombreuses fins de semaine écoulées par maman au chevet de sa sœur malade à Québec. Je ne vais pas lui confier, non plus, mes aveux secrets mais combien libérateurs à ma grand-mère Thérèse, juste avant son décès. Il va me prendre pour un fou. Quant à mon comportement de Casanova dans le collège et au camp d'hiver, qui sait s'il ne s'en est pas rendu compte ?

— Dis donc, tu joues bien du piano, toi ! Je t'ai écouté pendant un bout de temps avant de frapper à la porte. Oh là là ! Tu m'impressionnes, jeune homme ! J'ignorais que tu avais fait d'aussi longues études en musique.

— Non, non, je n'ai pris que cinq ou six années de cours de base durant mon enfance. Le reste, je l'ai acquis par moi-même. J'adore cela. Il faut dire que tantôt, je jouais avec… avec ferveur, mettons !

Étais-je en train de jouer avec ferveur ou avec rage ? Je ne le sais plus, et je me garde bien de lui parler de mes états d'âme. Tant pis si refuser une main tendue jette de l'engrais sur ma solitude ! Loin de deviner ma confusion, monsieur Legrand s'empresse d'enchaîner avec des yeux brillants.

— Dis donc, j'ai une idée. Que dirais-tu de participer, en juin, au spectacle de fin d'année organisé pour vous, les finissants de cinquième secondaire ? Après tout, tu possèdes un talent bien particulier pour le piano, et ça vaudrait la peine de le souligner.

— Moi, participer au spectacle de fin d'année ?

— Pourquoi pas ? Pourquoi ne pas attirer l'attention et susciter l'admiration de tous, profs, parents et élèves confondus, grâce à tes aptitudes et compétences ? Ça changerait des préjugés plus méchants qui circulent de temps en temps à ton sujet, non ?

— Je n'avais jamais pensé à ça !

— Qu'aimerais-tu jouer lors de cette soirée d'adieu à ton collège ?

— Du Beethoven, rien d'autre.

— C'est parfait. Je fais partie du comité d'organisation avec quelques élèves, et je vais inscrire ton nom sur la liste des vedettes. Tu m'écriras plus tard le titre de l'œuvre et une courte note biographique sur le compositeur.

Je n'ai pas le temps de répondre qu'une sirène se met à hurler, remplissant le collège de ses appels aigus. L'âme de Beethoven vient brutalement de s'éteindre.

Monsieur Legrand a raison, je dois informer mes parents de mon homosexualité. Depuis Noël, le courage m'a manqué. Pas évident d'affirmer de but en blanc à André de Bellefleur que les filles ne disent rien à son fils et que seuls les beaux garçons l'intéressent. Pas plus facile d'avouer à ma mère que vivre une histoire d'amour avec une femme et fonder un foyer avec elle ne font pas partie de mes aspirations pour l'avenir. Elle devra se contenter d'un fils professionnel de la santé.

Par les temps qui courent, maman devrait se montrer plus compréhensive qu'à Noël, puisque ses préoccupations se sont estompées à la longue. Tout d'abord, grand-maman s'en est allée, sa sœur de Québec prend du mieux et mon frère Guillaume s'est déjà trouvé une autre blonde. Quant à Alexandre, il a annoncé son retour définitif pour l'été prochain. Ma mère devrait donc être en mesure d'envisager de front la réalité de son troisième enfant. Mais mon paternel, lui ? Hum ! j'en doute ! Comment réagira-t-il ? De savoir son fils gai affectera sans contredit son orgueil de mâle et ses principes de père.

La fin de semaine dernière, en route vers la maison au volant de ma petite voiture, j'étais fermement décidé à dévoiler enfin la vérité à mes parents. Mon discours était prêt, mille fois répété intérieurement. Selon le scénario prévu, le samedi soir, maman me demanderait, comme d'habitude, pour quelle raison je n'allais pas rejoindre mes amis au Club Disco où se rencontrent habituellement les gars et les filles du quartier. Je saisirais alors l'occasion pour sortir ma thèse de vérité au lieu de proférer des mensonges, comme je le fais généralement en prétextant un travail plus long que prévu à remettre au collège le lundi matin, ou en inventant une rencontre annulée à la dernière minute ailleurs et avec d'autres amis, ou bien en me rendant soi-disant au cinéma en groupe alors que le groupe se résume à moi seul, ou encore en me plaignant simplement d'un puissant mal de bloc.

Cette fois, j'allais répondre crûment à ma mère : « Je n'ai pas le goût de sortir avec des filles. Elles n'ont qu'une envie, celle de flirter et de se retrouver à l'horizontale en fin de soirée. Ça ne m'intéresse pas. Je suis « aux hommes », maman. M'entends-tu ? Ton fils est gai, H-O-M-O-S-E-X-U-E-L. Ne l'avais-tu pas deviné ? » Là, je me fermerais les yeux et j'attendrais que le ciel ou, à tout le moins, un puissant déluge me tombe sur la tête.

À ma grande déception, rien de tout cela ne s'est produit. À mon arrivée à la maison, vendredi passé, une note rédigée par ma mère m'attendait sur le coin de l'armoire :

Vincent,

Nous avons pris une décision de dernière minute, ton père et moi. Comme c'est notre anniversaire de mariage aujourd'hui, il m'invite à passer deux jours avec lui au Spa des Amours, à une soixantaine de kilomètres d'ici, histoire de nous reposer et de nous retrouver en tête-à-tête comme les amoureux que nous sommes depuis trente ans. Il y a du jambon et un reste de poulet dans le réfrigérateur, et je suis allée te chercher des légumes avant de partir, cet après-midi.

Bonne fin de semaine et… sois sage, mon chéri !

Ta mère

« Sois sage… » Elle en a de bonnes, ma mère ! Je suis toujours sage, elle le sait très bien. Trop sage même, au point de trouver la vie plate et insipide. Une seule fois, dans ma courte existence, je ne me suis pas montré sage : le 8 décembre dernier, dans la forêt derrière le collège.

J'avais encore le billet en main quand une idée a germé dans mon esprit, puis s'est mise à me trotter dans la tête jusqu'à devenir une obsession. Idée géniale ou idée stupide ? Je ne le savais guère, mais je refusais de l'éliminer du revers de la main. Quand maman reviendrait de son week-end enflammé, le dimanche soir, elle connaîtrait la nature réelle de son fils. Sur son oreiller, au moment d'aller se coucher, elle trouverait l'extrait photocopié de mon journal intime intitulé *Une croix de branches sur la neige*. Oui, elle découvrirait tout. Ma réalité remporterait enfin sa victoire.

Dimanche soir passé, j'ai donc déposé une enveloppe sous les couvertures du lit de mes parents, du côté droit, celui de ma mère, avant de retourner au collège, le cœur battant la chamade, fier de mon idée audacieuse d'apprendre par écrit la vérité à mes parents. Tout au long de la semaine qui vient de s'écouler, à chaque instant, j'ai guetté la sonnerie de mon téléphone portable, espérant entendre, à l'autre bout, la voix émue de maman prononcer des mots d'amour, après avoir lu mes aveux : « Mon pauvre petit... ce n'est pas grave. Ton père et moi sommes de tout cœur avec toi et nous t'acceptons tel que tu es. Mon amour, si tu avais péri dans la neige, je n'aurais jamais pu le supporter et je serais demeurée inconsolable pour le reste de mes jours. Tu as le droit de trouver le bonheur à ta manière à toi, mon enfant. Pourquoi nous avoir caché la vérité pendant aussi longtemps ? Dorénavant, nous allons t'aider et te soutenir. »

Malheureusement, malgré mes attentes, mon téléphone n'a pas sonné une seule fois de la semaine. La réaction parentale viendra tantôt, je suppose, quand je me pointerai chez nous. En cours de route, en cette fin d'après-midi pluvieux, j'en tremble de frayeur. À vrai dire, je n'en peux plus d'attendre cette réponse.

Hélas ! Contre tout espoir, je n'ai droit, à mon arrivée à la maison, qu'à une main silencieuse de maman, posée sur mon épaule. Rien de plus. Effaré, j'éclate en sanglots et ne peux retenir ma question, lancée sur un ton agressif.

— T'as pas lu mes pages laissées sur ton oreiller, maman ?

— Oui... Mon pauvre enfant, tu ne choisis pas le chemin le plus facile dans la vie.

— Je ne l'ai pas choisi, tu sauras !

À part une légère étreinte et un baiser sur la joue plus long et plus chaleureux qu'à l'accoutumée, ma mère n'ajoute rien. Strictement rien. Une autre question, pourtant, me brûle les lèvres, et je ne résiste pas longtemps à la poser.

— Papa, il les a lues, ces pages ?

— Non, pas encore. J'attends le moment propice pour les lui montrer. Je ne sais pas comment il va prendre ça, tu comprends.

« Tu comprends » ! Elle m'a dit : « tu comprends » ! Ainsi, il m'incombe à moi de comprendre, au moment où j'aurais tant besoin, moi, d'être compris. Je me replie alors dans ma chambre avec l'impression de vivre l'un des moments les plus ténébreux de mon existence. Un cauchemar ! Mes parents se fichent de moi, aucun doute là-dessus. Un sentiment de solitude plus terrible et plus insupportable que jamais m'envahit soudain. À la fois déçu et blanc de colère, je martèle mon oreiller à grands coups de poing jusqu'à épuisement, en versant toutes les larmes de mon corps. Ah ! Si seulement grand-maman était là, elle ne me jugerait pas, elle ! Secrètement, je l'implore de venir à mon secours.

Quand, une heure plus tard, maman m'appelle pour le souper, je refuse de sortir de la chambre et l'envoie mentalement promener.

— J'ai pas faim !

— Voyons donc ! C'est mauvais pour la santé de sauter un repas !

Tiens, tiens, elle s'en fait pour ma santé, à présent. Et ma santé mentale ? Et ma sérénité ? Qu'elle aille au diable, ma chère mère ! Elle ne reverra pas la face de son fils gai, ce soir.

Après une nuit blanche, je me dirige tout de même vers la cuisine, au cours de l'avant-midi, tenaillé par la faim et bien déterminé à reprendre la discussion d'hier. J'ai longuement réfléchi, je veux rester positif et je me sens prêt à me défendre, bec et ongles.

Monsieur Legrand ne s'est pas trompé : j'ai fait un bout de chemin. Malheureusement, je trouve la maison vide. Un mot m'attend sur le comptoir :

Partis magasiner.

De retour en fin d'après-midi. xxx

Malgré le mauvais temps, je m'empresse de quitter la maison vers le milieu de la journée. Surtout ne pas me laisser déprimer. Ma mère insiste toujours pour me voir sortir le samedi soir ? Eh bien, je vais sortir ! Après tout, j'ai un monde à découvrir. Le mien. Je laisse une note sous le mot de ma mère :

Parti pour la soirée. V.

Sans hésiter, je dirige ma voiture du côté de la grande ville. Ce soir, Vincent de Bellefleur va s'offrir une tournée dans le quartier gai, advienne que pourra ! Et pourquoi pas, demain dimanche, une petite balade en solitaire à la campagne, avant de me rendre au collège ?

Lundi matin, je vais laisser une courte remarque dans la boîte à courrier de monsieur Legrand pour l'informer que mes parents sont maintenant au courant. Je vais lui indiquer aussi quelle œuvre de Beethoven j'interpréterai à la remise des diplômes : l'*Adagio cantabile* de la sonate *Pathétique.* Si cette pièce éveillait en moi, jusqu'à tout récemment, tristesse et morosité, je la trouve maintenant de plus en plus tendre et suave. Douce et réconfortante même. La pièce parfaite pour un homosexuel qui s'affirme !

Tout n'est-il pas dans la façon de percevoir les choses ? Je viens de le réaliser, en cette difficile fin de semaine.

CHAPITRE 6

En ce samedi soir de ma « libération », mes premiers moments dans le quartier gai ne m'impressionnent guère, à part les rues et les trottoirs incroyablement achalandés et le stationnement impossible à trouver. Je décide donc de m'éloigner et de garer ma voiture à plusieurs pâtés de maisons de là. Réflexion faite, j'ai tout mon temps. Vincent de Bellefleur fera son entrée à pied et la tête haute dans ce secteur de la ville où il a l'intention d'installer un jour ses pénates. Mon futur vivier, quoi !

Une fois perdu parmi la foule sur le trottoir de la grand-rue, je ne mets pas de temps à déchanter. La plupart des passants sont des hommes. Ils déambulent deux par deux et côte à côte, mais rarement en se tenant par la main, ces fameux gais, princes errants du faubourg de mes rêves. Je les regarde flâner nonchalamment et sans but précis, en général muets et impassibles. Je croyais pourtant, avec une grande naïveté, pénétrer dans le royaume des gens rayonnants, épanouis, s'embrassant à bouche que veux-tu sur le coin des rues, tellement heureux d'afficher leur naturel au grand jour et de se promener à ciel ouvert sans se faire montrer du doigt comme des bêtes curieuses. Je n'y découvre que des hommes ordinaires, vêtus simplement, en général minces et imberbes, les cheveux coupés court. « Du monde *straight* », dirait ma mère.

Bien sûr, je ne suis pas sans remarquer certains gestes un peu maniérés. Ici, un « voyons donc ! » accompagné d'un branlement de tête et d'une agitation de la main on ne peut plus féminine, là, le regard amoureux échangé entre un homme d'âge mûr et un jeunot de la dernière couvée. Un jeunot comme moi, étonné de découvrir également quelques rares travestis à la perruque blonde, jupe virevoltante et talons hauts claquant sur le pavé.

Une pancarte bleue suspendue à un lampadaire, perpendiculairement au trottoir, attire mon attention. Son message me fournit une explication, sinon une excuse : *Être gai, ce n'est pas un choix pour moi, c'est une nécessité.* Que voilà une bonne réponse à mes hésitations ! Je souhaiterais la lancer à la figure de ceux qui m'ont accablé de leurs moqueries, ces dernières années. Une nécessité, mes amis, une NÉCESSITÉ. Accepter et tolérer l'inchangeable, l'inaltérable, l'indéfectible, je dirais même le réel et le nécessaire, ne s'avère-t-il pas essentiel en ce bas monde ? Le respect de ce que l'on est et de ce que les autres sont ne constitue-t-il pas un gage de paix sur cette planète ?

Mais la pancarte ne répond pas à toutes mes interrogations. D'où vient donc ce besoin d'un village gai, cette exigence de s'isoler dans ce qui ressemble ni plus ni moins à un ghetto ? Serait-ce à cause de l'intolérance du bon peuple et d'un flagrant manque de respect, ailleurs ? Et au nom de quoi ? Pourquoi établir un quartier en marge ?

De nombreuses autres citations sur les pancartes bleues viennent appuyer la première tout au long du trottoir, sur une distance de plusieurs rues, et me donnent à réfléchir. Je voudrais les retenir toutes par cœur. *Je défends une chose : ne pas avoir peur de mes différences*, et plus loin, *Parfois, j'ai de la misère à être moi.* Ainsi, je ne suis pas le seul à souffrir de ma condition… Mince consolation, à la vérité. En quoi la douleur des autres peut-elle alléger la mienne ? Au contraire, j'aurais envie de me mettre à brailler, là, tout seul sur le coin de la rue. Encore tout seul. Toujours tout seul.

Mieux vaut entrer dans un bar ou un restaurant et me tranquilliser l'esprit. J'hésite entre le Resto Le Club Sandwich et le Bar Sky. À travers les fenêtres, la clientèle m'apparaît toujours aussi exclusivement masculine. Allons-y pour le bar. Une bonne bière avant le souper ne sera pas de trop pour me remonter le moral. Je choisis la dernière table, au fond de l'établissement. De là, je pourrai poursuivre paisiblement mes observations sans trop me faire repérer. À peine ai-je le temps de commander une bière en fût qu'un homme d'une trentaine d'années se présente devant moi.

— Salut ! Ça va bien ?

Si je vais bien ? En quoi cela peut-il intéresser cet inconnu ? Il n'en a rien à foutre de comment je vais, aucun doute là-dessus ! Mais je le vois venir, le coquin.

— Oui, ça va bien. Tu veux me vendre quelque chose ?

— Non, non, je me demandais seulement si, par hasard, tu n'aurais pas envie de fumer…

— Je ne fume pas. Laisse-moi tranquille.

— T'aurais pas envie d'autre chose ?

— Non, rien d'autre. Fiche-moi la paix, OK ?

Le bonhomme s'en retourne solliciter un autre client après m'avoir fusillé du regard. La drogue semble aussi présente dans ce milieu qu'ailleurs. Bien sûr, j'ai accumulé quelques petites expériences dans ce domaine, il y a un an ou deux, en compagnie de certains compagnons d'adolescence, de ce genre d'amis pas très recommandables, je l'avoue. Je me rappelle encore ce fameux soir où drogue et alcool n'avaient pas fait bon ménage dans mon système. Le père d'un copain avait dû me ramener chez moi, ivre et malade à en mourir. Cette fois-là a eu lieu ma dernière consommation de drogues. J'ai détesté l'avachissement et l'état de larve dans lequel ça m'a plongé. Depuis ce temps-là, quelques bières suffisent amplement à me détendre, voire à me faire oublier mes tracas et à me rendre joyeux.

Parlant de bière, le barman vient de déposer sur ma table un deuxième verre sans que je l'aie commandé. Ah ?

— C'est le type de la table là-bas qui te l'offre.

L'homme d'une cinquantaine d'années « de la table là-bas » me fait signe de la main dès que je tourne mon regard vers lui. Il ne met pas de temps à venir s'asseoir auprès de moi sans même m'en demander la permission. Il lève alors son verre à ma santé en me souriant de toutes ses dents. Je ne suis pas sans remarquer la large chaîne en or qu'il porte autour du cou et les nombreuses et énormes bagues ornant ses doigts, de même que les horribles tatouages en forme d'étoiles recouvrant ses tempes et le côté de ses joues.

— À ta santé, jeune homme !

— Euh… merci !

— Dis donc, attends-tu quelqu'un ?

— Non.

— J'ai une proposition à te faire. Une proposition payante. J'ai plein d'amis qui t'ont remarqué et aimeraient bien te connaître. Cent piastres de l'heure, ça te dit quelque chose ?

— Cent piastres !

— C'est pas assez ? Cent vingt-cinq, alors ?

— Non, merci, je ne suis pas intéressé.

— De la belle argent *cash* vite faite, faut pas cracher là-dessus ! Un beau gars comme toi, ça devrait en profiter.

— Allez vous faire foutre !

Je me lève d'un bond et, dans mon énervement, je renverse l'un des deux verres tout en saisissant mon coupe-vent. L'espace de quelques secondes, le ton des conversations baisse dans l'assistance. Bravo, mon cher ! Si tu voulais passer inaperçu, tu as royalement manqué le bateau !

À la sortie du bar, je bute contre une devanture annonçant des accessoires variés à fixer sur différentes parties du corps n'ayant pas de caractère précisément érotique, mais dont le contact ou la vue peuvent éventuellement déclencher le désir sexuel. À travers la vitrine, on peut voir de nombreux mannequins masculins à moitié nus exhiber soit des bottes de cuir, soit des vestes taillées à l'oblique ne couvrant qu'une épaule. D'autres affichent des mollets ou des avant-bras sur lesquels sont noués des lacets et des courroies de cuir. Jamais je ne porterai ces affaires-là pour séduire un partenaire. Très peu pour moi, le fétichisme !

Je me dirige aussitôt vers un restaurant. Là, au moins, on devrait me laisser tranquille. Je ne pensais pas me tromper à ce point. À la table d'à côté, un jeune homme dans la vingtaine mange seul, le nez plongé dans son journal, concentré au point de ne pas avoir remarqué mon arrivée. Cette fois, c'est moi qui lui jette un coup d'œil de temps à autre. Je le trouve attirant, ce gars, sans artifice à part un minuscule anneau d'or à l'oreille droite. J'adore sa chevelure plutôt longue et en broussaille, et son air de bohème romantique. Peut-être aime-t-il la musique ?

J'ai beau soupirer, me racler la gorge, tourner régulièrement la tête de son côté, il se fiche carrément de moi jusqu'au moment où, bien involontairement, je m'étouffe en avalant une lampée de soupe bouillante. Je cherche mon souffle, j'ai la bouche en feu, la langue et les joues me brûlent à en crier de douleur. Je me mets alors à tousser comme un déchaîné. Ça y est, je vais mourir là, sur la banquette d'un restaurant anonyme du village gai. La belle affaire !

— Veux-tu une gorgée d'eau ?

Le voisin me tend gentiment son verre d'eau, mon serveur ayant négligé de m'en apporter un. Je m'en empare et bois goulûment le liquide frais et salvateur sans me rendre compte que l'homme s'est mis à me dévorer des yeux.

— Tiens, prends ma serviette. J'en ai reçu une de trop. Ça va mieux, maintenant ?

— Oui, grâce à toi, je vais m'en sortir. Je te remercie beaucoup.

— De rien, voyons ! Ça m'est arrivé, il n'y a pas très longtemps. On n'oublie pas ces instants-là, je te jure. Mourir étouffé doit être épouvantable. Tu habites dans le quartier ?

— Non, je viens de la banlieue ouest. Je me sens comme un touriste, ici, ce soir. C'est la première fois que…

— Étudiant ou travailleur ?

— Je termine mon secondaire en juin prochain au collège Saint-Anselme, à cent kilomètres de chez moi. Et j'attends, justement ces jours-ci, mon acceptation officielle en technique de soins infirmiers au cégep Jacques-Cartier, après évaluation de mon dossier. Et toi ?

— Tu étudies au collège Saint-Anselme ? Tu parles d'une coïncidence ! J'y ai passé les deux premières années de mon secondaire. Finalement, mes parents m'ont retiré de là parce que je détestais être pensionnaire. Mais ça fait longtemps, j'ai vingt-huit ans.

— Tu les fais pas. Moi, j'ai dix-huit ans.

Pendant un court moment, l'idée m'effleure de lui parler de monsieur Legrand, sans doute déjà présent au collège à cette époque, mais mon interlocuteur ne m'en laisse pas le temps.

— Je m'appelle Simon Lagacé. Et toi ?

— Vincent de Bellefleur. Tu fais quoi dans la vie ?

— Technicien pour une compagnie de vente et d'entretien d'ascenseurs.

Ce gars-là me plaît vraiment. Ce sourire légèrement narquois et ces yeux verts pleins de lumière… J'aurais presque envie de m'y noyer, là, tout de suite, dans cet océan aux reflets d'or. Et puis, son expérience de la vie, sa maturité m'attirent. À mon grand plaisir, il laisse tomber son journal, et nous terminons finalement notre repas ensemble. Après un deuxième café que nous allongeons au maximum, nous n'avons pas le choix de nous lever de table.

Je souhaite secrètement le voir réclamer mon adresse ou, à tout le moins, mon numéro de téléphone, mais le coquin s'en garde bien. Je pousse un léger soupir de déception. Un autre qui va passer outre, dans ma vie…

À la caisse, il se présente avant moi avec sa carte de crédit, mais une fois son repas payé, au lieu de partir en me saluant poliment comme je le redoute, je le vois s'appuyer contre le comptoir pendant que je règle ma note. Je bénis tous les saints du ciel : il m'attend ! Et, au-delà de mes espoirs, il pose même une main amicale sur mon épaule, une fois la sortie franchie. Wow !

— Si on marchait un peu pour digérer tout ça ?

Tranquillement, nous nous baladons tous les deux, côte à côte, en placotant comme de vieux amis. Je me sens heureux comme un roi. Une vitrine attire notre attention. Des centaines d'épinglettes, toutes différentes les unes des autres, y sont accrochées de long en large et d'une extrémité à l'autre, portant de courtes pensées reliées à l'homosexualité. Simon me prend par le bras et m'invite à entrer dans la boutique.

— Viens ! On va s'en acheter chacun une, en souvenir de notre rencontre.

Nous les choisissons avec autant de minutie que s'il s'agissait de l'achat d'un bijou en or massif. Simon me fait rire en allant expérimenter, auprès du vendeur, l'effet du message de chacune des badges qu'il attache successivement au revers de son col. Je le vois se dandiner devant l'employé en lui désignant l'inscription : *I'll swap this badge for a hug*[3]. À ma grande surprise, le vendeur lui fait une bise et Simon lui remet aussitôt l'épinglette. De toute évidence, ces deux hommes se connaissent.

Le message suivant, *Kiss me, I'm gay*[4], donne lieu à un véritable baiser sur la bouche. Cette fois, je ris jaune, moi, le sage collégien qui n'ai jamais embrassé un garçon sur la bouche, mais qui ne dirais peut-être pas non à ce Simon Lagacé. Remarque-t-il mon embarras ? Sur-le-champ, il met un terme à ce jeu pour le moins insolite et choisit lui-même l'inscription que je porterai : *Yes, I'm a gay. So what*[5] ? Comme s'il devinait la tempête qui m'habite depuis des mois, il ajoute, en plongeant ses irrésistibles yeux verts dans les miens :

— Il est temps de te prouver que tu l'acceptes, non ?

Il insiste pour payer lui-même l'épinglette, puis nous sortons du magasin en nous tenant par la main, moi complètement dérouté et lui, affichant ostensiblement le message de son insigne avec désinvolture : *Troublemaker*[6].

— Dis donc, si on faisait un tour au sauna, histoire de se changer les idées ?

— Au sauna ? À cette heure-ci ? Je n'y suis jamais allé de ma vie.

— Tu vas adorer ! Rien de mieux pour se détendre.

— Mais… j'ai pas de maillot !

— Pas grave, t'en as pas besoin.

---

3. J'échangerai cette épinglette contre un câlin.
4. Embrasse-moi, je suis gai.
5. Oui, je suis gai. Et alors ?
6. Fauteur de trouble.

De l'autre côté de la rue, j'aperçois une immense devanture complètement placardée d'enseignes publicitaires avec des hommes au torse nu, une simple serviette blanche enroulée autour des reins, souriant suavement sous l'enseigne de Golderack'Spa & Sauna. Au bas de l'une des vitrines, une annonce brille à mes yeux de mille feux malgré son lettrage réduit : *Nuit spéciale, de 12 h à 8 h am, $15.* Je retiens mon souffle.

Simon m'entraîne derrière lui à l'intérieur. Impressionné, je le suis allègrement sans poser de questions. Advienne que pourra ! Je m'étais bien dit cela en venant dans ce quartier, n'est-ce pas ?

Quelques heures plus tard, je sors mon portable de ma poche.

— Maman ? Je ne rentrerai pas, ce soir.

— Quelque chose ne va pas, mon grand ?

— Non, non, tout va bien. Très bien, même ! Tu n'as pas à t'inquiéter. Je vais revenir demain, au cours de la journée. Promis ! Plutôt que de me laisser conduire ma voiture en pleine nuit, un copain m'a gentiment invité à dormir chez lui.

Contrairement à ma promesse à ma mère, je rentre directement au collège, le lundi matin, sans passer par la maison. Par pur principe, j'ai tout de même avisé mes parents, sur le répondeur, de ne pas m'attendre.

Cette fois, la raison ne tient pas à une croix de branches sur la neige, mais, au contraire, à un jardin nouvellement semé dans mon cœur, en forme de lit.

CHAPITRE 7

En cette splendide fin de juin, les roses ont éclos dans mon jardin secret de façon magistrale, belles comme le jour et parfumées aux fragrances exquises des plaisirs de l'amour. En quelques semaines, les conseils mais surtout les subtiles caresses de Simon ont réussi à me donner confiance en moi et à chasser toute nostalgie et tout sentiment d'inhibition et de honte. Ils m'ont aidé à m'assumer, quoi !

Au cours de ce cinq à sept organisé dans le grand salon afin de célébrer, en présence des parents, la graduation des finissants du collège Saint-Anselme, jamais pianiste n'a joué avec autant de fougue retenue le mouvement lent de la sonate *Pathétique.* Aux prises avec cette musique trop douce, je regrette un peu mon choix de pièce. En ce moment, j'aurais plutôt envie de sauter, de danser et de crier ma joie dans un *allegro* explosif, non seulement pour avoir terminé brillamment mon cours secondaire et obtenu mon acceptation au cégep, mais surtout pour vivre enfin librement la plus belle des aventures amoureuses. Heureusement, j'arrive à mater l'excitation et à calmer mes ardeurs. J'intègre alors, dans mon interprétation, toute la tendresse du monde et transforme littéralement la mélancolie de l'*Adagio cantabile* de Beethoven en une expression assez réussie de la douceur d'aimer et d'être aimé.

Cependant, la pensée d'une sinistre tempête susceptible de monter à l'horizon, à la fin de cette éblouissante soirée de remise des diplômes, parvient petit à petit à troubler mon esprit. Je sais que des vents hasardeux mettent en péril ce moment de réjouissance, j'en éprouve la pénible intuition en saluant l'auditoire avec déférence à l'avant-scène.

Quelques minutes avant la représentation, j'ai pris l'initiative de présenter mon amoureux à monsieur Legrand.

— Voici Simon Lagacé. Il a passé deux années au collège, il y a une quinzaine d'années, ça vous dit quelque chose ?

À sa réaction affirmative mais douteuse, j'ai suspecté le directeur de mentir en prétendant le reconnaître pour se montrer poli et lui faire plaisir. Pour Simon non plus, la rencontre ne semblait pas sonner de cloche. Monsieur Legrand a tôt fait de ramener la conversation sur moi.

— Ton père et ta mère vont-ils assister à la cérémonie ? Pour les parents, la graduation de leur enfant représente toujours un moment unique. Un peu comme l'aboutissement, la réussite de leur éducation. Ils vont sûrement afficher une grande satisfaction.

— Ils devraient arriver bientôt. Vous aussi, vous serez fier de moi, monsieur, car ce soir, je fais le grand saut. Après la cérémonie, j'ai l'intention de jouer le tout pour le tout et de leur présenter officiellement Simon comme mon amoureux.

— Je suis fier de toi, mon garçon et… bonne chance !

Depuis le jour où j'ai laissé sur l'oreiller de ma mère *Une croix de branches sur la neige*, le sujet de mon orientation sexuelle n'est pas revenu sur le tapis entre mes parents et moi. Ces derniers temps, à part se réjouir de mon admission en technique de soins infirmiers et de mon emploi d'été comme serveur dans un grand restaurant de la ville, maman se garde bien de m'interroger sur mes nouvelles activités de fin de semaine. Je la soupçonne de pratiquer la politique de l'autruche en refusant d'admettre mon homosexualité, une évidence contraire à ses attentes profondes et qui lui déplaît magistralement.

Quant à mon père, je n'ai jamais su s'il a pris connaissance de cet extrait de mon journal personnel. Son absence totale de réaction trahit, à n'en pas douter, une réelle ignorance ou, pire, une ignorance crasse ressemblant fort à du déni sur ma véritable orientation sexuelle. Tant pis si la tempête éclate après la cérémonie, je vais les confronter à la réalité: leur fils est gai et amoureux!

À cet instant précis, face à la foule qui applaudit ma performance, je me sens heureux et content d'avoir réussi à obtenir le diplôme tant convoité, ce bout de papier qui ouvre la porte à mon rêve de devenir infirmier. Mais par-dessus tout, je savoure mon amour fou pour le beau Simon. Avec quel bonheur je le retrouve, chaque fin de semaine depuis le début d'avril, à part les fréquents moments où ses obligations professionnelles l'accaparent.

Cela cause, je l'avoue, quelque ombre au tableau. Je ne sais combien d'heures je passe, chaque fois, à attendre ses retours. Son portable sonne à tout instant. On requiert ses services ici et là, dans la ville et même à l'extérieur, pour débloquer un monte-charge, réparer un moteur ou dépanner des passagers tenus prisonniers entre deux étages. Un peu plus et je les prendrais en grippe, ces ascenseurs qui me volent mon amant à n'importe quelle heure du jour ou même de la nuit. Par bonheur, Simon me revient toujours avec fidélité. Les éclats d'or de son regard produisent alors infailliblement leur effet magique. Non seulement ils me font oublier l'intimidation ayant récemment refait surface, de la part de certains camarades de classe, mais ils me libèrent surtout du pénible sentiment d'abandon éprouvé à chacun de ses trop nombreux départs. Aurais-je donc commencé à dépendre de lui à ce point?

J'apprécierais aussi organiser des balades à vélo dans la campagne ou des courses à pied sur des sentiers pédestres, en sa compagnie. Et pourquoi ne pas visionner quelques films ou assister ensemble à quelques concerts de temps à autre ? Dommage, mon attrait pour les arts et la nature ne semble guère intéresser mon amoureux. Simon n'en a que pour la ville, les restaurants, les bars, les spas et les saunas, les clubs de danseurs nus et… ses satanés ascenseurs !

Ces derniers mois, j'ai tout de même profité de ces moments d'isolement involontaire mais fort providentiel, à la vérité, pour effectuer mes travaux scolaires et préparer mes examens de fin d'année, calé dans l'unique fauteuil de mon minuscule appartement. Grâce à mon nouvel emploi d'été comme serveur et grâce tout autant à la signature d'un chèque faramineux par ma mère, j'ai pu louer un petit meublé à proximité du cégep Jacques-Cartier où j'assisterai aux cours en soins infirmiers, l'automne prochain. De disposer d'un véritable chez-moi dans la grande ville constitue, à mes yeux, un deuxième pas décisif vers l'autonomie, le premier consistant toujours à posséder une voiture, bien sûr !

Pour la soirée de graduation du collège Saint-Anselme, Simon et moi avons manigancé un plan d'action précis : il se tiendra, de façon anonyme, quelque part dans l'assemblée tout au long de la remise des diplômes. Puis, à la fin de la cérémonie, une fois les discours et la prise de photos achevés, il surviendra à l'improviste. Je le présenterai alors à mon père et à ma mère comme l'un de mes bons amis. Mes frères brillant par leur absence, il a été décidé au préalable avec mes parents de terminer tous les trois la fête dans un chic restaurant de la région. Comme par hasard, j'inviterai Simon à se joindre à nous et, plus tard au cours du repas, à la première occasion, nous apporterons quelques précisions sur la nature amoureuse de notre relation, plaçant ainsi papa et maman devant le fait accompli.

Pour moi, cette fin de soirée représente mille fois plus qu'un tournant académique dans mon existence. À mes yeux, il s'agit du jour le plus important de ma vie, le jour V, celui de la concrétisation de la vérité auprès des miens. De ma Vérité. Si le tout dégénère en tempête, ce sera tant pis. J'apprécie la participation de Simon, mais la perspective de cette rencontre m'inquiète et m'énerve sans bon sens. Qui sait si des nuages noirs ne risquent pas de tout gâcher et de transformer le jour V en jour R, c'est-à-dire celui qui marquera le point de rupture entre mes parents et moi, car je n'abdiquerai pas… Oh ! que non ! Un jour ou l'autre, il faut bien mettre les choses au point : je suis homosexuel et Simon Lagacé est mon amoureux. Point final. Ce soir, je joue le tout pour le tout et, cette fois, papa et maman n'auront pas le choix de l'accepter. Que vienne l'orage, je suis prêt, si jamais l'orage a lieu.

Hélas ! J'avais raison de me méfier. Ce choix, mes parents l'ont fait depuis longtemps déjà. À ma grande déconvenue, ils l'exercent ce soir à leur gré, quelques minutes à peine après les présentations de Simon. Quand donc vais-je cesser de rêver ? Ne devrais-je pas admettre, une fois pour toutes, que mes parents font du déni et refusent de regarder ma réalité en face ?

Il faut dire que mon amant ne paie pas de mine, avec son visage mal rasé et ses cheveux en bataille, ses pieds nus dans ses sandales, sa paire de vieux jeans délavés et sa chemise déboutonnée. Il aurait voulu le faire exprès pour décevoir mon père qu'il n'aurait pas mieux réussi.

De toute façon, mon paternel n'a pas besoin de longues explications pour réaliser que cet homme aux allures de voyou est bel et bien l'amoureux de son fils, surtout quand ce crâneur de Simon, devant l'accueil plutôt rébarbatif de mes parents, me prend ostensiblement la main et se met à me baiser le bout des doigts en s'exclamant avec un accent sarcastique :

— Félicitations, monsieur et madame de Bellefleur ! En plus de ses belles notes, votre fils joue merveilleusement bien du piano.

Voilà au moins deux bonnes raisons de vous sentir fiers de lui, si vous ne l'êtes pas pour d'autres motifs !

Décontenancé par l'arrogance de Simon, je lui retire brusquement ma main. Pourquoi avoir décidé de placer lui-même mes parents devant l'évidence de notre relation amoureuse ? Quelle audace de sa part, tout de même ! Et cela sans m'avoir aucunement consulté. Tout notre scénario prévu tombe à l'eau, et je me sens passablement dérouté. Je comprends aussi que, de toute évidence, mon père a bien lu *Une croix de branches sur la neige*, mais a opté pour le refus de reconnaître la vérité.

Après s'être raclé la gorge en jetant un coup d'œil complice à ma mère, papa me lance, sur un ton qui ne laisse pas de place à la réplique :

— Je regrette, Vincent, mais, pour ton souper de fin d'études, ta mère et moi préférons rester en famille, exclusivement. Désolé, monsieur… euh… Lagacé ? Ce sera pour une autre fois.

Une autre fois, une autre fois… Je sais bien que cette autre fois ne se présentera jamais, aucun doute là-dessus ! Comble de déception, au lieu d'intercéder en ma faveur comme elle l'aurait fait normalement, maman se contente de hausser les épaules en me lançant un air navré. Pendant un moment, je me sens écartelé, sinon déchiré entre mes parents et Simon. Entre l'amour filial et l'amour avec un grand A. Entre ce qu'ils veulent que je sois et ce que je suis.

Devant moi, j'ai l'impression de voir mon avenir se jouer entre deux chemins totalement opposés : d'un côté, la voie de la famille, des parents et des gens ordinaires, de monsieur Tout-le-monde, quoi ! Pourtant, l'inscription sur le panneau de direction ne me plaît guère : *FAUX TOI-MÊME via DISSIMULATION*. De l'autre côté, la route se dirige vers l'amour de mon beau Simon, certes, mais elle mène aussi vers certains risques de rejet et m'apparaît truffée d'embûches dressées par les intolérants, les railleurs et les mauvais juges de la soi-disant bonne société. La flèche marque cette fois : *VRAI TOI-MÊME via VÉRITÉ.*

L'orage tant appréhendé gronde en moi, mais je ne dispose que de quelques secondes pour arrêter ma décision et m'engager sur l'une ou l'autre voie, avec la pénible impression d'établir l'orientation de toute ma vie. Vivre auprès des miens en hypocrite, ou bien vivre seul, selon ma véritable nature, toute marginale soit-elle ?

Simon devine sans doute ma confusion et prend lui-même l'initiative de sauver la face en se retirant honorablement.

— Non, non, il n'est pas question pour moi de vous accompagner, monsieur et madame de Bellefleur. D'autres obligations m'attendent ce soir. Je vous remercie quand même et vous souhaite un bon souper. Au revoir, Vincent ! À un de ces jours.

Je lui sais gré de son geste et, le regardant s'éloigner dignement, je m'empresse de renchérir, fort de ma soudaine décision.

— Moi non plus, papa et maman, je n'irai pas avec vous au restaurant. Autre chose de très important m'attend. Bonne soirée et à bientôt. Je vous téléphonerai cette semaine.

Évidemment, ma mère se met à protester et à défendre le point de vue de son homme.

— Mais voyons, Vincent, ton père a raison. Il s'agit aujourd'hui de la fin d'une étape cruciale de ta vie, et il n'a pas tort de vouloir la vivre en famille.

— Désolé, maman, je vais partir. Il s'agit également, en ce moment même, d'une tout autre étape de ma vie, et tu peux certainement deviner laquelle… On se revoit bientôt, d'accord ?

Je prends alors mes jambes à mon cou et pars à la poursuite de Simon, mais je ne le trouve nulle part. Pourquoi ne m'a-t-il pas attendu ? Sa voiture, placée dans l'espace réservé aux visiteurs près de la porte principale, a déjà disparu. Je tente de l'appeler sur son portable, mais il ne répond pas. Je finis tant bien que mal par rejoindre ma Honda, à l'autre bout du stationnement, derrière l'école. Les mains crispées sur le volant et le visage couvert de larmes, je parcours pour la dernière fois les cent kilomètres séparant le collège Saint-Anselme de mon patelin, mon diplôme enrubanné lancé négligemment sur le siège vide du passager. Je viens de réaliser que, dans mon jardin secret, les rosiers ont des épines.

Une fois dans la maison de mon enfance, je m'empresse de boucler mes valises avant le retour de mes parents. J'ai le désir fou de tout emporter. Qu'ils aillent au diable, collet monté comme ils sont, avec leurs beaux principes et leur conventionnalisme à la con ! Je les imagine tous les deux au restaurant, déçus et frustrés par mon départ, blâmant la jeunesse d'aujourd'hui « tellement sans-cœur et sans reconnaissance ».

Dans un sens, ils n'ont pas tort. J'ai quitté le collège, ce soir, sans remercier qui que ce soit, sans même saluer un seul de mes professeurs. J'aurais tant voulu taper au moins un clin d'œil à monsieur Legrand. Mon geste actuel ne traduit-il pas la plus grande réussite de ma vie pour laquelle il a joué un rôle important, soit celui de m'encourager à m'assumer sans condition ? Merci, monsieur le directeur de l'encadrement pédagogique et de la discipline, je reviendrai vous en parler, un de ces jours. D'où me vient alors ce terrible vague à l'âme ?

En route vers la ville, je réalise soudain avoir aussi négligé de dire merci à mon père et à ma mère pour toutes ces années d'études chèrement payées. Spontanément, je rebrousse chemin et laisse, sur l'armoire, un petit mot rédigé à la hâte au verso du programme de la soirée.

Merci, chers parents, merci un million de fois pour toutes ces belles années que vous m'avez offertes. Je vous promets de m'en montrer toujours digne.

Vincent

Malheureusement, je m'en montrerai digne à ma manière, chers parents, et non à la vôtre. Bien sûr, je me garde bien d'inscrire cette dernière pensée dans le message. Je fais alors une autre tentative pour joindre Simon sur son téléphone cellulaire, mais toujours sans succès. Je quitte de nouveau la maison paternelle et me dirige vers mon appartement en ville, convaincu de me trouver à l'instant même à un carrefour crucial de ma vie. En plus des chemins de la *VÉRITÉ* et de la *DISSIMULATION*, une troisième route se présente abruptement devant moi, marquée de l'inscription : *FIN DE TOI-MÊME via NÉANT*, une voie meurtrière et sans retour. Je la découvre à l'entrée de la cité, juste là-bas, au bout du quai s'étirant dans l'eau profonde du grand fleuve.

Tranquillement, j'approche mon véhicule à quelques centimètres de l'extrémité de la jetée. Je n'aurais qu'à appuyer à fond de train sur l'accélérateur et, en moins de deux minutes, c'en serait fait de Vincent de Bellefleur et de tous ses problèmes. Finis les frustrations, les dérobades, les rejets, les moqueries, les reproches, les déceptions, les ruptures. Finies les croix sur la neige. Finis le visage de bois de mon père et la face larmoyante de ma mère. Finie ma souffrance innommable… Car s'assumer ne règle pas tout, n'est-ce pas, monsieur Legrand ? Et finir moi-même gelé sur la neige ou noyé au fond de l'eau, après tout, quelle importance ?

Et puis, non, non, non ! Pourquoi entretenir encore des idées aussi noires, des idées de dégonflé qui pense à lâcher dès que ça va un peu mal ? Grand-maman Thérèse, je t'en supplie, empêche ton petit-fils d'aller te rejoindre. Voyons donc, je suis quand même plus fort que ça, moi ! J'aime la vie et je suis même en amour ! Alors ? L'hiver dernier, je me suis relevé de mon lit de branches et j'ai cherché mon chemin dans la neige grâce à la pensée de mes parents. Eh bien, s'ils ne veulent pas de moi tel que je suis, ils peuvent aller où je pense, mes parents ! Je suis très capable, maintenant, de vivre sans eux.

Cette fois, l'image d'une rose se balançant dans le vent me sauve. Simon, c'est toi, ma rose. Je t'aime, tu es là, quelque part, tu existes pour moi, tu es devenu le centre de mon univers, ma fleur de vie. Tu représentes le chemin que je choisis. Le reste ne m'importe plus.

Après avoir sangloté comme un bébé, tous phares éteints, je remets ma voiture en marche et recule prudemment sur le quai pour retourner sur la route en direction de la ville. Pour retourner vers la vie. Car je veux vivre.

En rentrant chez moi, un message m'attend sur le répondeur :

— Quoique tu en penses, Vincent, n'oublie jamais que ton père et moi, nous t'aimons tel que tu es. As-tu bien compris ? TEL QUE TU ES ! Même si ce soir, ça n'a pas trop paru.

CHAPITRE 8

Guérir parfois, soulager souvent,
soigner toujours, consoler sans cesse…

Voilà ma représentation idéaliste du rôle de l'infirmier, maintes fois rédigée sur mon minuscule calepin toujours présent au fond de ma poche. À bien y songer, si j'ai choisi d'exercer l'une des plus belles professions d'aide au monde, c'est d'abord pour réaliser un rêve d'enfant.

J'avais à peine cinq ans lors de mes premiers contacts avec l'hôpital. Mon grand-père s'y mourait lentement et ma mère m'emmenait souvent auprès de lui dans l'espoir de lui changer les idées. À l'époque, la mort ne signifiait rien pour moi, et le travail des infirmières et des infirmiers m'impressionnait davantage que les yeux hagards et le souffle court de mon ancêtre sur le point de nous quitter.

Après sa mort, j'ai campé, sans m'en rendre compte, le rôle de consolateur auprès de grand-maman Thérèse. Souvent, elle m'invitait à passer quelques jours chez elle, histoire de se changer les idées. Un jour, elle m'a offert une trousse-jouet de docteur. Avec quelle joie je la soignais quand elle feignait la maladie, sans se douter qu'une douzaine d'années plus tard, c'est auprès de moi qu'elle rendrait l'âme.

Avec quelle patience d'ange mes frères jumeaux m'ont aussi laissé appuyer mon stéthoscope bidon sur leur cœur, prendre leur température à l'aide du faux thermomètre, examiner leurs oreilles avec la petite lampe sans lumière et frapper sur leurs genoux avec le minuscule marteau jaune. Je les criblais alors de piqûres, armé de ma seringue de plastique dépourvue d'aiguille, convaincu d'accomplir le miracle de la guérison. Sans doute le pilulier garni de Smarties par maman a-t-il contribué à maintenir l'intérêt des jumeaux pour se laisser tripatouiller par le petit frère déguisé en pseudo-docteur. Même le chien de la famille y passait et se faisait torturer les oreilles, les pattes et le ventre.

Conséquemment, le bonheur de soigner, je l'ai découvert à travers ces jeux d'enfant. De m'incliner au-dessus d'un corps soumis, soi-disant souffrant et livré à ma merci, me remplissait de satisfaction. J'éprouvais le sentiment de détenir tous les pouvoirs sur les bobos de l'humanité. « Penche-toi » et Guillaume se penchait. « Allonge le bras » et Alexandre allongeait le bras. « Couché » et Frisson se couchait.

Je les tripotais pendant des heures, convaincu de ma puissance à vaincre la maladie dont ils ne souffraient nullement et que je n'étais même pas en mesure d'imaginer, vu mon tout jeune âge. Complaisants, ils prenaient plaisir à se plaindre à outrance de tous les maux de la terre en lançant de hauts cris de douleur, puis, à mon grand bonheur, à se calmer petit à petit en simulant la guérison complète. Même le chien semblait jouer le jeu. Quand je les regardais repartir, tout ragaillardis, j'éprouvais un contentement sans borne. Grâce à moi, ils allaient mieux, j'avais réussi à les guérir !

Contentement illogique et absurde, bien sûr, mais, dans ma tête et mon cœur d'enfant, cela a constitué les premières semailles d'un rêve qui deviendrait plus tard mon choix réel de carrière.

Normalement, j'aurais dû viser la médecine comme telle, mais cela représentait à mes yeux l'Everest à grimper, vu ma réticence à entreprendre d'interminables années d'études. Par conséquent, j'ai plutôt opté pour les sciences infirmières. Après les longues années du secondaire, trois ans de cours théoriques au cégep et de stages en milieu hospitalier passeront rapidement.

Ainsi, si l'envie de soigner et de guérir n'a jamais cessé de grandir en moi, le bonheur de *soulager souvent* et surtout de *consoler sans cesse* reste à découvrir dans le futur, sur le terrain, auprès de vrais malades.

En ce vingtième jour du mois d'août, je fais donc mon entrée au cégep en soins infirmiers avec un enthousiasme fou, à la suite d'un été assez agréable, mais plutôt solitaire dans la grande ville, à cause d'un Simon de plus en plus absent. Heureusement, mon travail de garçon de table dans un restaurant huppé m'a tenu passablement occupé, en plus de garnir mes coffres avec des pourboires souvent astronomiques. C'est à croire que la gentillesse et les beaux sourires s'avèrent toujours payants ! Qui sait si cette constatation ne représente pas justement un échelon important dans l'apprentissage des relations humaines et, surtout, dans l'art de consoler…

Cette première journée au cégep ne s'écoule pas sans émotion. Le très faible pourcentage de garçons dans la classe ne me surprend pas. Nous ne serons que trois individus masculins perdus dans une mer de femmes. Tant pis ! Je n'ai pas besoin d'eux, pas plus que d'elles, toutes ces filles dont plusieurs, à la tenue *sexy*, semblent déjà examiner les mâles avec une vague convoitise.

Je n'ai besoin de personne, je suis maintenant autonome, fier et sûr de moi. L'élève Vincent de Bellefleur entreprend aujourd'hui la réalisation de son rêve. Il a sa vie, son projet, sa vision de l'avenir, son chum et son amour, tout ce qu'il faut pour goûter au bonheur.

Et il se sent prêt à travailler de pied ferme à chacune des six sessions de cette formation afin de réaliser son idéal.

Il a son chum et son amour ? Ouais… À bien y penser, rien ne m'apparaît plus incertain, par les temps qui courent !

Heureusement, le directeur du département, à l'avant de la salle de classe, a vite fait de me changer les idées avec sa présentation du calendrier et de l'emploi du temps. Naturellement, nul n'échappera à la formation générale obligatoire en littérature, philosophie et activité physique durant toutes les sessions. D'un autre côté, le programme d'initiation spécifique à la première session me semble du plus grand intérêt : cours théoriques magistraux de biologie, pathologies légères, vocabulaire de communications et d'interventions. Les soins cliniques de base en hygiène, administration de médicaments et traitements particuliers s'apprendront d'abord dans les laboratoires du cégep, avant d'être pratiqués auprès de vrais bénéficiaires.

On nous en jette plein la vue avec la visite des salles d'entraînement technique. Tout semble rigoureusement conforme à ce qu'on observe dans les hôpitaux, même les draps bleus ! Je suis fasciné en dépit de l'aspect lugubre et silencieux de certaines pièces où des corps de caoutchouc, grandeur nature, restent étendus, immobiles, sous les couvertures de nombreux lits. En plus des couchettes et des mannequins, s'y trouvent des poupées en forme de bébés, des pompes à médicaments, de grands récipients remplis de pieds, de seins, de fesses, d'organes génitaux, de mains et de bras artificiels pour s'exercer aux injections et aux prélèvements, sans compter les dizaines d'appareils inconnus dont je ne soupçonnais même pas l'existence. Wow ! J'ai l'impression de retrouver ma trousse de docteur d'autrefois, une vraie, cette fois, magnifiée en un coffre géant débordant de merveilles et de promesses, mais aussi d'embûches et de victoires à remporter. Il me faudra travailler fort.

Les techniques apprises et longuement exercées dans ces laboratoires seront ensuite mises en application durant quelques jours dans un centre hospitalier, à la fin de chaque session. Mon premier stage me mènera auprès des personnes âgées, dans un centre d'hébergement et de soins de longue durée. Pendant les trois années que durera le cours, pour chacun de mes patients je devrai, paraît-il, prendre des notes, me documenter sur sa maladie et monter un dossier. Il me faudra, de plus, respecter le secret professionnel et me retenir de divulguer aux autres étudiants des éléments concernant mes patients.

Je me sens littéralement emballé, même si les objectifs me paraissent passablement élevés et exigeants. Un seul cours échoué, et l'élève doit recommencer la session au complet. Ouf!

Au terme de cette première journée pourtant inoubliable, mon excitation s'avère toutefois de courte durée. Elle s'éteint dès ma sortie du cégep, lorsque je me retrouve dans le stationnement en proie à mes sombres pensées au sujet de Simon. Depuis bientôt quatre jours, je l'ai complètement perdu de vue. Il ne semble pas chez lui, ne me donne pas de nouvelles et ne retourne même pas mes appels insistants sur son portable. J'ai un nœud dans la gorge.

Lors de notre dernière rencontre, jeudi passé, il m'est apparu lointain, étrange même. Il est arrivé chez moi, à la fin de l'après-midi, en compagnie d'un homme que je ne connaissais pas, Edgar, un Belge d'une quarantaine d'années, à l'accent chantant et à la moustache frétillante. Simon me l'a présenté comme un de ses meilleurs amis. Ah ? Jamais entendu parler de ce meilleur ami-là, moi ! Je me suis demandé pour quelle raison il ne me l'avait pas fait connaître plus tôt. Je n'ai pas mis de temps à comprendre que le fameux Edgar s'était constitué en « meilleur ami » depuis à peine quelques jours.

Après avoir fumé un joint sur mon minuscule balcon, ils m'ont suggéré de faire l'amour à trois en me tendant un sac de poudre blanche. Quoi ! Faire l'amour à trois et drogués en plus ? Jamais dans cent ans ! J'aime Simon exclusivement, moi, et je n'en ai rien à foutre du Belge et de sa cocaïne ! N'avions-nous pas planifié, mon amoureux et moi, d'aller prendre, ce soir-là, un repas en tête-à-tête sur une terrasse, histoire de célébrer mes derniers jours de congé avant ma rentrée au cégep ?

Insulté par mon refus, le cher Edgar s'est enfui à toutes jambes sans demander son reste, malgré les supplications de Simon.

— Allons, Edgar, un peu de patience ! Laisse le temps à Vincent de se faire à l'idée. Il est jeune et inexpérimenté, essaie de comprendre ça. Tu vas voir, il a un bon potentiel de jouissance.

Quoi ! Avais-je bien entendu ? Simon parlait de mon potentiel de jouissance ? J'allais protester, crier au scandale, demander des explications. Hélas, j'ai à peine eu le temps d'ouvrir la bouche qu'à ma grande stupéfaction, Simon est disparu dans l'escalier à la suite de l'autre, sans me donner de raison, se contentant simplement de hausser les épaules. J'ai attendu son retour jusqu'à huit heures, déçu de voir notre repas de fête tomber carrément à l'eau, mais surtout inquiet des événements. Mon amoureux n'est revenu à l'appartement que vers minuit, a pris ses affaires et est reparti aussi vite, en affirmant avoir passé la soirée à réparer un de ses satanés ascenseurs.

À cet instant précis, ce fameux jeudi soir, il m'a semblé passablement confus, de toute évidence sous l'influence de la drogue. De plus, il sentait l'eau chlorée à plein nez, ressemblant davantage à quelqu'un qui vient de se payer du bon temps dans l'eau chaude d'un spa plutôt qu'à celui ayant manipulé ses outils durant des heures sur le toit poussiéreux d'un ascenseur. Jamais je n'avais vu Simon gelé à ce point.

Je l'avoue, il nous est arrivé de tirer un joint ou deux, au cours de certaines rencontres de nature plutôt biologique qu'intellectuelle. Nos « *trips* à la mari » ne nous ont cependant jamais menés aussi loin dans l'effervescence que celle où il se trouvait ce soir-là. D'ailleurs, j'ai toujours admiré sa force et sa capacité de se contrôler. Mon amoureux a des principes et, en général, il les observe avec rigueur. Qui d'autre que lui pourrait mener de front un travail aussi harassant et une telle existence de bohème ? Oui, Simon Lagacé sait se tenir. Ou savait se tenir, devrais-je plutôt dire, si je me fie à cette dernière fois où je l'ai vu !

En ce moment, au sortir du cégep, je me demande si j'ai encore un amoureux. Ce fichu soir-là, j'ai mangé mon sandwich aux tomates tout seul sur le coin de la table de cuisine, fou de rage et infiniment déçu. Lorsque Simon est revenu chercher ses affaires pour repartir aussitôt, j'ai osé lui poser la question qui me chicotait.

— Ne viens pas me dire que tu arrives du travail ! Tu as plutôt consommé toute la soirée avec ce cher Edgar, n'est-ce pas ?

— En veux-tu ? Je n'ai qu'à composer un numéro de téléphone et un type viendra immédiatement t'en livrer autant que tu en veux.

— Moi, je touche pas à ça, cette cochonnerie-là, tu le sais bien, Simon Lagacé ! Mais toi, réponds-moi donc ! Pourquoi as-tu emmené cet énergumène ici ? Ce faux meilleur ami… Et je te crois pas quand tu dis être allé travailler.

— Travailler ? Euh… oui, oui. Excuse-moi, chéri, il faut que je reparte. Je t'appelle demain matin, OK ?

Cette nuit-là, Simon m'a quitté juste comme ça, sans rien ajouter, sans même me plaquer son baiser habituel sur la bouche, lorsque nous nous séparons. Au sujet de notre souper manqué, pas un mot.

Il ne m'a pas rappelé. Pas une seule fois depuis tout ce temps. Bientôt quatre jours… Petit à petit, au fil du temps, la rage allumée ce soir-là a fait place à l'inquiétude. Et maintenant au chagrin et presque à la panique. Ai-je perdu mon Simon chéri ?

Toujours sans nouvelles de lui, je sens la hantise assombrir ce premier jour au cégep pour lequel je me faisais une si grande joie.

Simon, Simon, mon amour, où es-tu ? Pourquoi ne me donnes-tu pas signe de vie ?

En quittant le collège, je me dirige encore une fois directement chez lui, mais comme les autres jours, je n'y trouve personne. J'ai beau sonner, frapper à la porte et même à la fenêtre de sa chambre, glisser un mot dans la boîte aux lettres, je n'obtiens pas de réponse. L'homme de ma vie a complètement disparu.

J'en suis là, au terme de cette journée, ma grille de cours à la main mais la tête basse et le moral à terre, épouvanté par les scénarios tous plus cauchemardesques les uns que les autres qui hantent malgré moi mon esprit. Simon ne m'aime plus et s'est amouraché d'Edgar… Ou encore, il s'est laissé entraîner dans quelque magouille ou machination diaboliques par un trafiquant de drogue… Ou pire, il a subi, cette nuit-là ou le lendemain, un grave accident dont personne n'a songé à m'aviser… Comment savoir ? Il habite seul, et j'ignore les coordonnées de sa famille avec laquelle, d'ailleurs, il a coupé les ponts depuis belle lurette. Quant à ses amis, à part le cher Edgar en question, je n'en connais aucun de sérieux. Et s'il ne revenait jamais ?

Ce silence, cette absence me pèsent lourd et me rendent fou. Assis de nouveau sur mon balcon, j'en suis à ma troisième bière, non pas pour célébrer le commencement de mes études, mais pour ravaler mon amertume. Et si c'était la fin de quelque chose ? Vainement, j'essaie de me distraire en scrutant à la loupe la description des cours de la première session. Normalement, tout cela m'enthousiasmerait au plus haut point et je sauterais en l'air d'excitation. Hélas, à cause de Simon, le ballon s'est dégonflé inopinément avant même mon arrivée à la porte de sortie du cégep. Je n'en ai plus rien à foutre de ces cours et de ces stages, moi ! Je veux mon amoureux… je veux mon amoureux et rien d'autre !

Je secoue la tête, découragé. Sans lui, je doute de pouvoir fonctionner correctement, même en technique de soins infirmiers. Je sanglote, le front sur la table, quand la sonnerie du téléphone vient mettre un terme à mon agitation. C'est lui, c'est certainement lui ! C'est Simon !

La voix féminine à l'autre bout du fil me fait l'effet d'une douche glaciale.

— Allo ? Mon grand ? Comment vas-tu ?

— Ah ! C'est toi, maman.

— Si je ne me trompe pas, tu devais commencer ce matin au cégep. Et alors ? J'espérais ton appel pour me raconter tout ça.

— Ça s'est bien passé.

— Tu n'as rien d'autre à me dire ?

— Euh… non, maman, rien d'autre. Tout va bien.

Je renifle un bon coup, comme si le fait de retenir longuement ma respiration préviendrait le puissant éclatement qui me guette.

— Ton père et moi sommes très fiers de toi, mon garçon, malgré tout ce que tu peux penser. Nous avons l'intention de nous rendre en ville, demain soir, et de t'inviter à souper au restaurant. Et…

— …

— Et si ça te tente, ton père consent enfin à rencontrer ton… ton copain. Il a mis du temps à se faire à l'idée sur ton orientation sexuelle, et j'y ai mis du mien, crois-moi ! Mais, maintenant, devant l'évidence, il n'a plus le choix d'admettre ton… ta réalité. Le moment est donc venu de rompre officiellement la glace. Et puis, on t'aime et on s'ennuie de toi, tu sais. Alors, demain, tu pourras emmener ton ami au restaurant. Je te promets que tout se passera bien.

Un peu plus et je vais m'effondrer. Quelle coïncidence de voir réapparaître mes parents après deux mois pratiquement sans nouvelles, ni d'un côté ni de l'autre ! À peine un ou deux appels polis ont-ils maintenu les liens au cours de l'été. Un ange a-t-il informé maman de mon état d'âme actuel ? Suis-je en train de rêver ? J'aurais envie de me jeter à genoux pour remercier tous les saints du ciel. Et ma mère, donc ! Soudain, je ne me sens plus seul, quelqu'un d'autre m'aime et me tend la main.

— Oui, tu as raison, maman. Et moi aussi, j'ai hâte de vous revoir tous les deux. Par contre, je ne peux vous assurer que Simon pourra nous accompagner demain soir. Il est très occupé ces temps-ci, tu sais. Bref, on verra.

Simon n'est pas occupé dans le sens où je le fais entendre à ma mère, je m'en doute bien. Occupé à tout autre chose, le beau chéri, je le crains. Demain, il aura disparu depuis plus de cinq jours. Cela ne s'était jamais produit depuis le début de notre relation. Pas une seule journée depuis avril dernier, il n'a négligé de m'appeler. Peut-être est-il parti pour toujours avec un autre ? Peut-être ne veut-il plus de moi ? Ou peut-être est-il mort ? Mais ces épouvantables hypothèses, je me garde bien de te les énoncer, ma chère maman. Tu n'en sauras rien. Ni en ce moment au téléphone, ni demain au restaurant, ni jamais. Pour maintenir ma relation avec toi, avec papa surtout, je resterai silencieux, comme d'habitude.

— Je suis très content. Merci d'avoir pensé à m'inviter à sortir avec vous deux. On se rencontre à quelle heure ? Moi aussi, je t'aime, maman. Papa et toi me manquez beaucoup.

Jusqu'à la dernière minute, j'ai vainement espéré un signe de Simon, mais il n'est pas venu. Mon amoureux ne participe pas plus au repas de réconciliation avec mes parents qu'à celui, tant souhaité, de retrouvailles entre lui et moi. Je tente de me consoler en me disant qu'il vaut mieux rétablir mes relations familiales strictement en tête-à-tête avec les miens. Je me dirige donc seul au restaurant français réputé du centre-ville où nous avons rendez-vous.

À mon étonnement et grand bonheur, mes deux frères y sont présents, mais sans leurs conjointes. Je réintègre momentanément ma place de petit garçon, celui qui soignait avec son coffre de docteur, l'enfant naïf et sans défense qui ne savait comment s'exprimer.

Évidemment, au cours de la conversation, les informations sur mes futurs cours aussi bien que les nombreuses taquineries de mes frères au sujet de ma trousse de médecin d'autrefois contribuent à détendre l'atmosphère et permettent d'évincer les questions en suspens sur mon homosexualité. De savoir tous les miens au courant et de sentir qu'ils me gardent leur affection en dépit de ma nature suffit amplement, pour l'instant, à me soulager et à raviver mes sentiments pour eux. À me réconcilier surtout avec la vie. Après tout, j'entreprends une aventure extraordinaire au cégep, pourquoi pleurer ?

Au moment de nous quitter, la chaleureuse étreinte de maman, la solide poignée de main de mon père et les petits mots glissés à mon oreille par chacun des jumeaux, accompagnés d'une claque dans le dos, achèvent de me donner l'élan pour relever la tête et attaquer l'année scolaire de plein fouet. Secrètement, je remercie grand-maman Thérèse tant implorée au fond de mon âme, pour l'heureux dénouement.

Devant mon regard embrouillé par les larmes, Alexandre s'approche de moi le premier, suivi de Guillaume.

— T'en fais pas, mon vieux, on est avec toi. Ton orientation sexuelle ne change rien à notre relation, compris ? D'ailleurs, on s'en doutait depuis très longtemps. Et puis, tu deviendras le meilleur des infirmiers de la ville, mon petit Vincent, aucun doute là-dessus. Un jour, nos enfants auront sûrement besoin d'un bon « mononcle » !

— Pis gêne-toi pas pour nous le présenter, ton fameux chum !

Je me contente de leur sourire. Pour une fois, je n'envie pas mes frères, même si Alexandre semble fort heureux avec Ha Bin, sa Chinoise déjà installée avec lui au Québec, et Guillaume, avec sa nouvelle conquête guère plus attirante sur sa photo que son ex-femme, selon moi.

Dès mon retour à mon appartement, au terme de cette soirée réconfortante, je manque de tomber par terre en découvrant Simon, quelque peu penaud, en train de m'attendre dans l'unique fauteuil du salon. Fou de joie, j'ai à peine le temps de remarquer son teint pâle et ses traits tirés qu'il se jette sur moi et me couvre des caresses et des baisers les plus torrides jamais prodigués.

Trop heureux, je n'ai même pas envie de l'interroger et préfère me laisser emporter vers le septième ciel pour l'adorable couronnement de l'une des plus importantes journées de mon existence.

Après tout, je le mérite bien !

CHAPITRE 9

— Vincent, me passerais-tu la guitare, s'il te plaît ? Il y en a une dans l'armoire au-dessus du lit.

— Juste une petite minute. Je récupère d'abord mon sac et je te la passe.

Le fameux sac sert de récipient branché à la sonde urinaire, elle-même insérée dans la vessie de ma patiente de plastique, figée, inerte et à l'horrible visage grimaçant. Si encore elle avait la bouche et les yeux fermés comme une pauvre malade endormie. Mais non, il faut qu'elle exprime le dégoût et la douleur, comme une rescapée de l'enfer. Je l'ai baptisée Lucie Ferre, c'est bien simple !

Je finis enfin par récupérer et déverser, avec un million de précautions, le liquide jaune et transparent dans le « chapeau », espèce de vase à mesurer ressemblant à un haut-de-forme inversé. On a beau nous assurer que l'urine consiste en du jus de pomme, et le sang, en de l'eau rougie par du colorant à gâteau, tous les étudiants manipulent d'instinct ces fluides avec un certain dédain.

Une fois la sonde retirée, en faisant attention au petit renflement qui s'est formé au bout de la tubulure, tel que recommandé par la prof, je m'empresse de saisir, sur la tablette au-dessus du lit, le grand vase vert émeraude en forme de guitare réclamé par ma compagne de laboratoire pour laver les cheveux postiche de son cobaye, plastifié lui aussi. Maladroitement, le contenant me glisse des mains et tombe à plat, en pleine figure de ma fausse patiente qui, évidemment, ne bronche pas d'un poil. Par contre, ma gaucherie n'échappe pas aux autres élèves, et tous pouffent de rire, sauf la prof qui fronce sévèrement les sourcils.

— Attention, Vincent, tu dois prendre ton temps pour éviter de telles bévues. Imagine, s'il s'était agi d'une vraie malade !

— À l'hôpital, les guitares ne sont pas situées au-dessus des patients, madame. Du moins, pas à l'endroit où je travaille.

Bonne joueuse, la professeure me sourit amicalement.

— OK, là-dessus, tu as raison. Un à zéro pour toi. Mais prends plus de précautions, quand même !

Complice, toute la classe s'esclaffe de nouveau. Cette manifestation de solidarité me va droit au cœur. Sans le respect amical de mes compagnes et de mes rares compagnons, ainsi que la gentillesse du personnel du cégep, je ne tiendrais pas le coup aussi facilement. Heureusement, contrairement à mes appréhensions, la clientèle de ce cours ne ressemble guère à celle d'une école secondaire. Est-ce la maturité ? L'avènement de l'âge adulte ? Vraiment, l'ouverture d'esprit des jeunes de ma classe, surtout celle des filles, change toute la donne. Je ne me sens plus montré du doigt ni rejeté en raison de mon orientation sexuelle, considérée comme une chose personnelle ne regardant que moi.

Dès le début de la session, en placotant avec certains élèves à la cafétéria, j'en ai profité pour mettre les cartes sur table. Fort de ma relation d'amour avec Simon, à un moment donné, j'ai avoué mon homosexualité en toute simplicité. Fort également des conseils jamais oubliés de monsieur Legrand, j'ai clairement sonné l'heure de m'assumer devant les autres. Ce qu'ils pensent de moi ne m'importe plus, maintenant, je m'accepte totalement et sans condition.

Ce jour-là, donc, durant la deuxième semaine de cours, à l'heure de la pause, quelques compagnes de classe et moi discutions justement de flirt et de séduction autour d'un café, au milieu de la cafétéria fort achalandée. Une fille taquinait joyeusement un étudiant en sciences humaines en le traitant de coureur de jupons, et tout le monde riait. J'ai aussitôt saisi l'occasion.

— Moi, tu ne pourras pas m'accuser de courir les jupons, je préfère les pantalons !

— Tu as raison, la plupart des filles portent des pantalons, de nos jours.

— Non, non, tu ne comprends pas ! J'ai un faible pour les pantalons portés par des hommes.

— Je m'en doutais un peu, mais ça ne nous dérange pas du tout, Vincent. Tu es ce que tu es, et voilà !

Si le ton de la conversation a baissé l'espace d'une seconde, le rire a repris de plus belle par la suite, et ce rire a résonné à mes oreilles comme les plus beaux trilles jamais entendus au piano. Ça y est, j'ai réussi ! Tous le savent, maintenant, ceux qui l'avaient deviné et les autres. Si s'assumer ne consistait qu'à ce genre d'aveu, je réalise en avoir manqué un grand bout par les années passées. Non seulement, ce jour-là, on ne m'a pas regardé comme une bête curieuse, mais l'une des filles s'est même permis de badiner là-dessus.

— Attention, mon cher, beau comme tu es, tu risques de te faire attaquer d'une façon ou d'une autre. Des amateurs de pantalons remplis de garçons, il y en a plusieurs dans le cégep, mais je t'avertis, ça n'empêchera pas certaines filles de tenter quand même leur chance avec toi.

Mine de rien, l'étudiante s'approche de moi en riant pour me faire des minauderies. Et toutes de renchérir, mais sans sarcasmes et sans moqueries. Oh là là ! Je me suis senti rougir tout en poussant un discret soupir de satisfaction. Je me doutais bien qu'en avouant ainsi ma condition à quelques filles, cela ferait rapidement le tour du cégep. Ma prédiction s'est avérée exacte. En quelques jours, tout le monde était au courant de l'orientation sexuelle de Vincent de Bellefleur. Une fois les cartes jouées, c'était à prendre ou à laisser: ou on m'acceptait, ou on me tournait le dos.

J'ai eu raison: depuis le début des cours, voilà bientôt deux mois, on ne m'a pas tourné le dos. D'ailleurs, les deux garçons de la classe sont venus eux-mêmes me confirmer, en riant, leur propre nature.

— Nous aussi, les deux Marc, on est gais. Tu as bien dû t'en douter. Prends garde, tout de même, de ne pas nous confondre : lui, c'est Marc-Olivier, le plus beau et, moi, c'est Marc-André, le plus fin. Ce n'est pas encore tout à fait le grand amour entre lui et moi, mais ça s'en vient !

De la façon dont ils se sont mutuellement regardés, je devine qu'il y a anguille sous roche. Ainsi, non seulement on tolère ma différence, mais… on me laisse tranquille, autant au cégep que parmi le personnel de l'Hôpital général Saint-Louis, où je me suis trouvé un nouvel emploi de fin de semaine. Aucune raillerie, aucune plaisanterie ironique ni remarque méchante ne viennent plus perturber ma sérénité.

Curieusement, le fait de renaître, de récupérer mon droit à une place au soleil et à la fierté, ce pouvoir de déambuler librement sans me préoccuper de ceux qui me regardent avec une curiosité mal dissimulée, tout cela m'éloigne et me rend moins tributaire, d'une certaine manière, de mon cher Simon. J'ai fini de dépendre de lui pour m'affirmer. Il y a quelques mois, je me sentais estimé et respecté uniquement par lui et je ne vivais que pour lui, car il se trouvait le seul à connaître mon secret. Maintenant, j'ai repris mon autonomie, je me sens moi, partout et en tout lieu. Pour la première fois, je respire l'air libre et je marche la tête haute, n'importe où, ce qui ne m'empêche pas d'aimer encore Simon Lagacé comme un fou.

À bien y songer, je vais adorer ce métier d'infirmier, pourtant très exigeant, et je remercie le ciel à genoux pour cette chance unique de pouvoir l'apprendre. Je dois également une réelle reconnaissance à mes parents qui y pourvoient, depuis le mois d'août, à grands renforts d'encouragements et de chèques mensuels afin de m'aider à défrayer mon loyer, mes déplacements, mes nombreux livres fort coûteux et mes autres dépenses. En plus, mis à part le dernier semestre au collège Saint-Anselme suivi de l'été dernier, mon père et ma mère m'ont soutenu moralement tout le temps de mes études, et je leur dois une fière chandelle.

Nos retrouvailles familiales, et surtout notre réconciliation du mois d'août, m'ont procuré un immense réconfort, même si mes parents ne connaissent pas encore Simon. Comme je m'y attendais, mon homosexualité demeure et demeurera toujours pour eux, sans aucun doute, un sujet tabou. Je ne prendrai plus l'initiative de l'aborder moi-même. Par contre, si mon paternel préfère ne pas en discuter pour le moment, il ne semble plus m'en tenir rigueur, et encore moins ma mère et mes deux frères. Que voilà un bon pas de franchi !

À cause de mes horaires plutôt exigeants au cégep, j'ai dû abandonner mon travail pourtant lucratif de serveur de table. J'ai tout de même réussi à dénicher, en faisant valoir mon statut d'étudiant infirmier, des heures de travail dans un hôpital du centre-ville, un travail de fin de semaine et parfois de nuit, pour remplacer des préposés aux bénéficiaires obligés de s'absenter. Rien de très rémunérateur, malheureusement, mais cela apportera au moins un peu d'eau au moulin et me permettra de boucler les fins de mois.

Au cours d'un week-end, je ne sais combien de draps de lit je dois changer, combien de civières on me demande de pousser d'un étage à l'autre, combien de patients j'ai à conduire sur leur fauteuil roulant entre leur chambre et les différents départements de l'établissement, combien de fenêtres j'ouvre ou je ferme, de rideaux je tire, de paperasses je transporte d'une unité à une autre, de tubes d'échantillons je dois porter au laboratoire ou de médicaments je vais quérir au service de pharmacie. Combien de dégâts je dois nettoyer aussi… Yark!

Mais ce travail dans un vaste hôpital de soins généraux facilite non seulement l'approfondissement de mes connaissances en sciences infirmières, domaine pour lequel je développe de plus en plus d'intérêt et d'affinité, mais il me permet surtout d'approcher les malades. Travailler au service des autres me plaît énormément.

À chaque jour écoulé dans ce centre, les paroles répétées maintes fois par Francis, un de mes professeurs, me reviennent à l'esprit: « Les malades ont besoin d'échanges autres que des discussions exclusivement de nature médicale. Si vous considérez les patients comme des objets ou des machines, il n'y aura pas de véritable communication. Favorisez plutôt les conversations sur toutes sortes de sujets, vous ne savez pas le bien que vous pouvez leur apporter. »

Il a raison. L'autre jour, en poussant rapidement une civière vers la salle d'opération à travers un long corridor, mon compagnon de travail s'est exclamé au patient ahuri par la vive allure à laquelle nous circulions:

— Ne vous inquiétez pas, monsieur, on ne va pas vous descendre par les escaliers!

Et le malade de s'esclaffer, alors qu'il aurait dû trembler d'angoisse parce qu'on le menait en chirurgie à cause d'un cancer. Certains rires, même s'ils ne durent qu'une seconde, valent leur pesant d'or. Et mon compagnon de renchérir:

— Et si on nous colle une contravention pour excès de vitesse, mon cher monsieur, ne vous en faites pas, vous n'aurez pas à la payer !

Parfois, l'âge précoce de certains patients m'impressionne. Qu'une personne âgée souffre d'un mal incurable, passe encore. Tôt ou tard, la vie sur cette planète doit affronter l'échéance, mais le glas qui sonne pour un jeune en pleine fleur de l'âge éveille en moi des sentiments de révolte. J'appréhende le stage dans un hôpital pédiatrique inscrit à la quatrième session du cours. Mais… chaque chose en son temps !

Ainsi, dans l'une des chambres de l'unité de dialyse, un homme de moins de trente ans, mais en paraissant vingt de plus, gît sur un lit, les deux bras couverts de tubes, l'organisme branché à une énorme machine par un cathéter intra-artériel enfoncé dans le pli du coude, en plus d'avoir un moniteur cardiaque sur la poitrine. Maxime souffre, depuis sa naissance, d'une maladie rénale chronique pratiquement incurable. Son cœur peine de plus en plus à pomper les liquides excédentaires que son corps n'arrive plus à éliminer. À moins qu'on trouve miraculeusement un donneur compatible avec son profil génétique très rare, l'homme est condamné à plus ou moins brève échéance, après avoir passé une grande partie de son existence dans un hôpital.

Je pénètre dans sa chambre à pas de velours, de crainte de le réveiller. Mais Maxime ne dort pas et m'accueille d'un vague sourire.

— Bonjour, je m'appelle Vincent de Bellefleur. Je suis préposé aux bénéficiaires et je viens voir si vous n'auriez pas besoin de quelque chose. Comment allez-vous ?

Ma question reste sans réponse. Je suppose que des dizaines de visages inconnus, médecins, infirmières, diététiciennes, préposés, auxiliaires, personnel chargé du ménage, se présentent au chevet du pauvre garçon depuis des années. Il n'en a certainement rien à foutre de nos noms !

Je m'approche du lit pour rendre son sourire à ce jeune homme toujours seul qui souffre en silence. Abandonné par les siens pour une raison que j'ignore, il ne reçoit pratiquement jamais de visite. Je me rappelle les paroles de Francis : « Même leur parler de la pluie et du beau temps peut leur faire du bien… ». Je jette un coup d'œil à la fenêtre. Il pleut à boire debout. Ce qu'il doit s'en ficher, lui, de la pluie ! De quoi pourrais-je donc l'entretenir ?

Comme je le fais parfois d'instinct pour de rares patients, je pose simplement sur son bras une main que je veux réconfortante. À mon grand étonnement, il me devance et engage lui-même la conversation d'une voix à peine audible.

— Comment vous appelez-vous, déjà ? Je n'ai pas bien compris, tantôt.

— Vincent de Bellefleur.

— Quel joli nom ! Et vous le portez super bien. Vous êtes gai ?

— Euh… oui. Ça se voit ? Pourquoi me demandez-vous ça ? À vrai dire, je suis surtout un étudiant en technique de soins infirmiers et je travaille ici comme préposé durant les fins de semaine.

— Moi aussi, je suis gai. Si jamais je guéris, je vais vous faire la cour, mon cher infirmier, parce que je vous trouve pas mal beau.

Le bonhomme se met à rire faiblement, puis à tousser. Il ne me paraît pas très sérieux dans ses affirmations, du moins, j'essaie de m'en convaincre et je rigole avec lui. Mine de rien, je retire tout de même ma main et m'éloigne quelque peu. Pas question de flirter *sur la job* !

Et puis, non ! Si ce condamné à mort sent le besoin de reprendre momentanément contact avec la vraie vie et d'essayer d'enjôler un gai, je ne vais pas me défiler. Qui sait s'il ne s'agit pas pour lui de l'ultime occasion de se sentir encore vivant? De sa dernière tentative de conter fleurette? Je refais quelques pas dans sa direction et m'empare de nouveau de sa main en lui décochant un clin d'œil malicieux.

— Ah! Mais dites donc, vous avez tout ce qu'il faut pour faire tomber les cœurs, vous aussi. Je ne suis pas près de vous oublier, moi non plus.

Pieux mensonge, élan du cœur, mots magiques pour apaiser d'autres souffrances plus profondes que celles du corps. Puis, le temps vient de me ressaisir, de redescendre justement à un niveau plus concret et de poursuivre mon travail contre la maladie.

— Allons, mon bel ami, il faut dormir, maintenant. Ne vous inquiétez pas, je veille particulièrement sur vous et reviendrai vous voir très bientôt.

Promesse que je n'aurai pas à tenir très longtemps, je le crains... *Guérir parfois, consoler sans cesse...* Ne suis-je pas en train d'en faire l'apprentissage?

Si ce n'était de mon cher Simon, je mènerais une vie fort occupée, mais très heureuse. Hélas, les âneries de mon amoureux, selon leur fréquence ou leur taux d'intensité, me font constamment osciller entre deux extrêmes: le nirvana et le fond du baril. Autant, certains jours, je me réapproprie l'amant d'autrefois avec sa tendresse et sa sollicitude, autant, certains soirs, le découragement m'envahit quand je trouve dans mon lit un Simon méconnaissable et indifférent, pressé de repartir. Encore chanceux quand il s'y trouve! À la vérité, je nage dans le doute et l'inconnu, entre l'ombre et la lumière, entre l'inquiétude et l'espérance.

Depuis le fameux jour où il s'est présenté chez moi en compagnie d'Edgar, mon amoureux ne me paraît plus le même. Sa disparition inexpliquée de plusieurs jours, à ce moment-là, s'est répétée à de nombreuses reprises depuis quelque temps. Je soupçonne l'homme de ma vie de mener loin de moi une existence parallèle de plus en plus large. Une existence dont j'ignore le sens et les vicissitudes. Aurait-il déniché un nouvel amant et ménagerait-il la chèvre et le chou ? Ou bien a-t-il l'intention de s'éloigner de moi petit à petit, en attendant l'occasion de me laisser tomber platement, un de ces jours ? La simple pensée de ce Belge moustachu me donne la chair de poule.

Bien sûr, quand Simon me revient sans explication après quelques jours d'absence, j'aurais envie de protester et de brandir bien haut mon affolement et mon ennui déclenchés par son étrange comportement. Je désirerais surtout l'interroger longuement et avec précision, au risque de me faire traiter de jaloux. Mais sa présence, lors de ses retours, me procure un tel soulagement et un tel bonheur que je préfère me jeter aveuglément dans ses bras comme s'il était mon sauveur. Instinctivement, je chasse l'envie de me transformer en enquêteur ou, pire, en protestataire et de lui donner des leçons de morale sur la fidélité.

Cela n'empêche pas son détachement inexpliqué de me préoccuper, voire de me torturer sans bon sens. Cet homme représente mon premier véritable amour, celui pour Samuel, au secondaire, étant mort dans l'œuf. Mon unique souhait consiste donc à voir cet amour devenir plus intense et plus fort que tout. Je considère Simon comme l'homme de ma vie, je ne pense qu'à lui, je ne rêve que de lui, je ne vis que pour lui. Il est grand, il est solide, il est magnifique, il est mon héros, mon chéri, ma raison de vivre.

En cette fin de soirée d'un vendredi fort occupé, je ne cesse de regarder ma montre, comptant les minutes avant de pouvoir retrouver mon lit après une harassante journée : deux cours théoriques ce matin au cégep, d'interminables heures au laboratoire de soins infirmiers en après-midi, suivies de six heures de travail ce soir comme préposé aux bénéficiaires, à entendre les lamentations des patients aux soins intensifs.

Sur le point de terminer mon service, aux approches de minuit, je ne résiste pas à l'envie de faire un petit détour par le septième étage de l'hôpital, en direction de la chambre de Maxime, l'homme aux reins malades. Il semble dormir du sommeil du juste sous la surveillance d'un autre infirmier. Peut-être rêve-t-il à une promenade dans le quartier gai, bras dessus, bras dessous, avec un bel adonis ? Sur le bout de mes doigts, je lui souffle un baiser qu'il ne recevra jamais consciemment.

À la sortie de l'hôpital, je retrouve mon téléphone cellulaire tombé par mégarde entre les deux sièges de ma voiture. Comme le personnel n'a pas le droit de se servir de son portable pendant les heures de travail, je l'ai complètement oublié. Le petit clignotant rouge attire mon attention. Tiens, quelqu'un a laissé un message. La voix suave, reconnaissable entre toutes, me réchauffe le cœur et me donne des ailes.

« Salut, mon chéri, c'est moi ! Tu n'as pas idée comme je m'ennuie de toi. J'ignore à quelle heure tu quitteras l'hôpital ce soir, mais je vais me rendre chez toi en début de soirée et t'attendre impatiemment. À plus tard. Je t'aime. »

CHAPITRE 10

Le trajet n'est pas très long entre l'hôpital où je travaille comme préposé et mon logement, mais suffisamment pour me donner le courage de prendre une résolution ferme et courageuse. Puisqu'il m'attend à la maison pour passer la nuit avec moi, je vais mettre les choses au point avec Simon. Pour une fois, j'ai bien l'intention de lui poser les questions qui embrouillent ma tranquillité d'esprit depuis la fin de l'été. J'ai le droit de connaître la véritable raison de ses éloignements inexpliqués, je ressens surtout le besoin de jauger ses sentiments réels envers moi. Ils vacillent entre deux extrêmes depuis trop longtemps.

En cours de route, dix fois j'écoute son message sur mon portable, dix fois je me rassure en m'imprégnant de la voix adorée prononçant langoureusement son divin témoignage de tendresse: « Mon chéri… je m'ennuie de toi… Je t'aime… ». Eh bien! Le « chéri » veut savoir à quoi riment réellement ces mots-là pour celui qui a l'audace de les prononcer. Oui, oui, l'audace! Si Simon Lagacé m'aimait réellement et s'ennuyait autant de moi, il ne me laisserait pas de la sorte sans nouvelles pendant des lustres. Et puis, il s'inquiéterait un peu de son amoureux, non? Il se demanderait ce que je deviens, comment je me sens, s'informerait sur mes cours et sur mon travail. J'en ai ras-le-bol de son indifférence. Cette fois, je veux savoir, je veux comprendre. L'heure de la vérité a sonné.

À ma grande déception, nul amant ne se trouve chez moi à mon arrivée, tel qu'annoncé dans le message du portable. Rien d'autre que l'obscurité et un silence lourd et immobile m'accueillent derrière la porte. Je n'en reviens pas ! Même le répondeur de la maison n'a aucun message à livrer. Quoi, alors ? Qu'a-t-il pu arriver à Simon pour expliquer cette nouvelle absence ? Un accident ? Un malaise ? Pas encore un maudit ascenseur, quand même ! Et puis, non ! Je ne vais pas recommencer à m'inquiéter parce que le cher monsieur n'a pas tenu, encore une fois, sa promesse de venir. Qu'il sèche ! Je ne veux plus entendre parler de ce menteur.

— C'est fini, f-i, fi, n-i, ni, fini, Simon Lagacé, tu m'entends ? Fini ! Tu peux aller au diable !

Sans m'en rendre compte, je prononce rageusement ces mots à voix haute en lançant avec violence mon téléphone cellulaire contre le mur. Le choc de l'appareil et son éclatement sur le plancher me ramènent brutalement à la réalité. Allons, mon vieux, calme-toi ! Ce vaurien ne mérite pas que tu démolisses de la sorte ton nouveau portable. Il se fiche royalement de toi, alors fiche-toi de lui toi aussi, pour l'amour du ciel ! Oui, mais moi, je l'aime…

— Allo ? Qu'est-ce qui se passe ici ?

La vision de la scène derrière moi, en me retournant, me laisse pantois. Appuyé sur le cadre de ma porte de chambre se dresse un Simon bâillant à s'en décrocher les mâchoires. Jamais je ne l'ai vu aussi beau, complètement nu, sa chevelure en bataille, affichant son air coquin auquel je ne sais résister. À aucun moment, il ne m'est venu à l'idée qu'il ait pu s'installer dans mon lit pour dormir en m'attendant, la seule place que je n'avais pas visitée en arrivant dans l'appartement. Après tout, il est à peine minuit et demi.

— Quoi ! Tu es là ?

— Mais oui, Vincent, je suis là ! Mon amour, mon amour, viens que je te prenne. Ça fait une éternité, il me semble !

L'insupportable éternité s'arrête là, sur-le-champ, puisque deux minutes plus tard, entièrement dénudé, je me roule dans ses bras sur le lit. Jamais je n'ai eu autant envie de lui. Un instinct violent de le posséder me pousse, je voudrais le mordre, le pétrir, le broyer, l'avaler avec autant de fureur que d'amour. Pourquoi, pourquoi me fais-tu tant souffrir, espèce de chenapan que j'adore ? Je voudrais l'intégrer, l'assimiler en moi pour qu'il ne reparte plus. Pour le garder à jamais pour moi tout seul.

Malheureusement, le plaisir ne dure que quelques instants. Je ne m'attendais pas au coup de tonnerre lancé soudainement par Simon, sans crier gare et sans ménagement, au milieu de nos ébats.

— Attends, chéri, attends ! Mieux vaut enfiler un condom. J'en ai dans la poche de mon pantalon.

— Un condom ? Comment ça, un condom ? On ne s'est jamais servi de ça, nous deux, que je sache !

— Justement, il aurait mieux valu…

Un char d'assaut pénétrerait par la fenêtre que je ne serais pas plus surpris. Qu'est-ce donc que cette histoire de condom ? Une nouvelle lubie ? Oui, on nous a répété et on nous répète encore au cégep d'entretenir des relations sexuelles protégées. Ça, c'est bon pour les coureurs de jupons. Tiens, tiens, voilà que les coureurs de jupons remontent à la surface, maintenant ! Mais les coureurs de pantalons, eux ? Pour ceux qui changent continuellement de partenaires, je veux bien, mais pour les amants fidèles ? Fidèles ? Voilà que, tout à coup, le mot me fait frémir.

— Explique-toi, Simon, je t'en prie. Tu m'intrigues.

— Bien… viens t'asseoir à côté de moi, ce sera peut-être plus facile.

Installé au bord du lit, jambes pendantes, Simon se met à parler sans me regarder, même s'il persiste à garder ma main dans la sienne à la fois moite et agitée. Ce genre de frémissement nerveux chez mon amant ne me dit rien qui vaille.

— Bon, je vais commencer par le début et te dire toute la vérité. Tu mérites au moins ça ! Parlons tout d'abord de mon travail. Pour être franc, laisse-moi te dire que je ne connais rien, strictement rien, ni dans la fabrication ni dans la réparation des ascenseurs. Je n'exerce pas ce métier-là.

— Quoi ? Comment ça ? Tous ces appels auxquels tu réponds continuellement, jour et nuit…

— Je t'ai menti, Vincent, depuis le tout début. Je t'ai menti tant de fois ! Ces appels provenaient toujours du patron d'une maison de prostitution. Je… je gagne ma vie en faisant le plus vieux métier du monde. En quelques heures de travail, j'empoche plus d'argent que tu n'en gagnes en un mois à l'hôpital.

— Hein ? Que dis-tu là ? Je peux pas te croire, Simon. Je veux pas te croire. Pourquoi tu m'as fait ça ?

Malgré moi, je me mets à geindre. Je n'en reviens pas. Celui à qui j'ai donné mon entière confiance m'a floué, m'a fait croire des faussetés et s'est moqué de moi ? Je m'imaginais l'objet de son amour alors que je n'étais rien, rien qu'un jouet entre ses mains ? Je n'arrive pas à y croire, ça me donne envie de mourir. Je lui appartenais, moi, de tout mon être, mais il m'a manipulé comme une vulgaire marionnette. Encore chanceux qu'il ne m'ait pas demandé de le payer ! L'être le plus précieux de ma vie se dégonfle soudain, à mon grand désespoir.

En quelques secondes, mon univers vient de s'écrouler et, avec lui, ma fierté. Ma fierté justement semée en moi par Simon. Voilà qu'en y songeant, je prends conscience que cette fierté a été cultivée par un vil prostitué menteur. Un gars qui ne se respecte pas lui-même, un gars qui se vend, un écœurant qui ne m'a pas assez aimé pour me respecter, moi. Pouah !

L'homme à mes côtés me donne soudain la nausée. Spontanément, je lui retire ma main et me réfugie de l'autre côté du lit. Tranquillement, insidieusement, je sens la colère s'emparer de moi et remplacer mon désarroi. Une colère froide, effrayante. Des instincts meurtriers ne mettent pas de temps à m'envahir et à annihiler ma volonté. J'aurais envie de battre Simon jusqu'à ce que mort s'ensuive. À la vérité, même si je me trouve chez moi, il s'avérerait plus prudent de m'enfuir à toutes jambes, sans vêtements et au milieu de la rue, s'il le faut, afin d'éviter un drame. Sinon, en cet instant même, je ne réponds plus de moi. J'ai envie de le tuer.

Je suis sur le point de réagir quand le cher Simon reprend calmement son discours d'une voix chevrotante, comme s'il l'avait appris par cœur et retenu trop longtemps.

— Ne bouge pas, je n'ai pas fini. Sache que, en dépit de tout ça, mon amour pour toi est bien réel.

À ma grande stupeur, je le vois traverser le lit et se rapprocher de moi.

— Je ne t'ai jamais menti à ce sujet-là, Vincent. Et là, je suis sincère. Je t'ai aimé et je t'aime encore du plus profond de mon cœur, depuis le premier instant où je t'ai rencontré au restaurant. Le Club Sandwich, tu te rappelles ? Ta naïveté, ta candeur, ta pureté... Tu es vraiment attachant, mon chéri. Toi, tu possèdes un cœur d'enfant, tandis que moi... Une pourriture ! Je ne suis qu'une pourriture dégueulasse ! Tu peux me croire : parmi tous les gens que je côtoie dans ce milieu trop souvent malsain, tu es devenu pour moi une oasis de fraîcheur. Quelqu'un de pur et de beau auprès de qui me ressourcer quand j'en éprouve le besoin. Quelqu'un de vrai, vois-tu. Tu penses avoir compris, accepté ton homosexualité grâce à moi, mais au fond, c'est plutôt toi qui m'en as appris sur l'authenticité, l'honnêteté, la simplicité, sur la beauté de l'âme. Tu es un être merveilleux, mon Vincent, aucun doute là-dessus !

Je prends une longue inspiration, remerciant le ciel de sentir le calme me rattraper.

— Pour quelle raison as-tu fabulé sur ton métier, alors ? Pourquoi m'avoir menti et volontairement trompé ?

— Si je t'avais dit la vérité, tu te serais enfui à cent milles à l'heure dès le premier jour, pas vrai ?

Je me contente de baisser la tête, anéanti. Il a raison. Je ne sais pas encore que le pire des aveux de Simon reste à venir.

— Parlons donc du condom, maintenant. Tu te souviens d'Edgar, je suppose ?

— Si je me souviens de lui ? Comment aurais-je pu l'oublier ? Tu me délaisses à tout bout de champ depuis son apparition dans le décor, à la fin de l'été. Je déteste cet homme, tu sauras ! Un vrai fou ! Et débauché en plus ! La coke… et l'amour à trois, tu te rappelles ? C'est dégoûtant !

— Venons-en aux faits, justement. Tu sauras en premier lieu que, la plupart du temps, je me protège sexuellement quand j'exerce mon métier. Pas question d'attraper une maladie vénérienne ou une autre cochonnerie du genre !

— Et avec moi, alors ?

— J'étais convaincu de mon intégrité et de la tienne, toi, un jeune garçon encore vierge. Je n'ai donc pas vu la nécessité d'utiliser des préservatifs lors de nos relations.

— Que vient faire Edgar dans cette histoire ?

— Malheureusement, avec Edgar, les choses se sont présentées différemment. Tu sais à quel point les rapports sexuels dans les saunas gais sont des pratiques courantes. Ceux qui ne se protègent pas prennent des risques en baisant avec des inconnus. J'ai rencontré le Belge dans un de ces lieux. À ce moment-là, il m'a juré de posséder une parfaite santé et certifié que nous ne risquions absolument rien en n'utilisant pas de préservatif. Comme il me fournissait de la drogue et me donnait davantage d'argent pour des relations sans condom, j'ai laissé tomber mes principes. Cela aurait pu s'avérer sans gravité si nous n'avions eu qu'une seule relation, mais il ne veut plus me lâcher. C'est devenu fort payant pour moi sauf que…

— Sauf que quoi, Simon, sauf que quoi ?

— Sauf qu'il m'a appris dernièrement que… qu'on vient de le trouver séropositif. Edgar commence à souffrir du sida[7]. On a établi le diagnostic à la suite d'une candidose buccale dont il n'arrivait pas à se débarrasser.

— C'est quoi, ça ?

— Une infection de la bouche. Certains appellent ça « du muguet ». Il a, par la suite, souffert d'une grave pneumonie, et cela a mis la puce à l'oreille de son médecin, qui lui a prescrit des tests précis. Évidemment, il se trouve encore loin de la phase terminale, mais ça viendra, un de ces jours, car aucune médication ne permet actuellement la guérison de cette maladie.

— Edgar va mourir ?

— Oui, il va mourir tôt ou tard, soit directement du sida, soit d'une autre maladie contractée à cause du sida, mais ça peut ne se produire que dans quelques années. Pareil pour moi, Vincent. Pas tout de suite, bien sûr, mais…

— Toi aussi ? Comment ça ?

7. Syndrome d'immunodéficience acquise.

— Je me suis inscrit dans une clinique de dépistage du VIH[8], et j'aurai les résultats de mes analyses la semaine prochaine. Qui sait si je ne l'ai pas contracté de lui ?

— Non, non, je ne veux pas que tu meures, Simon !

— Et toi aussi, Vincent, par ma faute, tu pourrais l'avoir attrapé à travers moi.

— Moi aussi ? Oh non ! Mon Dieu, faites que non !

Spontanément, je me jette à corps perdu sur Simon et lui martèle la poitrine à grands coups de poing en criant comme un fou.

— Non, non, je ne veux pas mourir, je veux vivre, moi ! J'ai choisi la vie, tu le sais bien ! Et c'est grâce à toi, ce… c'était grâce à toi, Simon Lagacé ! Je te déteste, je te déteste ! Je voudrais que tu meures !

Mon amant me laisse le frapper sans broncher. Il pleure, lui aussi. Autant je voudrais l'étreindre d'amour, autant je voudrais en même temps lui cracher dessus et le détruire, ce menteur, ce tricheur, ce meurtrier éventuel, même à long terme, qui a pris le risque de me tuer. Alors, je m'éloigne, complètement foudroyé, et tombe par terre. Je n'arrive plus à trouver les mots pour exprimer ma révolte et hurler ma détresse. Seul le silence peut me servir momentanément de refuge. Un silence horrible, à figer le sang, un silence dans lequel je me coule désespérément, là, effondré, entièrement nu sur le plancher glacé de ma chambre, entre le lit et le mur.

Pendant un long moment, Simon respecte mon mutisme, puis il se lève et reprend lentement ses vêtements. Il va partir, je le sais, et il en vaut mieux ainsi. Je ne le reverrai plus, plus jamais… Soudain, je sens sa main se poser sur mon épaule.

8. Virus de l'immunodéficience humaine.

— Écoute-moi bien, Vincent. Oui, tu as raison, je t'ai souvent menti, je l'admets. Oui, je me suis comporté comme un beau salaud et, oui, je mérite toute la haine du monde. Mais cette fois, je fais le serment solennel de te dire honnêtement et intégralement toute la vérité au sujet de notre santé. Mercredi prochain, j'ai un rendez-vous dans une clinique spécialisée du centre-ville pour recevoir le résultat de la recherche du VIH dans mon sang. On répétera ces tests pendant six mois. Si jamais on me colle l'étiquette de séropositivité, je jure de t'en aviser aussitôt. Le plus vite possible. Il faudra alors te présenter toi aussi à cette clinique pour une investigation. Entends-tu bien ce que je te dis, Vincent ? Tout cela est primordial et, là, je suis sérieux. Compris ? Il s'agit d'une question de vie ou de mort, pour toi comme pour moi.

Je ne veux même pas lui répondre. Qu'il s'en aille, lui et ses manigances, lui et ses menteries, lui et son odieux sida !

— Tu m'entends, Vincent ?

— Va-t'en !

— Oui, je m'en vais. Mais avant de déguerpir, je veux te demander pardon. Sache que je t'ai vraiment aimé tout en ayant l'impression de ne pas te mériter, mon petit chum adoré que j'adore encore. Voilà pourquoi je venais à toi de moins en moins souvent, ces derniers temps : je ne me sentais plus digne de toi, surtout depuis que tu étudies en sciences infirmières. Tu exerceras le plus beau métier du monde, tu donneras le meilleur de toi-même aux autres, on te considérera comme quelqu'un de bien. Alors que moi… Moi, je ne suis rien de tout ça. Nous sommes trop différents, il n'existe pas d'issue pour nous deux, je le sais trop bien.

— …

— Sois heureux, Vincent, et n'oublie jamais qu'un pauvre gars a éprouvé de réels sentiments pour toi. Pour une fois, dans ma vie misérable, j'aurai aimé quelqu'un de bien, quelqu'un qui en vaut la peine, quelqu'un de grand et de beau. Mais, comme toujours, j'ai tout gâché. Pardonne-moi et, de grâce, ne m'en veux pas.

« Ne m'en veux pas » ! Est-il encore en train de rire de moi, ce con ? Je continue de faire le mort en entendant ses pas se diriger lentement vers la sortie. Simon Lagacé ne reviendra plus. Je serre les dents, je sens tous les muscles de mon corps se contracter et je me mets à trembler. Est-ce de dépit ou d'effroi ? Je ne le sais même plus. Je voudrais mourir.

Une fois sur le pas de l'escalier, je l'entends s'écrier :

— J'espère ne pas avoir à te rappeler, mercredi prochain, Vincent, après avoir reçu les résultats de mes tests.

En entendant la porte se refermer dans un claquement sinistre, je me lève d'un bond et j'accours vers la salle de bain pour vomir la peur qui me tord les tripes et, en même temps, pour dégueuler dans le bol de toilette la plus grosse peine d'amour jamais vécue sur terre.

CHAPITRE 11

Il a dit: mercredi prochain. Quand on sera rendu là, j'aurai attendu cent vingt heures, ou sept mille deux cents minutes, ou encore, quatre cent trente-deux mille secondes. Pourvu qu'il m'appelle dès sa sortie de la clinique! Depuis les aveux de Simon, j'appréhende, en retenant ma respiration, le verdict sur son état de santé. Verdict qui se transformera soit en une condamnation à plus ou moins brève échéance, soit en un nouveau tremplin pour la vie. Pour ma vie. Sentence prononcée pour lui, mais également pour moi, si jamais il m'a contaminé avec le terrifiant virus. Que se passerait-il alors? Terminés les beaux rêves? Terminées les études en soins infirmiers? Terminé l'amour? Terminé l'avenir?

Terminé l'amour avec lui de toute façon…

À l'aube de ce petit samedi matin glacé et neigeux de la fin de novembre, je reste écrasé sur un banc du parc situé juste en face de l'Hôpital général dans lequel je ne trouve pas le courage de pénétrer. Chienne de vie! Les aveux de mon amoureux, la nuit passée, m'ont jeté par terre. Ce que j'ai pu me montrer naïf, ces derniers mois! Pas une fois, je ne l'ai soupçonné de me tromper avec d'autres partenaires, à part ce rat d'Edgar. Simon semblait pourtant connaître pratiquement tout le monde dans ces nids à fornication que constituent les saunas. J'aurais dû m'en douter. Mais non, j'ai gobé tous ses mensonges comme un beau cave ! Quant à exiger des préservatifs pour la prévention des maladies vénériennes dans nos rapports… Peuh ! J'ai péché par excès de confiance et je ne lui ai même jamais posé une seule question sur son état de santé. Ah ! Vraiment, je ne me sens pas fier de moi !

Après son départ d'hier, au milieu de la nuit, je n'ai pu fermer l'œil une minute, terrorisé par les scénarios d'horreur qui ont défilé sans relâche dans mon esprit. À n'en pas douter, aujourd'hui constituera une longue et difficile journée. Et pas seulement aujourd'hui ! Les jours à venir vont me paraître interminables. Interminables et insupportables. Cruels, même ! Une épée de Damoclès flotte au-dessus de ma tête, je n'en reviens pas encore. Où vais-je trouver la sérénité pour réviser mes notes en vue de l'examen de physiologie de la semaine prochaine au cégep ? Et pour préparer les derniers tests pratiques avant d'entrer en stage dans un CHSLD[9] ? Le virus du sida roule peut-être dans mes veines, rien d'autre ne compte plus pour moi, maintenant.

Affalé sur mon banc de parc, je garde la tête basse, les yeux rivés au sol.

— Quelque chose ne va pas ?

Je sursaute. Emmitouflé dans une canadienne au collet hautement remonté, un homme s'est approché de moi à mon insu. Rapidement, je tente de retrouver mes esprits et de me ressaisir quand, soulagé, je reconnais Jean-Patrick Lapierre, un pharmacien fort sympathique de l'Hôpital général. À chacune de mes visites à son local situé au sous-sol du centre hospitalier, pour aller cueillir un médicament prescrit à un patient, il m'adresse systématiquement un mot gentil. À ses côtés, sautillent une fillette d'une douzaine d'années et un garçon de neuf ou dix ans, accompagnés d'un gros chien blanc et noir portant un foulard rouge autour du cou.

---

9. Centre d'hébergement et de soins de longue durée.

— Qu'est-ce qui t'arrive, jeune homme ? Tu t'es levé du pied gauche, ce matin ? Ça n'a pas l'air d'aller…

— J'ai reçu une triste nouvelle, hier.

— Rien de grave, j'espère ?

— Oui, très grave. Je viens d'apprendre qu'un de mes meilleurs amis souffre probablement du sida, et… et je me fais du mauvais sang pour lui.

Je n'en reviens pas de la facilité avec laquelle je lui soumets cette partie de la vérité, préférant garder le reste pour moi. Faut-il que je me sente démuni, en ce moment, pour confier mon désarroi à cet étranger qui me connaît à peine ! Avec étonnement, je le vois s'asseoir spontanément sur le bout du banc, après avoir lancé une consigne à ses enfants en train de me dévisager. Ils n'ont pas l'habitude de voir leur père parler à un inconnu, je suppose.

— Gabrielle et Félix, allez jouer dans les modules quelques minutes, je n'en ai pas pour très longtemps.

— Ce sont vos enfants ?

Avant de s'éloigner, le garçon me tend poliment un de mes gants, tombé de ma poche.

— Monsieur ? Gant… à vous, je pense.

Je renifle un bon coup et tente de me composer un visage avenant.

— Merci, jeune homme. Sais-tu que tu ressembles pas mal à ton papa, toi ? Et quel adorable chien tu as ! Comment s'appelle-t-il ?

— Carbone… Chien Mira.

L'enfant me gratifie de son plus beau sourire avant de déguerpir à la poursuite de sa sœur. Au même moment, je vois le père secouer la tête en faisant la moue.

— Il s'agit d'un chien que notre famille entraîne pour devenir chien-guide pour les aveugles. Cela aide Félix à mieux s'exprimer.

— Comment cela ?

— Il souffre de dysphasie. Mon garçon vient de loin, crois-moi, et je n'en suis pas peu fier. Il arrive maintenant à dire tout ce qui lui passe par la tête et réussit de mieux en mieux à l'école, sauf en français, matière pour laquelle il suit des cours particuliers. En plus de ça, il est inscrit à un club d'escrime, où il excelle.

— Bravo ! Vos enfants n'ont pas de cours, aujourd'hui ?

— Mais non, voyons ! On est samedi !

— Oups ! Excusez-moi, j'ai mal dormi la nuit dernière et je me sens un peu perdu.

— On attend ma belle-mère, qui doit les garder aujourd'hui, car ma femme travaille exceptionnellement. Mais parlons plutôt de toi. Cette mauvaise nouvelle… Redis-moi ton nom, je ne me le rappelle pas. On rencontre tellement d'étudiants dans cet hôpital, tu n'as pas idée. Étudiants en médecine, en soins infirmiers, en travail social, en gérontologie, en laboratoire, en radiologie, en physiothérapie, en diététique, sans compter les auxiliaires et les préposés aux bénéficiaires, et j'en oublie sûrement !

— Vincent de Bellefleur, étudiant en technique de soins infirmiers au cégep Jacques-Cartier et préposé aux bénéficiaires ici, les fins de semaine et certains soirs.

— Alors, raconte-moi.

— Je ne connais rien à cette maladie, à vrai dire, mais puisque j'ai un pharmacien devant moi, je me permets de vous poser une question précise : cet ami m'a affirmé que, en dépit des dernières recherches scientifiques, on n'a pas encore trouvé de médicament pour éliminer définitivement le virus. Est-ce exact ? Il n'existe vraiment pas d'espoir ?

— Malheureusement, ton ami a raison. Par contre, la trithérapie ralentit de manière importante la progression du virus. Toutefois, le sida demeure présent chez le patient pour le reste de ses jours, sans compter le prix exorbitant, quasi inabordable, des remèdes.

— Mon ami peut donc espérer vivre encore longtemps ?

— Oui, pendant des années s'il se soigne bien. Mais il restera contagieux toute sa vie, en plus de développer une fragilité accrue envers toutes les autres maladies. L'une ou l'autre finira par l'emporter, à la longue.

Des coups de klaxon insistants viennent interrompre notre conversation. Une femme a arrêté sa voiture au beau milieu de la rue, en plein trafic, et fait des signes désespérés dans notre direction.

— Ah ! Voici Nicole. Désolé, je dois partir. Rejoins-moi plus tard à la pharmacie de l'hôpital, Vincent, on pourra poursuivre notre discussion. À tout à l'heure, donc. Félix ! Gabrielle ! Venez, grand-maman Nicole est là.

Le garçon prend les devants et répond à son père d'une voix tonitruante.

— On arrive, papa… Où… grand-maman ?

Aussitôt rattrapé par mes pensées, je salue rapidement les enfants et leur père de la main. Ainsi, s'il est séropositif, à moins d'une importante percée scientifique, Simon demeurera contagieux jusqu'à… jusqu'à ce que mort s'ensuive, causée par une autre maladie. Je n'ose y penser ! Si, tôt ce matin, après une nuit blanche, je me sentais quelque peu prêt à passer l'éponge et à l'implorer de reprendre notre relation, puisqu'il prétend m'aimer encore, je remets tout à coup cette perspective en question.

Assis là, au milieu d'une allée de parc, la réalité me fouette en pleine figure. Pas question d'entretenir une histoire d'amour avec un gars qui n'a jamais cessé de me tromper. Mieux vaut tourner la page, je DOIS tourner la page, sida ou non. Les mensonges constituent une autre sorte de pathologie chronique et ils m'apparaissent brusquement aussi destructeurs que le sida.

Mais où vais-je trouver la force de renoncer totalement à mon cher Simon et le courage de mettre les principes en avant des sentiments ? Comment donner raison à la raison et non préséance à la folie de mon cœur ? Comment ignorer cet élan de pardon que je sens monter naturellement en moi depuis mon lever et comment cultiver plutôt la rancœur ? Comment fermer la porte alors que j'ai envie de la garder grande ouverte, tout comme mes bras d'ailleurs ? Ne devrais-je pas le détester pour m'avoir berné ? Ah ! Y arriverai-je jamais ?

Je me lève d'un bond. Plutôt aller travailler que de songer à tout ça. Oublier, oublier, oublier… Je ne descendrai pas à la pharmacie afin d'éviter de cultiver encore le même sujet, sinon je vais devenir fou. Je me dirige directement sur les étages, même s'il reste une quinzaine de minutes avant le début de mon horaire de travail. Vite, reprendre ma trousse de docteur et m'en aller lutter, dans les chambres de l'hôpital, contre les maladies de l'humanité. Vite, aider la vie à remporter des victoires. Temporaires, certes, mais des victoires tout de même. Et vivement l'ouvrir de toute urgence, ce coffre de docteur, pour, cette fois, me soigner moi-même.

Au septième étage, à la sortie de l'ascenseur, je jette en passant un coup d'œil dans la chambre de Maxime, le patient souffrant d'une pathologie rénale quasi incurable. Il n'a pas passé une bonne nuit et m'apparaît comateux. C'est à peine s'il réagit à ma main doucement posée sur son bras, sous le regard surpris de l'infirmière à ses côtés. Ce pauvre garçon ne connaîtra plus la jouissance charnelle et ne me fera jamais la cour dont il parlait l'autre jour. Il est condamné lui aussi, mais sans l'avoir mérité. Il n'a pas, comme moi, pratiqué un impardonnable laxisme et il n'a pas non plus commis de saloperies comme Simon et cet imbécile d'Edgar.

Maxime est condamné par la sélection naturelle, clameront les biologistes, condamné en raison d'une mutation génétique, affirmeront les scientifiques, condamné par la volonté de Dieu, formuleront les curés. Moi, je dis : condamné par la pire et la plus abominable des injustices imposées ici-bas à l'être humain : celle du triomphe tragique et inéluctable, tôt ou tard, de la mort sur la vie.

Quelle prise de conscience et quelles leçons m'apportent ces activités à l'hôpital ! Mon prof appelle ça « prendre de la maturité ». Peut-être a-t-il raison… Heureusement que, dans ce lieu, la vie y gagne le plus souvent les batailles. On soigne, on guérit, on remplace, on recoud, on accomplit des miracles et on repousse cette mort fatale de plus en plus loin.

Envahi par un insupportable vague à l'âme, je circule à petits pas et sans but dans les corridors quand un bruit insolite attire mon attention. Dans une chambre de l'autre côté du couloir, un patient âgé que je sais cardiaque, se tient debout près de son lit, l'air un peu perdu, alors qu'il lui est interdit de se lever sans l'aide d'un préposé. Je me précipite vers lui, mais avant même d'avoir franchi le seuil de sa porte, je le vois perdre l'équilibre et s'affaler de tout son long dans une flaque puante et brunâtre s'élargissant sur le plancher. Oh non ! Du caca !

Trop tard ! Voilà que mes pieds glissent à leur tour dans le liquide et que j'atterris carrément sur les fesses, juste à côté du vieillard, bras et jambes battant l'air. Embarrassé, le patient se répand en excuses devant mon air pétrifié.

— Oh ! pardon, monsieur, pardon ! C'est que… voyez-vous, mon jello s'est renversé, et j'ai voulu le ramasser et… et… On ne m'avait pas encore apporté ma nouvelle couche, je n'ai pu me retenir et…

— Ce n'est rien, ne vous en faites pas, on va tout nettoyer ça.

L'espace de quelques secondes, assis côte à côte par terre et empestant à plein nez, nous ne savons trop comment réagir, lui et moi. Soudain, nos yeux se croisent, suffisamment longtemps pour qu'un miracle se produise : devant le comique de la situation, plutôt que de nous mettre à hurler, nous éclatons d'un fou rire à nous en tenir les côtes. Cet inconnu et moi rions à ne plus pouvoir nous arrêter, carrément plantés tous les deux dans la merde. La situation la plus loufoque du monde !

Je n'ai jamais autant ri de toute ma vie. Dire que je me suis traité de « ti-cul » mille fois la nuit dernière, un « ti-cul » bon seulement à amuser un prostitué comme Simon, un « ti-cul » stupide qui a risqué le sida, un « ti-cul » qui s'est naïvement mis dans la merde. Eh bien, voilà ! Quelques heures plus tard, la situation se concrétise royalement, consistance, couleur et odeur incluses ! N'y a-t-il pas matière à rire ? Mais mon rire devient vite convulsif, au point d'en dérouter complètement mon compagnon de malheur qui s'arrête net.

Un silence morcelé s'installe alors. Seul mon rire satanique résonne dans la chambre comme des coups de hache donnés rageusement par un bûcheron sur un tronc d'arbre trop résistant. J'arrive mal à interrompre cette crise d'hystérie par laquelle je sens se vidanger mon amertume et se déverser mes idées de révolte.

Les yeux clos et les poings serrés, je tente de calmer les spasmes qui me secouent et de reprendre mes esprits. Allons, mon vieux, ne dramatise pas autant ! Te voilà bien débarrassé de cette crapule de Simon. Tu vas l'oublier facilement, voyons ! Et puis, tu n'auras pas le sida. De toute manière, avant que ça réussisse à te tuer, on aura trouvé un remède. Franchement, sors-toi de la merde ! De toutes les merdes !

Petit à petit, je retrouve mon calme et parviens tant bien que mal à me relever pour appuyer aussitôt sur le bouton d'urgence, pendant que mon compagnon, découragé, demeure immobile à mes côtés.

Le préposé met deux ou trois minutes à venir, et ce laps de temps m'apparaît comme une éternité. Dorénavant, je comprendrai les plaintes des patients au sujet du temps d'attente quand ils appellent au secours. Honteux, je salue finalement le vieil homme d'un pitoyable sourire et me dépêche de sortir, laissant au pauvre préposé de garde sur cet étage le soin de nettoyer les dégâts. Je ne doute pas une seconde qu'il me prenne pour un fou.

Une longue douche chaude et un uniforme propre achèvent de me réconcilier avec l'existence. Tout bien considéré, je me retrouve finalement en mesure de reprendre du poil de la bête et d'accomplir dûment mon travail.

À l'heure du dîner, je prends tout de même quelques instants pour aller me ressourcer, seul, dans le silence de la petite chapelle de l'hôpital, histoire de continuer à remettre les choses en place dans mon esprit encore embrouillé. Je ne possède pas une foi des plus ardentes. Au contraire, la fréquentation de la misère humaine dans un centre hospitalier suscite bien des remises en question et ne cesse de semer le doute dans ma tête. Ces derniers temps, j'ai l'impression d'avoir perdu ma naïveté d'enfant. Par contre, certains jours comme aujourd'hui, où je me sens petit et démuni comme un « ti-cul » dans la merde, tiens ! j'éprouve le besoin de trouver réconfort et consolation auprès d'une force plus puissante que moi. Instinctivement, je cherche mes repères d'autrefois.

En pénétrant dans la chapelle, je remarque, à travers la fenêtre, la tempête de neige en train de prendre de l'ampleur. Je ne m'attendais pas, cependant, à trouver quelqu'un d'autre à l'intérieur du petit sanctuaire passablement délabré. Ces murs à la peinture défraîchie, ces chaises dépareillées servant de bancs, ces fleurs de papier fanées alignées devant l'autel non recouvert d'une nappe de dentelle ne m'inspirent guère. Encore heureux qu'une flamme y vacille au bout d'une chandelle.

Tout au fond, à l'arrière, je découvre une femme immobile dans son fauteuil roulant, chapelet à la main. Je me réfugie dans l'autre coin, à l'avant, et m'agenouille à la balustrade. Cette fois, je veux la paix, je veux le silence, je veux me retrouver seul avec moi-même.

Des souvenirs remontent à la surface. Il y a un an, presque jour pour jour, j'allais me perdre dans le bois, derrière le collège Saint-Anselme. « L'homosexualité ne se guérit pas, ça s'accepte », m'avait dit monsieur Legrand, le lendemain. Eh bien ! je l'ai tellement acceptée et assumée que ça m'a peut-être rendu malade. La belle affaire ! Et puis, non ! Je ne lâcherai pas tout, cette fois, pour aller me construire une autre croix de branches sur la neige, dans une forêt perdue à cent kilomètres d'ici. Non, je veux vivre, moi, je veux vivre ! Vous allez m'aider, n'est-ce pas, mon Dieu ?

En dépit de mes efforts et bien malgré moi, je sens l'émotion me submerger de nouveau. Les larmes se mettent à jaillir à grands flots et remplacent le rire nerveux qui me chatouillait la gorge, il y a à peine quelques heures, assis par terre dans la flaque nauséabonde. Les sanglots ne tardent pas à m'agiter de soubresauts. Pendant combien de temps je pleure, là, à genoux et la tête entre les mains, je l'ignore. Mais de me vider ainsi de ce trop-plein, tantôt par le rire, maintenant par les pleurs, relâche les tensions et me fait du bien.

Soudain, je sens une main froide m'effleurer le bras. Dans mon délire, je n'ai pas entendu le fauteuil roulant s'approcher de moi ni senti la femme se pencher péniblement pour tenter de m'atteindre.

— Est-ce que je peux faire quelque chose pour vous, jeune homme ? Je m'appelle Sergéa Lynn et je suis une patiente d'ici.

Pris au dépourvu, je ne sais trop quoi répondre.

— Non, non, merci, madame. On m'a causé du chagrin, hier, et ça me soulage de pleurer un peu, voilà tout.

— Je vous comprends. Moi aussi, j'ai reçu une mauvaise nouvelle, hier. Mais moi, curieusement, je n'arrive pas à pleurer. Sans doute parce que je risquerais trop de me noyer dans mes larmes…

— Que se passe-t-il donc, madame ? Euh… Lynn, c'est bien ça ?

— Oui. Je ne retournerai pas chez moi en sortant d'ici. Sur les conseils du médecin, mes enfants ont signé les papiers pour m'envoyer dans un CHSLD.

— Vous me semblez passablement jeune, pourtant!

— Oui, j'ai soixante-dix ans seulement.

— Vous vous exprimez bien et vos facultés intellectuelles me paraissent en bon état. Alors?

— Je dois maintenant renoncer à ma vie d'auparavant. Tout quitter, tout abandonner… C'est le commencement de la fin, je le crains. Et je ne veux pas, je ne veux pas.

— Vous ne pouvez plus rester seule?

— Non. Un accident vasculaire cérébral m'a terrassée, il y a trois mois, et je ne peux plus fonctionner seule malgré toutes les tentatives qu'on a répétées et répète encore et encore au département de réadaptation. Ma situation semble irréversible. Je manque d'équilibre, je tombe partout, j'ai complètement perdu mon autonomie. J'arrive même difficilement à manger sans aide, voyez-vous. Alors… je requiers trop de surveillance et d'heures de soins par jour. Comme je ne possède pas d'argent, on a mis mon nom sur la liste d'attente pour un centre d'hébergement et de soins de longue durée. Je ne souffre pas d'Alzheimer, pourtant. Aucun de mes six enfants et de mes treize petits-enfants ne peut ou ne veut me garder à la maison. Trop contraignant et trop compliqué! Au fond, je peux comprendre ça. Que voulez-vous, ils ont tous une famille et sont pris par leurs propres obligations et leur propre vie. Ah… j'aurais dû mourir. Sergéa Lynn aurait dû mourir!

Les derniers mots ont été prononcés d'une voix brisée, porteuse d'une révolte secrète mais immense, je le sens. Une révolte qu'aucune parole n'arriverait à exprimer. Je ne sais trop comment réagir. Mes tourments m'apparaissent soudain ridicules devant l'injustice subie par cette sympathique grand-mère. Mais elle ne me laisse pas le temps de répondre et pointe un doigt tremblant vers moi.

— Vous êtes croyant ? Pour un jeune, c'est plutôt rare de nos jours.

— Euh… oui, un peu… pas trop ! Parfois, je ne le sais plus. Des souvenirs de jeunesse, peut-être…

— Tenez, je vous donne ma médaille scapulaire. Portez-la, ça peut faire des miracles, vous savez.

— Gardez-la, madame Lynn, vous en avez sûrement plus besoin que moi. À bien y penser, mon problème semble beaucoup moins grave que le vôtre.

La femme tente alors avec difficulté de retirer de son cou décharné une petite médaille suspendue au bout d'une chaînette en or. J'ai beau refuser, elle insiste, et je finis par l'aider.

— Non, non, prenez-la, je vous en prie. Pour moi, la médaille l'a déjà accompli, son extraordinaire miracle.

— Ah oui ? Tant mieux, alors ! Mais… dites-moi comment ?

— Elle m'a donné le courage d'accepter mon épreuve. Sans cette confiance, je ne pourrais pas passer au travers. Accepter ce qu'on ne peut changer, c'est déjà la moitié du chemin vers la sérénité, vous savez.

Tiens, j'ai déjà entendu ça quelque part, moi ! Confus, j'enfile la chaînette autour de mon cou, sans même connaître la signification du mot « scapulaire ». Sans croire non plus à l'action bénéfique des médailles miraculeuses, il va sans dire ! Mais madame Lynn semble si contente de me l'offrir que je n'ai pas le choix de la garder. Comme je m'apprête à la remercier, elle ne manque pas d'ajouter :

— Cependant, mon garçon, si jamais l'envie vous prend de prier la Madone pour moi, suppliez-la de venir me chercher au plus vite parce que j'ai l'impression de me trouver en enfer, présentement, et je m'en vais vers le pire. Un CHSLD à mon âge, pensez-y donc ! J'ignore combien de temps encore je devrai supporter ma condition. Je voudrais mourir, comprenez-vous ? C'est le miracle que j'attends. Je veux tellement mourir…

Voilà qu'elle éclate en sanglots. Le reste de son chemin vers la sérénité ne semble pas encore franchi. Désarçonné, je ne sais trop comment réagir et la vois tenter, tant bien que mal, de s'éloigner en actionnant elle-même les roues de son fauteuil.

— Laissez-moi vous reconduire à votre chambre, voyons !

— Ma chambre se trouve en gériatrie. Je fais partie des vieux, maintenant. Saviez-vous que j'enseignais le piano au conservatoire jusqu'à tout récemment ?

En l'installant dans son lit, je me promets d'aller la visiter chaque jour que je viendrai travailler ici comme préposé, tant et aussi longtemps qu'elle n'aura pas quitté l'hôpital. D'une main fébrile, je caresse la petite médaille.

Finalement, je vais sûrement survivre à cette journée. Je quitte la chambre en remerciant le ciel de me sentir plus léger. Étrange situation inversée, à bien y songer, alors que je viens travailler dans ce lieu avec l'intention de consoler les autres.

Une fois mon travail terminé, en fin d'après-midi, je ne peux m'empêcher de contempler la neige scintillante sous la lumière des lampadaires. C'est si beau, la neige, ça transforme le paysage, ça rend tout propre et immaculé. Tiens, je devrais aller marcher une petite heure dans le parc, de l'autre côté de l'hôpital, ça me ferait trois mille six cents secondes d'écoulées agréablement dans mon avancée vers mercredi prochain.

Un peu plus, et je remercierais la médaille suspendue à mon cou…

Et puis, non, quand même !

CHAPITRE 12

Mercredi, enfin ! Le décompte est terminé, nous y sommes finalement arrivés, mais rien ne se passe. Puis jeudi… Puis vendredi…

La fin de semaine se pointe et toujours pas de nouvelles de Simon. Comme il sait si bien le faire, monsieur s'est permis de disparaître de la carte une fois de plus : pas de réponse, ni à son adresse ni à son numéro de téléphone. Je sens monter la colère en même temps que l'angoisse. Il n'a pas le droit de me torturer de la sorte, je ne lui ai jamais fait de mal, moi.

N'y tenant plus, je me dirige, dès ma sortie du cégep, vers le village gai dans l'espoir de le retrouver. Dans l'artère principale, on a déjà installé de magnifiques décorations de Noël, et les vitrines brillent de mille feux. Quelle ambiance féerique ! Mais je n'ai pas envie de succomber au charme, obnubilé par une idée fixe : celle de revoir Simon Lagacé pour connaître enfin ses résultats d'analyses de laboratoire.

Dans moins de trois semaines, si je garde la main ancrée fermement sur mon gouvernail, j'aurai terminé ma première session de cégep, le premier pas vers l'obtention de mon diplôme d'infirmier. Après les examens théoriques écrits et le test pratique de la semaine prochaine dans les salles d'entraînement technique, il ne me restera plus que le court stage au CHSLD avant les vacances de Noël. Parfois, je me demande si je vais pouvoir me rendre jusqu'au bout de ce cours de trois ans. S'il fallait que le sida… Avant-hier, encore trop énervé par les aveux de Simon, je crains d'avoir raté l'examen de physiologie. Je n'arrivais pas à me rappeler le mode de fonctionnement des lymphocytes T dans la défense de l'organisme contre les infections.

Pourtant, par les temps qui courent, s'il existe au monde un processus que je devrais connaître par cœur, comprendre et posséder sur le bout de mes doigts, assimiler physiquement et même psychologiquement, c'est bien celui-là ! Qui sait si, par hasard, mes propres « lymphos T » ne sont pas pertinemment en train de livrer, en cette minute même, une bataille effrénée dans mon corps contre le rétrovirus du sida ?

À bien y penser, l'expression « par hasard » ne me paraît pas très appropriée. Si jamais j'ai attrapé ce monstre-là par stupidité, le hasard n'a rien à y voir. Quant à la sodomie… La nuit dernière, j'ai vu sur Internet que chaque acte de rapport anal réceptif représente 3 % et moins de probabilités de transmission[10] du sida. Alors ? Il n'y a franchement pas lieu de m'énerver à ce point, quand même ! Tous ces homosexuels croisés en ce moment sur les trottoirs du village gai jouent-ils avec le feu, eux aussi ?

Allons, respire par le nez, mon vieux, et cesse donc d'en venir trop vite aux conclusions ! Je n'en peux plus. Pour quelle raison Simon ne m'appelle-t-il pas ? Si au moins j'avais un piano à ma portée… Au collège Saint-Anselme ou chez mes parents, j'arrivais toujours à réduire ma tension nerveuse en tapant sur le clavier. Mes amis Beethoven, Mozart, Bach se trouvaient là, fidèles, pour me comprendre et partager mes émotions. Malheureusement, ce temps béni où je braillais en musique mes peines et mes frustrations

---

10. De 0,5 % à 3 %, selon le ministère français de la Santé (wikipedia.org).

semble bel et bien révolu. Avant que je possède les moyens financiers pour installer un piano dans mon petit logement, beaucoup d'eau va passer sous les ponts. Me restent mon oreiller et… les bancs de la chapelle !

Mains dans les poches, mon portable bien serré dans ma paume droite, je traînasse sans but comme un chevalier errant. Deux longs jours se sont déjà écoulés depuis mercredi. Sonne, mais sonne donc, maudit téléphone ! À l'instar d'un animal affamé en quête d'une proie, mon regard fouille les alentours à la recherche de mon amoureux. De mon ex-amoureux, devrais-je dire ! Je scrute tous les recoins, balcons et escaliers, entrées de ruelles, portiques de magasins, clientèle de bars et de restaurants, piétons traversant la rue ou sortant d'une voiture. J'hésite seulement devant les saunas dont je n'ose franchir la porte. S'il me fallait y trouver Simon en compagnie de son débauché d'Edgar ou d'un autre de ses vicieux clients, je ne saurais pas me retenir de les assassiner tous les deux !

Soudain, une enseigne discrète au-dessus d'une petite porte menant au deuxième étage attire mon attention : *Clinique de dépistage de MTS*[11]. L'idée fait rapidement son chemin : pourquoi ne pas subir moi-même un examen médical pour en avoir le cœur net ? Simon Lagacé peut aller au diable, je vais cesser de dépendre de lui et d'espérer son appel. Je peux très bien me débrouiller tout seul, quand même !

La clinique semble encore ouverte, malgré l'heure tardive. J'enfonce la porte et monte immédiatement. Mieux vaut y aller tout de suite, sinon, la peur risque de m'arrêter. La peur de savoir…

Une femme dans la cinquantaine m'accueille plutôt sèchement.

— Avez-vous un rendez-vous, monsieur ?

— Non, mais j'aimerais bien consulter un médecin.

11. Maladies transmissibles sexuellement.

— Un problème urgent ?

— Oui, très urgent. Et puis, non, ça peut attendre un certain temps, je crois. Je… j'ai fréquenté quelqu'un qui a peut-être le sida et…

— Mardi prochain, huit heures, ça vous va ?

— Euh… mardi prochain… non. À cette heure-là précisément, je dois subir une évaluation avant d'entrer à l'hôpital.

— Pourquoi venir ici, alors, si vous entrez à l'hôpital la semaine prochaine ?

— Ça concerne un autre genre d'évaluation, madame. Il s'agit d'un examen pratique dans un laboratoire de cégep qui décidera si je peux ou non entreprendre un stage en milieu hospitalier. Et l'hôpital en question est un centre de soins de longue durée pour personnes âgées.

— Jeudi, même heure, alors ?

— C'est bon. Dites-moi, madame, combien de temps faut-il attendre pour recevoir les résultats d'une recherche de VIH ?

— Un minimum de trois semaines. Et si le test s'avère négatif, on prescrit une seconde analyse. Vous savez sûrement, du moins je le suppose, que le meilleur moment pour une investigation sur le sida se situe environ trois mois après l'exposition au virus. Sinon, on risque d'obtenir un faux négatif.

— Un faux négatif ? Ah bon… Merci, madame. À jeudi prochain, huit heures.

Ainsi, il existe de faux négatifs ? Il ne manquait plus que ça ! L'esprit agité, je franchis lentement les marches vers la sortie. Un rapide calcul s'ébauche dans ma tête : si l'attente des résultats dure trois semaines et que Simon devait recevoir les siens mercredi passé, j'en conclus qu'il avait déjà eu sa prise de sang depuis un bon moment quand il m'a fait part de la situation, la fameuse nuit des aveux. Il aurait donc pris le risque de coucher avec moi sans protection, ces dernières semaines, tout en attendant ses résultats de laboratoire, se sachant potentiellement séropositif. Jusqu'au jour où, pris de remords, il a sorti son condom et m'a avoué la vérité... Ah! l'écœurant! Ah! le dégoûtant! Ah! le chien sale! Soudain, je me mets à le détester comme jamais je n'ai détesté quelqu'un de toute ma vie. Je le hais, je le hais, je le hais! Au fond, n'en vaut-il pas mieux ainsi?

Je me lance dans la rue, tête baissée, complètement abattu. Je ne sais plus où je vais, je ne sais plus ce que je veux, je ne sais plus où j'en suis. La rage m'aveugle et embrouille ma raison.

— Hé, là! Regarde où tu t'en vas, gros tarlais!

Je manque de m'évanouir. Sans m'en rendre compte, j'ai foncé sur deux passants marchant devant moi. Ironie du sort, je tombe précisément sur Simon et un inconnu plus âgé que lui, chancelants tous les deux et enlacés comme des amoureux. De toute évidence, ils sont ivres et tiennent à peine sur leurs jambes. Simon se tourne vers moi en lançant un cri de surprise.

— Eh bien! Si ce n'est pas mon petit Vincent d'amour...

Le coup est parti sans même que je cherche à le retenir. Pour la première fois de ma vie, je viens de frapper quelqu'un en plein visage, de toutes mes forces. Simon s'écroule par terre au beau milieu du trottoir et, tout en se frottant la joue, a du mal à se relever pendant que je lui assène des coups de pied. Du sang s'écoule de son nez. Du sang peut-être contaminé... Son compagnon le soutient tant bien que mal en brandissant le poing dans ma direction avec un regard meurtrier.

— Hey, toé, le p'tit jeune! Modère tes transports, sinon tu vas avoir affaire à moé, ostie!

En dépit de sa stature de géant, le gaillard ne m'impressionne pas. La fureur me donne toutes les audaces. Je saisis alors Simon par les épaules et commence à le secouer comme une poupée de chiffon.

— Maudit salaud ! T'aurais pu m'appeler pour m'informer des résultats de tes analyses. T'as même pas eu ce minimum de respect envers moi, espèce de pourri !

— Mes analyses ? Quelles analyses ? Ah ! tu veux dire pour le sida ? Ben, tu le sauras pas, crisse ! T'avais rien qu'à pas me taper dessus si tu voulais qu'on discute comme deux civilisés ! Va chier, le petit Bellefleur !

N'eût été de la présence de sang sur sa figure, je l'aurais de nouveau criblé de coups jusqu'à ce que mort s'ensuive.

— Va chier toi-même, Simon Lagacé ! Je ne veux plus jamais, jamais, jamais te parler, tu m'entends ? Plus jamais !

Après s'être essuyé le visage avec sa manche, Simon pivote et continue son chemin, appuyé sur sa nouvelle conquête qui s'éloigne en me montrant le poing. Moi, je n'ai qu'une idée : aller m'enfermer chez moi pour brailler toutes les larmes de mon corps. Après m'être désinfecté les mains, bien sûr !

En ouvrant la porte de mon logement, comme pour me narguer, le clignotant du répondeur scintille dans la pénombre du salon. Je saute dessus, davantage pour l'interrompre que pour entendre le message. Message qui, je le concède, me jette littéralement par terre.

« Allo, mon beau Vincent, c'est moi, Simon. Il est presque huit heures du matin, en ce merveilleux vendredi tout blanc. Te voilà déjà parti pour le cégep ou l'hôpital, je suppose. J'ai reçu mes résultats de la clinique trop tard, hier soir, pour t'appeler. Bonne nouvelle, tout est négatif. Je n'ai pas le sida. On devra reprendre les analyses dans trois et six mois, mais le médecin s'est montré très rassurant, compte tenu de l'absence totale de symptôme. Tu n'as donc plus à t'inquiéter. Quand on s'est vus la dernière fois, je souhaitais ne pas avoir à te rappeler pour t'aviser de te faire examiner, toi aussi, advenant le cas où on me remettrait un résultat positif ou même douteux. Mais tout est bien qui finit bien, tu n'as pas à subir d'investigation. Je préfère te téléphoner quand même, histoire de te rassurer et de partager avec toi la bonne nouvelle. Tu peux dormir tranquille, maintenant. Mais avant de te quitter, et même si tout est terminé entre nous, mon cher Vincent, laisse-moi te répéter que tu es le seul au monde, dans ma triste existence, que j'ai sincèrement et réellement aimé. Je ne te méritais pas, j'en suis bien conscient, mais ne m'en veux pas de t'avoir trompé de la sorte, je t'en supplie. La prostitution est l'unique façon que je connais depuis dix ans de gagner ma vie. Sois heureux, je te le souhaite vraiment, mais ne prends pas le même chemin que moi. Tu peux me croire quand je te jure de retourner à la clinique dans trois mois. Si jamais mes nouvelles analyses s'avéraient positives, je t'en avertirai le plus tôt possible, sois-en certain. Cette fois, je ne te mens pas. Je ne te mentirai plus jamais. Plus jamais. Je t'aime, Vincent, laisse-moi te le dire au moins une dernière fois, mon doux amour. Adieu… »

En dépit du sentiment de posséder une longueur d'avance sur les autres élèves à cause de mon emploi de fin de semaine dans un centre hospitalier, je me présente nerveux et agité à l'examen pratique du cégep. Bien sûr, grâce à mon travail de préposé, installer des draps propres dans un lit, prodiguer des soins d'hygiène aux patients, les changer de couche, les laver, les transférer dans un fauteuil ou sur une civière, doser leurs aliments et mesurer leurs urines, tout cela n'a plus de secret pour moi. Par contre, quand il s'agit de prendre leurs signes vitaux et de vérifier leur fréquence cardiaque, de pratiquer l'oxygénothérapie, d'administrer moi-même leurs médicaments, même par voie orale, de déterminer leurs profils physique et psychologique et d'inscrire ces données au dossier, je me sens néophyte comme tous les autres.

Quant à l'approche psychologique du patient et à la communication à établir avec lui, l'apprentissage aura lieu sur le terrain, auprès de la clientèle âgée et dépourvue d'autonomie, pendant le stage dans un CHSLD. Là aussi, même si je me sens familier avec la fréquentation des malades, instaurer une relation personnalisée avec certains d'entre eux me paraît parfois difficile. Cependant, le souvenir du patient Maxime voulant me faire la cour, celui d'un certain fou rire partagé avec un autre patient, assis tous les deux dans une mare puante à côté de son lit, tout comme la petite médaille scapulaire reléguée maintenant au fond d'un de mes tiroirs, me rassurent quelque peu sur ma capacité de communiquer avec les malades. Toutefois, les paroles de Francis, mon professeur, reviennent parfois me hanter : « Si vous n'êtes pas capables d'entrer réellement en contact avec le patient, le domaine de la santé n'est pas pour vous. »

Ayant réussi haut la main tous les examens écrits et techniques, même celui de physiologie en dépit des fameux lymphocytes T, je reçois avec soulagement la convocation de me présenter au CHSLD Sainte-Marie-Ange, le 10 décembre à huit heures, vêtu d'un uniforme blanc ou pastel.

À mon grand étonnement, ou est-ce à mon grand bonheur ? L'un des deux Marc de ma classe, Marc-Olivier, est affecté au même établissement que moi. Quatre autres filles, que je devrai apprendre à connaître davantage au cours des prochains jours, se joignent à nous pour compléter le groupe. Instinctivement, en ce premier matin, une heure avant le temps, nous nous resserrons les uns contre les autres à la cafétéria du fameux centre de soins de longue durée. Chacun de nous se montre passablement impressionné, les filles surtout.

— Je n'ai pas dormi de la nuit, dit l'une.

— Moi, j'ai mal au ventre, renchérit l'autre.

Même Marc-Olivier semble dans ses petits souliers, en train de siroter nerveusement un troisième café. Il cherche à se rassurer en se laissant aller à la confidence.

— Avez-vous déjà vu une personne âgée de près, vous autres ? Pas moi. Je n'ai pas connu mes grands-parents paternels, ils sont décédés pendant mon enfance. Mon autre grand-mère habite dans une résidence pour aînés dans une ville située à trois cents kilomètres de chez nous. Mes parents vont la visiter une fois par année. Moi, je la connais à peine. Mon grand-père, lui, souffre d'Alzheimer et vit depuis quelques années dans un CHSLD de la même région. Ma grand-mère refusait, paraît-il, de se séparer de son mari et elle cachait la maladie de son homme au reste de la famille, jusqu'au jour où il est parti de la maison sans avertir. Comme il ne revenait pas, la police a dû le chercher pendant deux jours. On l'a finalement retrouvé dans un boisé voisin, malade et affamé, totalement incohérent, et on l'a placé dans un CHSLD. Ma mère raconte que, depuis ce temps-là, ma grand-mère, séparée de l'homme de sa vie, préférerait mourir. Il paraît qu'elle aussi est en train de perdre la carte. Une vraie histoire d'horreur !

— Moi, se permet d'ajouter l'une des filles, j'en connais un de près, un vieux : mon grand-père. Il habite au sous-sol, chez nous, dans un logement aménagé pour lui par mes parents, mais il monte manger avec nous tous les jours. Un vieil haïssable, je vous dis ! Pas moyen de le raisonner, il en est incapable. Inflexible et rempli de manies. Rigide, exigeant, égocentrique. Si monsieur n'est pas servi à cinq heures quarante-cinq pile, c'est la crise. Si sa tranche de pain n'est pas coupée également des deux bords, c'est encore le drame. Il peut encore marcher deux ou trois kilomètres et regarder la télé à tue-tête tard en soirée, mais il ne lèverait pas le petit doigt pour aider à ramasser les assiettes sur la table. Et le cher aïeul passe infailliblement derrière nous pour remonter le thermostat à une chaleur suffocante dans toute la maison, mais pas question qu'il se lave, par contre ! Je soupçonne mes parents de le garder parce qu'il a de l'argent, beaucoup d'argent. Je sais qu'il accepte de leur en prêter de temps en temps, au détriment du reste de la famille. De l'argent qu'ils ne lui remettront sans doute jamais. Si tous les vieux de cet établissement lui ressemblent, moi, je démissionne tout de suite, dès aujourd'hui. Avant même de commencer.

Je garde le silence. Aucune personne âgée ne fait partie de mon univers personnel depuis la mort de ma chère grand-maman Thérèse, dont je ne conserve que de bons souvenirs. Comme préposé à l'hôpital, toutefois, je rencontre très souvent en gériatrie des vieux très malades, mais en général ils ne m'apparaissent pas dépourvus de bon sens ni d'une certaine autonomie. Il arrive, par contre, que certains se montrent taciturnes et sans réaction, comme s'ils ne ressentaient plus d'émotions ou vivaient exclusivement dans leur bulle silencieuse.

Je pense à cette Italienne, immobile dans son lit et fort peu coopérante, dont la fille avait décidé de prendre la situation en main. La vieille femme aurait sans doute préféré se reposer paisiblement sans la venue quotidienne et harassante de cette zélée à moitié folle qui se permettait d'engueuler autant sa propre mère que le personnel médical au complet, y compris les médecins. Avec ses cris de protestation et ses accès de colère, la fille dérangeait les trois autres patientes de la salle et même ceux de tout l'étage.

« *Mamma mia !* Pourquoi as-tu enlevé ta couche avant de traverser la chambre pour te rendre aux toilettes ? On voit ta trace tout le long sur le plancher ! As-tu complètement perdu la tête, maman ? Et vous, là, l'infirmier, qu'est-ce que vous attendez pour ramasser les dégâts ? À quelle heure il passe aujourd'hui, le satané docteur ? Ce repas, servi trop tôt, c'est froid et pas mangeable ! Elles arrivent quand, ces pilules ? »

La pauvre vieille, calée au fond de ses oreillers autant qu'au fond d'un mutisme farouche, se contentait de braquer un regard fixe et vide sur sa fille, tout en reniflant faiblement. Chaque jour, le même scénario se reproduisait. Quand l'Italienne est finalement décédée, j'ai poussé un soupir de soulagement pour cette femme de quatre-vingt-dix ans enfin libérée des assauts, contraintes et misères de ce monde.

Oui, mes compagnons ont raison. Peut-être allons-nous découvrir, dans cet établissement de soixante patients, une nouvelle dimension de l'existence que nous ne connaissons guère, vu notre jeune âge. Je souhaite secrètement y trouver des éléments positifs qui me réconcilieront avec ce qui m'apparaît, pour l'instant, comme le plus épouvantable des drames humains, celui du vieillissement.

Quand, documents à la main, notre prof Francis se pointe à l'entrée de la cafétéria, à huit heures pile, je bondis sur mes pieds, serein et prêt à affronter la nouvelle aventure.

CHAPITRE 13

En dépit de l'important roulement de clientèle, Francis connaît la plupart des patients du CHSLD, puisqu'il y emmène des étudiants à chaque session. Pour ce premier matin, nous faisons tous la tournée des chambres en déambulant derrière lui comme des canetons à la suite de leur mère. Tout souriant, notre prof nous présente aux personnes de l'âge d'or dont nous aurons la responsabilité, à raison d'un pensionnaire chacun. Mais auparavant, il nous ressert le même discours entendu cent fois durant la session.

— Tous les résidents de cet établissement sont âgés et constituent des cas lourds. Plusieurs d'entre eux éprouvent de la difficulté à communiquer et souffrent soit de démence sénile, soit de la maladie d'Alzheimer. D'autres, par contre, sont paralysés ou atteints de maladies chroniques sévères, mais ils ont gardé toute leur tête. Chacun de vous doit donc prendre le temps de créer une approche personnelle et positive avec son patient. Les besoins physiques de ces gens-là sont en général comblés dans ce lieu. Tout au long de ce stage, il s'agira de mettre en pratique ce que vous avez appris pendant votre cours en communication et interventions. Retenez bien cela, les amis, et j'insiste : vous devrez établir des relations humaines et chaleureuses avec vos patients. Vous me comprenez ?

Nous nous contentons tous d'acquiescer en hochant la tête, ce qui n'empêche pas Francis de poursuivre son discours.

— Plusieurs parmi ces gens ont déjà occupé des postes de premier plan dans la société. Certains ont pris des décisions importantes, brassé des affaires, fait avancer la science, enseigné, travaillé en politique ou élevé des familles en transmettant leurs propres valeurs à leurs enfants. Ils ont bâti un réseau social étendu, conduit des voitures, voyagé pour découvrir le monde et, peut-être bien, mené une vie trépidante. Ils en sont maintenant rendus ici, confus et démunis, à la charge des autres et à votre merci. Et cela, assurément contre leur gré, vous pensez bien ! Malheureusement, ils n'ont plus le choix, et cela ne doit pas s'avérer facile pour eux, croyez-moi, même s'ils ne peuvent plus nous l'exprimer. Alors, de grâce, montrez-vous indulgents et compréhensifs. Et… armez-vous de patience !

Muets d'anxiété, aucun de nous n'ose poser de questions. « Établir des relations humaines et chaleureuses » viendra demain. Pour l'instant, le suspens de connaître le patient dont nous devrons nous occuper pendant cinq longs jours suffit à nous tenir en haleine. Sur les murs, près de l'entrée de chacune des chambres, on a accroché la ou les photos des occupants. La plupart des portes restent grandes ouvertes sur les couloirs, mais certaines sont transformées en sorte de barrières fermées à clé, béantes uniquement à la partie supérieure. L'intimité semble ne pas exister dans ce lieu. Avant de s'introduire dans la chambre numéro vingt-huit, Francis s'arrête encore un instant, au beau milieu du corridor, pour nous donner ses dernières instructions.

— Cette chambre est occupée par madame Barrette. Elle ne possède que deux robes, l'une bleue et l'autre beige. Elle est pauvre, ne reçoit jamais de visites, se montre la plupart du temps désorganisée, mais elle vit parfois des moments de parfaite lucidité. Comme vous tous devrez agir envers vos propres patients, l'étudiante responsable de cette femme-là lui prodiguera d'abord les soins d'hygiène nécessaires, l'aidera à manger, à se déplacer, à s'habiller, à bien prendre ses médicaments. Mais au-delà de tout ça, elle devra se donner comme défi de la faire sourire. Par exemple, si elle lui dit : « Bonjour, madame Barrette, comment allez-vous, aujourd'hui ? », l'étudiante attendra au moins une réponse, même marmonnée et incompréhensible, avant de poursuivre la conversation. Sinon, elle risque de laisser entendre à la femme qu'elle n'est pas intéressée à savoir comment elle va. Avez-vous tous bien compris ? Regardez-moi faire.

Nous pénétrons alors dans la chambre et restons plantés là, tous les six, au beau milieu de la porte. La petite femme, passablement ridée et repliée sur elle-même, est assise dans une berceuse, face à la fenêtre. Sans doute dure d'oreille, elle ne se retourne pas à notre arrivée, et Francis doit s'approcher sans brusquerie pour lui toucher le bras, tout en toussotant légèrement afin d'éviter de la faire sursauter.

— Bonjour, madame Barrette. Comment allez-vous, ce matin ?

— …

— Madame Barrette ? Est-ce que ça va bien, aujourd'hui ?

— Mmm…

— Bon. Je suis content. Ah ! vous portez votre robe bleue ? C'est ma préférée, elle vous va si bien. Vous êtes tellement ravissante dans cette robe-là, vous me faites penser à une belle journée ensoleillée, même s'il pleut à torrents dehors, aujourd'hui.

La magie s'accomplit aussitôt, et un grand sourire éclaire le visage de la femme, qui se sent tout à coup valorisée. Quelqu'un se souvient d'elle, quelqu'un la trouve jolie dans sa robe bleue, pourtant usée et défraîchie, elle a enfin de l'importance pour quelqu'un. La vieille grand-mère saisit immédiatement, d'une main tremblante, celle de Francis et elle la garde dans la sienne un long moment. Moment de bonheur qui va sans doute meubler sa journée. Le voilà, ce fameux « quelque chose d'humain et de chaleureux » ! J'ai compris le message.

— Madame Barrette, je vous présente Anne, une de nos meilleures étudiantes infirmières. Elle fait un stage ici et va s'occuper de vous durant toute la semaine. Êtes-vous contente ? Vous pourrez lui montrer tantôt votre belle robe beige dans la penderie. Je ramène mon élève auprès de vous dans une dizaine de minutes. Ça vous va ?

Anne s'approche alors et, à l'instar du prof, tend la main vers la femme qui, sans la saisir, gratifie tout de même la jeune fille d'un sourire bienveillant. Ça devrait aller.

— À tantôt, madame Barrette.

Dans la chambre suivante, un vieil homme rabougri répond au « comment allez-vous ? » par un grognement inintelligible. Mais Francis insiste.

— Je n'ai pas bien compris votre réponse, monsieur Teasdale. M'avez-vous répondu en français ou en anglais ? *How are you, today ?* Comment ça va, aujourd'hui ?

Ainsi, le vieillard sait que sa réponse importe aux yeux de Francis. Il répète le même grognement nébuleux en désignant la fenêtre dont la vitre est tambourinée par une pluie diluvienne.

— Vous n'aimez pas la pluie, monsieur Teasdale ? Mais la pluie, ça fait pousser les fleurs et verdir les gazons, non ? C'est beau et nécessaire, la pluie.

L'homme se lève en boitillant et se dirige vers un calendrier suspendu à l'un des murs. D'un geste imprécis, il tente d'indiquer, avec son doigt crochu, qu'aujourd'hui est le 10 décembre.

— Ah ! mais vous avez raison, mon cher ! La pluie du mois de décembre ne fait pas pousser les fleurs. C'est de la neige qu'il nous faut pour préparer un Noël blanc. Où ai-je donc la tête ? Ne vous en faites pas, la météo en annonce pour ce soir, et tout va devenir beau et blanc. Mais, pour le moment, retournez-vous, monsieur Teasdale, et regardez les belles fleurs que j'ai à vous présenter, ce matin : mes étudiantes en soins infirmiers et leurs deux compagnons. N'est-ce pas qu'ils ont tous l'air sympathiques ? Si vous êtes gentil, l'une d'elles, Camille, la meilleure et la plus jolie, prendra soin de vous durant toute la semaine. Elle va revenir ici dans moins de dix minutes, êtes-vous content ?

Une fois de plus, le miracle se réalise, et monsieur Teasdale, l'ancien homme d'affaires de la rue Saint-Laurent, ex-propriétaire d'une industrie embauchant plus de deux cents employés, nous offre le plus beau sourire édenté jamais vu sur terre.

Dans une autre chambre, Francis parle de nourriture avec l'énorme patiente, en s'informant de ses mets favoris.

— Vous préférez les croustilles ou bien la tarte au sucre, madame Descôteaux ? Le salé ou le sucré ?

Avec force gestes et balbutiements, la femme nous fait connaître son penchant pour le dessert. Des petites lumières brillent dans ses yeux, et je décèle des lueurs de victoire dans ceux de Francis. Il finit par lui présenter Andréanne comme une excellente cuisinière et la plus brillante étudiante du cégep.

Dans le local communautaire situé juste en face, nous rejoignons un autre patient en train d'écouter les nouvelles à tue-tête à la télévision pendant que d'autres, à ses côtés, restent indifférents et gardent le visage baissé sans ouvrir la bouche, enfermés dans leur univers intérieur comme dans une bulle. Francis s'approche lentement.

— Alors, mon cher Arthur, les Canadiens ont-ils enfin gagné, hier soir ?

L'homme se contente de secouer la tête en guise de réponse négative.

— Ah ! les scélérats ! Quatre parties d'affilée de perdues, c'est grave, ça ! Faudrait que les joueurs prennent plus de vitamines, ha ! ha !

Le sourire sur le visage de l'aîné jaillit comme par enchantement. Le prof s'empresse de renchérir.

— C'était la même chose, en fin de saison, pour la nouvelle équipe de football, qu'en pensez-vous ? Arthur, permettez-moi de vous présenter Marc-Olivier, un véritable spécialiste en activités sportives en plus d'être mon meilleur élève. Il va vous accompagner durant toute la semaine. Vous allez pouvoir discuter de sports avec lui, c'est le *fun*, hein ?

Soudain, mon professeur prend à mes yeux des allures de héros. Quel excellent infirmier et quel homme extraordinaire ! Arriverai-je jamais à sa cheville ? À la sortie de la salle, je ne peux m'empêcher de lui souligner mon admiration.

— Vous m'impressionnez, prof ! Quel altruisme et quelle imagination !

Francis se retourne aussitôt vers nous.

— Ma réponse s'avère de prime importance, alors écoutez-moi bien, tous les six, et n'oubliez jamais ce que je m'apprête à vous dire. Dans notre belle société de consommation, on voue un culte sans borne à tout ce qui est vieux : meubles antiques et objets anciens, œuvres d'art, bijoux de famille, souvenirs de vedettes et autres antiquités. Même les gouvernements dépensent des fortunes pour subventionner, à grands frais et au nom du patrimoine, l'entretien de bâtisses délabrées totalement désuètes et inutiles. Hélas, quand il est question d'êtres vivants, la société tente au contraire de masquer tous les signes de vieillissement, comme s'il s'agissait d'une honte. Regardez les annonces à la télévision faisant l'éloge de produits et de crèmes hors de prix pour chasser les rides.

Nous prêtons religieusement l'oreille à notre mentor. L'espace d'un moment, une publicité cent fois revue à la télé me revient à l'esprit : deux hommes dans la fleur de l'âge écoutent un vendeur leur vanter les mérites d'une voiture en leur garantissant que les premiers problèmes ne surgiront pas avant au moins de dix ans. Paniqués, les deux clients éventuels se regardent avec effarement en s'imaginant dix ans plus tard. Ils se voient alors chauves et grisonnants. Je tique chaque fois devant ce message insultant pour le processus pourtant naturel et inévitable du vieillissement. Mais Francis, emporté par son discours, ne me laisse pas le temps de méditer trop longtemps.

— On va même jusqu'à rejeter les aînés en oubliant que ces hommes et ces femmes-là nous ont précédés et ont préparé le terrain où la plupart d'entre nous menons une vie relativement facile. Pourtant aucun de nous ne possède autant d'expérience, de maturité et de sagesse qu'eux. Hélas, on ne les écoute plus, on les déracine cruellement du jardin pour s'en débarrasser et les reléguer dans des mouroirs, comme s'ils représentaient à nos yeux la déchéance absolue et la pire des nuisances. Oui, ils sont malades et trop souvent déments. Oui, ils ont besoin d'aide et peuvent constituer un fardeau épouvantable pour leurs familles. Oui, ils requièrent des tonnes de soins impossibles à donner à la maison. Oui, ils coûtent cher à la société. Mais songeons juste un instant que, sans eux, nous ne serions pas là et ne serions pas ce que nous sommes. Voilà pourquoi nous leur devons respect et reconnaissance. Pensez à ça, vous, les jeunes, quand vous entrez dans cet établissement, et armez-vous de patience. De bienveillance, même ! Les vieux ne demandent rien d'autre que de vivre leurs dernières années en paix, considérés et aimés tels qu'ils sont, car ils n'ont pas le choix de l'être. Ne l'oubliez jamais.

Même si ce discours mérite un tonnerre d'applaudissements de notre part, seul un silence lourd de sens l'accueille. Indubitablement, il se trace un chemin ineffaçable jusqu'au fond de l'âme jeune et candide de chacun de nous.

À Florence, celle qui semble la moins fragile du groupe, on assigne madame Ladouceur. La petite dame aux cheveux blancs bouclés porte bien son nom. Malgré ses nombreuses pertes de mémoire et ses périodes de divagation, elle ne se plaint jamais, paraît-il, car elle n'arrive plus à parler. Francis nous souligne alors l'importance du langage corporel.

— Cette femme-là passe son temps à frotter la tablette placée devant elle pour l'empêcher de tomber. Elle la pétrit sans arrêt, à longueur de journée. Avez-vous une idée à quel point ça peut taper sur les nerfs ? Quand je viens rencontrer madame Ladouceur, je prends habituellement sa main, la soulève et la pose sur ses genoux afin de lui faire lâcher sa damnée tablette. Souvent, elle réagit en me donnant une tape et en me regardant avec de gros yeux. Que signifie cela, d'après vous ?

Nous répondons, d'un commun accord, que ce geste doit lui déplaire. La femme veut, de toute évidence, continuer de tripoter sa planche. Et le prof d'enchaîner :

— Parfait ! Et quand elle se retourne pour ne plus me regarder ?

— Elle veut que vous cessiez de vous mêler de ses affaires ou bien elle désire carrément vous voir partir.

— Vous voyez, tout peut compter dans ce genre de relation : le toucher, le regard, le visage, la posture, tout !

Quand Francis lui présente Florence comme la meilleure élève du groupe, madame Ladouceur l'examine tout d'abord longuement et finit par accepter de toucher du bout des doigts la main tendue de la jeune étudiante. Puis, elle lui sourit avec chaleur, comme si elle accueillait sa propre fille, à la grande satisfaction du professeur.

À la sortie de la chambre, Francis se tourne finalement vers moi et mon cœur se met à battre la chamade. C'est à mon tour.

— Il reste toi, mon cher Vincent. Comme tu possèdes déjà une expérience de l'hôpital, nous avons choisi un cas un peu particulier.

Difficile, même ! Si tu réussis à amadouer cette femme-là et à la faire sourire d'ici la fin de la semaine, je te donnerai une médaille d'or. T'en fais pas, mon vieux, on voit fréquemment ce genre de cas ici, et tu vas bien t'en tirer, j'en suis convaincu. De toute manière, je resterai sur les étages, les prochains jours, pour aider chacun de vous. Viens, je vais te présenter madame Bérengère, quatre-vingt-quatre ans, tout récemment arrivée dans le centre. Avant-hier, je crois.

Entouré de mes compagnons et compagnes connaissant déjà leur patient, je me sens frémir des pieds à la tête. Avant de me munir de respect et de patience, tel que prescrit, je tente pour l'instant de me revêtir d'une armure de courage.

— Madame Bérengère, laissez-moi vous présenter Vincent, le plus merveilleux étudiant infirmier du groupe. Vous avez de la chance de l'avoir pour vous toute seule.

L'énorme femme m'ignore complètement et ne daigne pas broncher d'un poil ni même me jeter un coup d'œil, préférant garder les yeux rivés sur sa revue. Si le langage corporel dit bien ce qu'il veut dire, la semaine va me paraître une éternité.

— Regardez-le, au moins, ma chère dame. Vincent va rester auprès de vous pour les cinq prochains jours. Vous allez faire des jalouses, vous savez !

Elle aurait pu sourire, non ? Mais rien ne se passe. Madame Bérengère m'apparaît comme la plus inaccessible des patientes du CHSLD. Je hausse les épaules. Tant pis, advienne que pourra, la semaine ne dure que cinq jours, après tout ! Par simple déformation professionnelle, je m'approche pour replacer les draps du lit complètement défait, comme le ferait tout bon préposé. C'est toujours bien ça de fait !

Francis me quitte en me donnant une tape amicale sur l'épaule. Le groupe d'étudiants le suite hors de la chambre.

— Bonne chance, mon vieux ! Si tu as besoin de moi, je suis la plupart du temps à mon bureau, derrière le poste des infirmières et infirmiers, au bout du corridor. Fais-moi signe, si nécessaire. Au revoir, madame Bérengère ! Je vous laisse entre les mains de notre meilleur élève. Attention de ne pas tomber amoureuse de lui, là !

Rien, elle ne réagit même pas. Sans le savoir, cette vieille haïssable me changera malgré tout les idées pendant ce stage. Par contre, si elle me permet d'oublier ma peine d'amour et tout le reste de l'univers, elle ne va certainement pas me remonter le moral. Pour les sourires et les tapes dans le dos, on repassera !

Cependant, le défi m'intéresse, il est de taille. Une médaille d'or au bout de la semaine si je la fais sourire, hein ? Je me retrousse les manches. Au respect, à la patience et à l'intrépidité, je vais ajouter une bonne dose de persévérance et de gentillesse. On verra bien ce que ça donnera.

À nous deux, madame Bérengère !

CHAPITRE 14

Comme si elle avait précisément attendu le départ de Francis hors de sa chambre pour réagir, madame Bérengère se lève d'un bond dès que nous nous retrouvons seuls, elle et moi. Toujours sans me regarder, elle commence à vociférer, à lancer à tue-tête des mots que je ne comprends pas et à hurler comme une démente. Elle frappe et crible de coups de poing et de coups de pied tout ce qui se trouve à sa portée. Si elle le pouvait, elle me sauterait dessus et m'écraserait d'aplomb. Compte tenu de sa corpulence, je n'en doute pas un instant. Pris au dépourvu, je la vois se déchaîner au milieu de la pièce, hors d'elle-même, comme une sorcière enragée.

Ramassant toute ma force de caractère, j'essaie de la calmer en lui parlant d'une voix douce et rassurante. Rien n'y fait. Les belles techniques d'approche de Francis n'ont pas de prise sur madame Bérengère, la pensionnaire de la chambre quarante-deux, quatrième étage, CHSLD Sainte-Marie-Ange. La pire des patientes confiée au meilleur étudiant… Ouf ! Ou plutôt le soi-disant meilleur étudiant offert en pâture à la pire des patientes !

— Allons, ma belle dame, calmez-vous ! Pourquoi ne pas devenir de bons amis, vous et moi, vu que nous allons passer une grande partie de la semaine ensemble ? Je possède une certaine expérience en milieu hospitalier et je vais prendre bien soin de vous, promis ! Vous avez sûrement des choses à me raconter, non ? À me raconter paisiblement, s'entend. Vous savez, j'aime beaucoup votre robe verte. Très jolie. Elle vous va à merveille.

— …

— Euh… avez-vous remarqué le temps épouvantable qu'il fait dehors ? On annonce de la neige pour ce soir. En décembre, on préférerait ça, n'est-ce pas ? Un Noël tout blanc, c'est tellement plus beau ! Vous avez de la famille ?

— …

— Euh… vous aimez la musique ? Beethoven ? Les fleurs ? Le chocolat ?

— …

Zut ! Non seulement je n'obtiens aucune réponse, mais la femme continue de crier comme une perdue et de frapper sur le bord du lit avec sa canne en m'ignorant complètement. Impossible d'établir le contact, on dirait qu'elle ne s'est même pas rendu compte de ma présence. Francis ne m'a pas quitté depuis une demi-heure que j'accours déjà au poste pour lui signaler l'état incontrôlable de ma patiente. Hélas, il ne se trouve pas dans son bureau. Je fais quoi alors, moi ? Je n'ai pas le choix de me tourner vers les infirmières. Mais, contrairement à mes attentes, devant mon affolement, aucune d'elles ne se précipite avec un médicament à la main pour venir atténuer l'intensité de la crise. Dans un milieu de soins prolongés, ce genre d'épisode n'impressionne personne. Sauf les meilleurs étudiants !

J'apprends alors, par la préposée aux bénéficiaires assignée à son cas, que le fils de madame Bérengère a pris la décision, avant-hier, de l'amener ici à cause de ses pertes de contrôle démentielles mais occasionnelles et, sans doute aussi, par manque d'intérêt à prendre soin d'elle. Sans consulter personne, surtout pas la principale intéressée, sans même prendre rendez-vous avec un médecin ou un travailleur social, sans recommandation de qui que ce soit, l'homme s'est pointé avec elle au CHSLD. Après l'avoir solidement attachée dans son fauteuil roulant, il la poussait furieusement, alors qu'elle peut très bien se déplacer par elle-même à l'aide de sa canne. Il semblait aussi excédé qu'elle et refusait d'entendre ses supplications. Bêtement, il l'a reléguée seule dans un coin du hall d'entrée. L'instant d'après, il s'est adressé à la réceptionniste sur un ton rageur.

— Chus pus capable ! Est folle, crisse ! Pis ça fait un an et demi qu'est sur une liste d'attente pour être placée ! Occupez-vous-en, moé, j'ai d'autre chose à faire. J'paye mes taxes pis mes impôts, ça fait qu'astheure, c't'à vot' tour d'y voir ! Salut, m'man ! Je viendrai demain te porter tes affaires.

Puis, le cher monsieur a pris ses jambes à son cou et s'est enfui en laissant délibérément sa mère en plan. Il n'est jamais revenu. Madame Bérengère porte les mêmes vêtements depuis trois jours.

Quelques minutes plus tard, je reviens tout penaud du poste, plein de compassion pour la vieille dame, mais sans l'ombre d'une solution entre les mains. Contre toute attente, la femme soudainement calmée se jette dans mes bras.

— Docteur, docteur, appelez-moi un taxi ! Je veux retourner chez moi. Je ne suis pas malade, moi, je suis même capable de prendre encore soin de moi. Mon garçon est fou et il ne cherche qu'à se débarrasser de moi. Il m'a dompée ici sans me prévenir parce qu'il veut garder la maison juste pour lui et ses pétasses. Il me hait ! Mon fils me déteste ! S'il vous plaît, docteur…

— Il faudrait d'abord vous calmer, madame. Venez, on va se parler tranquillement, vous et moi, sans se crier par la tête comme tantôt. Je verrai alors ce qu'on peut faire.

— Non ! Je veux m'en aller tout de suite chez nous, moi ! Tout de suite, vous m'entendez, docteur ? Tout de suite ! Qui va s'occuper de mon chat et de mon chien, ce matin, hein ? Pas mon garçon, c'est certain, il ne leur veut que du mal. Et aucune de ses blondes non plus ! Les vaches…

— Le centre va sûrement communiquer avec votre fils dès aujourd'hui, ne vous inquiétez pas avec ça, ma chère dame. Quelqu'un d'ici vous a-t-il demandé le numéro de téléphone de différentes personnes de votre entourage avec lesquelles nous pourrions prendre contact, advenant le cas où on n'arriverait pas à joindre votre garçon ?

La femme me regarde avec attention, comme si je venais de lui poser la question du siècle. Je me félicite mentalement de cette initiative intelligente. Francis ne m'a-t-il pas présenté comme le plus brillant ? Ouais… il a fait de même pour tous les autres étudiants. À croire que les six élèves les plus brillants de la classe se trouvent ici ! Allons, mon vieux, un peu d'humilité, s'il te plaît. Pense aux premières minutes passées dans cette chambre, tu ne te sentiras pas si talentueux.

— Oui, ils me l'ont demandé, mais je ne connais personne d'autre que mon fils. Ma sœur est morte l'année dernière et je n'ai pas d'autre famille. Sont tous morts.

J'arrive finalement à réinstaller ma patiente dans le grand fauteuil de la chambre et à lui faire prendre de bonnes et longues respirations. Quelques gorgées d'eau avec ça ? Je me garde bien de lui rappeler mon statut d'étudiant. Qu'elle me considère comme un médecin me confère, à ses yeux, un certain prestige et une autorité dont je préfère profiter pour le moment. Je lui avouerai la vérité plus tard. Pour l'instant, il importe de l'apaiser et d'établir enfin une solide communication.

— Avant de vous renvoyer à la maison, nous allons devoir examiner votre état de santé, madame Bérengère, afin d'évaluer vos capacités physiques et mentales et vérifier si vous êtes apte à y retourner.

— Ils m'ont raconté la même chose, hier, puis avant-hier, mais ils n'ont rien fait du tout. Même pas donné une douche !

— La douche, je vais m'en occuper dès aujourd'hui, c'est certain. C'est chacun son tour ici, on n'y peut rien. Nous allons devoir interroger votre fils aussi.

— Bonne chance pour l'attraper ! Voulez-vous savoir ce qu'il va vous dire ? Que je suis folle et qu'il veut plus de moi, à la maison. Maudit sans-cœur ! Je ne suis pas folle, vous saurez. Pas du tout ! Je m'enrage parfois, je l'admets, et ça me fait perdre la tête, mais rien de plus. Ça ne dure jamais très longtemps et ça ne se produit pas sans raison, retenez bien ça.

— Pour le moment, si je changeais votre couche ? Certaines petites odeurs me semblent plutôt… disons, euh… plutôt incommodantes. Qu'en pensez-vous ?

— Ah ! oui, c'est vrai ! Je me suis échappée tantôt, tellement j'étais fâchée. D'habitude, je contrôle très bien ça, ces histoires-là… Ben, tu parles d'une affaire, voilà que les docteurs s'occupent de changer les couches des patientes, maintenant ! On peut bien attendre après eux autres pour se faire soigner, jériboire !

Je retiens un cri d'exaspération. Pas si folle que ça, en effet, la chère dame. Encore de bons moments de lucidité, en tout cas.

— Eh bien, madame Bérengère, vous vous méprenez. Je ne suis pas un docteur, comme vous le croyez, mais seulement un étudiant en soins infirmiers. Je vous l'ai répété plusieurs fois en entrant ici, tantôt, vous ne vous en souvenez pas ?

— Dans ce cas-là, si tu n'es pas un docteur, va-t'en, espèce de menteur ! Moi, je veux une femme pour me tripoter les fesses, pas un minus comme toi !

Le « minus comme moi » s'apprête à sortir de la chambre, la tête basse, pour aller de nouveau réclamer les conseils de son prof. Minus… Je n'ai pas besoin de cet attribut-là, moi. Oh ! que non ! On m'a considéré comme un minus pendant assez longtemps au cours de mon adolescence. Une « minusse » de tapette, quand ce n'était pas un minus à pédale… En franchissant le seuil de la porte, je bute involontairement sur la préposée aux bénéficiaires, de retour en tenant à bout de bras une pile de linges propres. La femme me regarde d'un drôle d'air.

— Coucou, jeune homme, vous êtes dans la lune. Je me présente, Nicole Martin, préposée dans ce lieu depuis trente ans. Je ne savais pas que les étudiants arrivaient ce matin. Dites donc, pourriez-vous me donner un coup de main pour laver cette patiente ? Cent quinze kilos, ça ne se retourne pas facilement, hein ? Surtout qu'elle a fait dans sa couche… Ouille !

— Vincent de Bellefleur, pour vous servir.

J'accueille la femme comme un ange envoyé du ciel. Joyeusement, je lui prends la pile de draps et de serviettes des mains et la laisse s'approcher de madame Bérengère, toujours calée dans son fauteuil, l'air mauvais. Je vois la préposée s'emparer avec délicatesse d'une mèche de cheveux blancs, gras et jaunis, de la vieille dame.

— Dites donc, madame Bérengère, il faudrait vous laver et vous mettre à votre avantage, au cas où le psychologue de l'hôpital viendrait vous rencontrer pour une évaluation, aujourd'hui. Vous n'avez pas idée comme il est à croquer, notre psy. Et il adore les belles femmes bien enrobées !

— M'en fiche ! Tout ce que je veux, moi, c'est un taxi pour retourner chez moi, est-ce clair ? Va-t-il falloir que je le demande mille fois ?

— Justement, vous devez mettre toutes les chances de votre côté pour obtenir gain de cause. Ce sont sûrement le psychologue et la travailleuse sociale, de concert avec le médecin, qui décideront ou non de votre départ. Venez, monsieur de Bellefleur et moi allons vous refaire une beauté et vous mettre sur votre trente-six.

— Monsieur de Bellefleur ? Qui ça ?

— Vincent de Bellefleur, l'étudiant qui s'occupe de vous, voyons ! Vous savez, le beau Vincent, le garçon si gentil ? Le plus gentil et le plus compétent de tout l'hôpital. Vous en avez de la chance, madame Bérengère !

La vieille femme bigle de mon côté, comme si elle me découvrait pour la première fois. Elle a déjà oublié le docteur et le minus incarnés par ma personne, à peine quelques instants plus tôt.

— Lui ? Ah bien, OK ! Lui, il a l'air d'être fin. Lui, il peut s'occuper de moi.

Un peu plus et je les embrasserais toutes les deux ! Madame Bérengère se laisse laver comme une sage petite fille, ou plutôt comme une grosse petite fille pas très sage, riant même de bon cœur en prétendant qu'on la chatouille. À la vérité, cette première victoire me semble davantage attribuable à madame Martin, la préposée d'un certain âge, qu'à moi-même, mais le « minus le plus fin » tient tout de même à l'inscrire dans son carnet de réussites. Pour la médaille d'or, on verra plus tard !

À partir de ce moment précis, ma patiente m'accueillera sereinement et avec un plaisir sincère chaque matin de la semaine, dorénavant vêtue de la sempiternelle jaquette d'hôpital bleu délavé, car son fils, toujours impossible à joindre, n'est jamais venu lui apporter ses effets personnels, comme il l'avait promis.

— Tiens ! Voilà mon étudiant préféré ! Comment ça va, aujourd'hui, mon beau Vincent ?

— Ça va bien. Et vous, ma belle madame Bérengère, comment allez-vous ?

— Bof… pas si mal quand tu es là.

Au bout de quelques jours, les autorités du centre ont fini par repérer le fameux fils, vient-on de m'apprendre au poste des infirmières et infirmiers, et on lui a fait signer, hier soir, quelques formulaires. Les multiples examens effectués au cours de la semaine en sont venus à la conclusion que l'état de santé mental et physique de Bérengère ne requiert pas, pour le moment, suffisamment d'heures de soins de longue durée pour justifier son hébergement dans un CHSLD. Certes, poussée à bout, la femme devient hystérique et perd tous ses moyens, mais elle garde néanmoins une certaine lucidité. Même chose pour ses déplacements, qu'elle arrive très bien à exécuter à l'aide d'une canne ou d'une marchette, et pour le port des couches qui ne servent qu'à contrer des dégâts plutôt rares et aléatoires.

Le fils, sans même être allé la saluer lors de sa visite au secrétariat du centre hospitalier, a donc décidé d'inscrire le nom de sa mère sur une liste d'attente pour la transférer dans une résidence pour personnes âgées. Tant et aussi longtemps que son état se maintiendra, elle pourra y occuper une chambre bien à elle, profiter des services d'une cafétéria et de la présence d'une infirmière dans l'immeuble. Pour défrayer les coûts, il est question de mettre sa maison en vente. Combien de temps faudra-t-il patienter avant de lui obtenir une place dans l'une de ces résidences pour la plupart contingentées ? Cela, nul ne peut le prédire.

Bien entendu, la nouvelle n'a pas réjoui la pauvre femme qui tenait tant à retourner chez elle, dans la grande maison familiale où elle a vécu avec son défunt mari et élevé son enfant unique. Mais ses crises fortuites de délire et ses besoins occasionnels en hygiène dont son fils ne veut plus s'occuper ont gagné la partie. Anéantie, Bérengère a préféré sangloter, blottie dans mes bras, au lieu de hurler comme une démone, selon ses habitudes. Cette femme adopterait un comportement différent si elle recevait plus d'amour et d'attention, je n'en doute pas un instant.

Je compatis à son chagrin et je comprends sa révolte. Quitter l'unique milieu de vie de son existence, renoncer à ses affaires, à commencer par les animaux domestiques qu'elle chérit, mettre une croix sur ses meubles, ses effets personnels, ses souvenirs, et réduire son univers à quelques objets d'utilité rangés dans une chambre minuscule, n'est-ce pas mourir un peu ? Abandonner à jamais ces petits riens du quotidien qui font que la vie vaut la peine d'être vécue…

Ainsi, elle ne regardera plus le soleil se jouer sur les fleurs de son tapis de salon durant la matinée. Elle ne se réfugiera plus dans son fauteuil mollet pour regarder ses émissions de télévision préférées, enveloppée dans sa vieille couverture usée à la corde. Elle ne pourra plus contempler l'horloge ancienne sur laquelle elle a porté son regard des milliers de fois au fil des années, ni l'eucalyptus devenu géant grâce à ses petits soins, ni les violettes africaines fleurissant joyeusement sur le rebord de sa fenêtre. Que dire de l'antique bouilloire ronflante héritée de sa belle-mère, du bibelot rapporté de son unique voyage outre-mer, et de toutes les photos accrochées ici et là dans la maison qu'elle ne verra plus… Oui, quitter sa demeure, c'est mourir déjà un peu, c'est mourir avant l'heure.

Impulsivement, j'aurais envie de bercer Bérengère, comme si elle était ma véritable grand-mère, celle qui me manque tellement. Au moins, Thérèse n'a pas eu à vivre cette cruelle déchirure avant de délaisser ce monde. À peine le destin lui a-t-il permis de s'apercevoir que son temps venait à échéance. Après avoir quitté son milieu de vie soi-disant pour un séjour à l'hôpital de seulement quelques jours, elle est partie pour l'au-delà sans même le réaliser. Pour la première fois, je remercie le ciel d'avoir perdu grand-maman de cette manière, pourtant jugée, sur le fait, trop rapide et impromptue par toute la famille.

Je ne dois pas oublier ma mère non plus, qui célébrera ses soixante ans cette année et se dirige au fil du temps, à la suite de mon paternel, lentement mais inexorablement vers ce même déclin appelé l'âge d'or. Quel genre de fils serai-je ? Si je poursuis de la même façon le type de relation dans laquelle je me suis engagé envers mes parents depuis l'hiver dernier, qui sait si je n'en viendrai pas à ressembler au fils de Bérengère ? Lointain, indifférent et sans-cœur... Ça, non, jamais ! Je prends aussitôt la résolution de me rapprocher de ma famille, de maman surtout, et de rebâtir les routes et les ponts entre nous pendant qu'il en est encore temps. Quant à madame Bérengère...

À la nouvelle de son transfert éventuel dans un centre pour cas moins lourds, ma patiente a semblé retrouver quelque peu son calme malgré la tristesse qui assombrit son visage, tristesse indéfinissable qui ne s'éteindra sans doute jamais avant la fin de ses jours. Tristesse générée par l'engagement impitoyable sur le chemin de non-retour vers l'incapacité et la décrépitude. Tristesse qui a pour nom la vieillesse, inscrite sur le carnet de route de ceux qui ont la chance de ne pas disparaître trop tôt sur le parcours. Pourtant, quand j'y songe, le départ trop hâtif d'un jeune garçon et celui d'un vieillard qui n'en finit plus de mourir ne mènent-ils pas dans le même précipice ? Dans le même trou noir de l'absence ?

Enfoncée dans son fauteuil, madame Bérengère, devenue silencieuse, jette un regard figé à la fenêtre et semble avoir oublié ma présence. Que cherche-t-elle donc dans ce ciel gris d'orage ? Une éclaircie ? La promesse d'un temps meilleur ?

À cœur de jour, dans ce lieu d'hébergement, je vois de nombreux vieux, sans voix et le regard vide, alignés côte à côte le long des murs ou au fond de grandes salles. Ils se taisent, tapis pendant des heures dans leur berceuse ou leur fauteuil roulant ou, pire, au fond de leur lit. Leur silence, terrible et injuste, remplace les cris joyeux d'une fierté qu'ils seraient en droit de lancer au monde entier. Pourquoi les personnes âgées ne crient-elles pas sur les toits toutes les douceurs et les réussites de leur vie passée ?

Et si c'était parce qu'on ne se donne pas la peine d'écouter ces aînés ? De leur tendre l'oreille et de leur manifester davantage notre considération ou notre reconnaissance n'allumeraient-ils pas enfin des éclats de soleil dans leurs yeux ?

Ma soudaine prise de conscience de la tragédie du vieillissement et de son échéance inévitable ébranle l'insouciance de mes dix-huit ans. Sous le choc, je cherche d'instinct quelques lueurs d'espoir. Des éléments positifs, joyeux même, il doit bien en exister quelque part dans cette ultime phase de l'existence. Je refuse d'en douter. Après tout, ma grand-mère Thérèse paraissait heureuse, elle…

Vite, madame Bérengère, rassurez-moi ! Dites-moi qu'il vous reste quelque espoir, quelque joie de vivre au fond du cœur. Dites-moi que vous n'allez pas bien seulement quand je suis là. Quelles fleurs poussent encore dans votre jardin secret ? Des fleurs de contentement du devoir accompli, peut-être ? Des fleurs de satisfaction de laisser des traces de votre passage sur cette planète ? Malheureusement, à cause de ce fils célibataire au cœur de pierre, vous ne connaissez pas le ravissement de voir des enfants et des petits-enfants cheminer derrière vous en perpétuant vos propres valeurs. Des fleurs pour le plaisir, alors ? Grand-maman Thérèse adorait la musique, les parties de cartes, les bonbons à la menthe et la bonne bouffe. Elle aimait la vie, et rien ne lui faisait plus plaisir que de me voir surgir à sa porte.

Et vous ? À défaut de continuité, appréciez-vous le temps présent, madame Bérengère ? Ce précieux temps présent… Existe-t-il quelqu'un d'autre que moi pour surgir à votre porte et accrocher un sourire sur votre visage ? Je comprends maintenant à quel point il importe de l'embellir, cette réalité en cours, et pour quelles raisons il faut la rendre douillette et joyeuse. Et si je devenais votre petit-fils adoptif, me le donneriez-vous, ce pouvoir de réanimer votre joie de vivre au-delà de cette semaine de stage ?

Je vous en prie, madame Bérengère, parlez-moi de vous. J'ai subitement envie de vous écouter, de vous connaître mieux et de vous comprendre, peut-être même de vous admirer. Dites-moi comment faire briller vos yeux, aidez-moi à croire que la vieillesse consiste en un repos bien mérité et ne représente pas uniquement une voie vers la dégénérescence. La fierté, le contentement de soi, ça doit bien exister à votre âge, surtout à votre âge, non ? Et aussi le bonheur de vivre toujours et encore, ne serait-ce que pour le plaisir de sucer des bonbons à la menthe…

Aidez-moi à vous aider, ma belle Bérengère. Par le fait même, vous m'aiderez à apprendre mon métier.

Désormais, vous pourrez compter sur moi. Je vous prêterai toute mon attention parce qu'il me revient, à moi, futur infirmier, de parsemer votre existence de parcelles de joie. Il incombe à tous, mais surtout à des gens comme moi qui vous côtoient quotidiennement, d'adoucir, d'ensoleiller un passé qui se prolonge encore. À nous de vous remercier de la place que vous avez préparée pour la génération suivante, avant de vous laisser partir en vous disant : « au revoir… »

Tant mieux si des personnes du troisième âge peuvent profiter des clubs de l'âge d'or. Ces associations permettent justement de manifester cette joie silencieuse et d'améliorer le plaisir des aînés encore en santé et sains d'esprit. Encore libres… Tous ne peuvent pas y trouver leur profit, hélas !

Dieu merci, derrière les nuages apparents, le soleil continue sa ronde, et la joie de vivre peut exister, même dans cet établissement de soins de longue durée, et de durée fatalement condamnée à une fin définitive. Heureusement, chaque jour, je vois certains patients en paix, affichant une sérénité exemplaire, en dépit de leur condition physique déficiente.

Ma chère madame Bérengère, ou plutôt ma chère grand-maman Bérengère, j'ai décidé que vous feriez partie de ceux-là parce que, vous ne le savez pas encore, mais j'ai bien envie de vous adopter.

Comme si elle avait deviné mes pensées, la vieille femme quitte sa fenêtre et porte sur moi un regard pénétrant. Je m'approche alors et pose doucement ma main sur son épaule. Je ne sais combien de temps dure ce geste de complicité silencieuse par lequel s'exprime, sans le besoin des mots, la naissance d'une tendresse qui, elle, promet de durer.

En ce premier stage riche en découvertes pour le moins difficiles, côté humain, je remercie mentalement mon professeur, Francis, d'avoir éveillé en moi une perception nouvelle de la vieillesse, de ses misères, mais aussi de ses grandeurs. Sans aucune hésitation, je veux et je décide, en cet instant précis, ma main chaude caressant l'épaule glacée de ma première patiente âgée, d'écouler ma carrière d'infirmier dans un centre pour personnes âgées. *Consoler sans cesse*, je saurai le faire, j'apprendrai à le faire. Francis restera mon maître et ma source d'inspiration, je n'en doute pas un instant. Et vous, madame Bérengère, vous serez la première à prouver mes capacités de consolateur, dès aujourd'hui.

Fort de ma décision engageant mon avenir, je me donne pour défi d'arracher dès maintenant un sourire, un vrai, à ma malheureuse patiente. Je choisis l'humour.

— Venez, ma petite dame, je vais faire votre toilette, ce matin. Ça va vous changer les idées.

Appeler madame Bérengère « ma petite dame » constitue assurément une gaucherie de ma part, ou plutôt une grave démesure quand on sait la corpulence magistrale de la femme. Je n'aurais pas dû l'apostropher en l'appelant « ma petite dame ». Mais ce matin, je veux la rendre joyeuse. Hélas, elle ne réagit guère à ce surnom. J'ai plus de succès en lui savonnant méticuleusement le derrière, de belles grosses fesses rondes, lisses et blanches. Soudain, une étincelle jaillit dans mes pensées, et je fais une nouvelle tentative pour détendre l'atmosphère.

— C'est à qui les belles tites foufounes ?

Bérengère se retourne d'un bloc.

— Quoi ? Ai-je bien entendu ? Tu as dit : « C'est à qui les belles tites foufounes ? »

— Oui, oui, j'ai bien dit ça !

L'espace d'une seconde, je regrette mon intrépidité. Je n'aurais jamais dû oser prononcer ces paroles vulgaires et infantilisantes. Elle va me prendre pour un méchant moqueur, un fou ou, pire, pour un obsédé. Et si elle allait porter plainte aux autorités de l'hôpital pour ça, hein ? Harcèlement sexuel, sait-on jamais ! J'aurais l'air intelligent. Quel con, je fais, moi qui voulais la faire rire…

Contre toute attente, la voilà qui éclate de rire, d'un rire fou et sonore. Un rire qui vient de loin, du fond de son être. Un rire communicatif et contagieux. Un rire chaud, à faire fondre un bloc de glace. Ouf ! je respire d'aise. Malgré ma maladresse, j'ai réussi à semer de la joie en elle et à la détendre. Momentanément, tout le reste de l'univers n'existe plus. Alors, je m'esclaffe à mon tour en la regardant dans les yeux.

— J'en reviens pas, Vincent. Ça fait au moins soixante-dix ans que je n'ai pas entendu ça ! « Mes belles tites foufounes… » Ha ! ha ! ha ! Jamais j'aurais crû que ça m'arriverait encore, un jour. Tu me fais rudement plaisir, t'as pas idée. Je te trouve unique, toi, mon p'tit gars. Le meilleur des infirmiers ! Comme ça, j'ai des belles tites foufounes, hein ? Oh là là ! Elle est bien bonne, celle-là ! Ha ! ha ! ha !

La voilà qui pouffe encore plus fort, et moi de même. Nous rions aux larmes, en nous tenant dans les bras l'un de l'autre, elle, les fesses nues, et moi, le tablier et les pantalons tout mouillés. Et dans ces larmes et ce rire retentissant jusque dans le corridor, je sens le cri triomphant de la victoire. Une vraie victoire, cette fois. L'instant présent rendu joyeux… Non seulement Bérengère sourit, mais elle rit à gorge déployée. J'ai bien envie de réclamer immédiatement ma médaille d'or à Francis, eh ! eh ! Il n'en croira pas ses oreilles.

Malgré toutes les intempéries, les tempêtes, les ouragans et les tsunamis de l'existence, malgré le vieillissement et la maladie, malgré tous les Simon Lagacé de la terre, il restera toujours une place pour la chaleur humaine, pour le rire et, pourquoi pas... pour la joie. La joie de vivre, toujours et encore. La joie du moment présent.

À dix-huit ans et demi, je viens d'en prendre une conscience aiguë.

CHAPITRE 15

Dès le premier pas franchi dans le hall de l'entrée principale du CHSLD, une odeur particulière s'empare du visiteur, toujours la même. Provient-elle de la cuisine et de la salle à manger situées au rez-de-chaussée ? À croire que tous les repas consistent invariablement en du jambon cuit accompagné d'une purée de patates ! Sur les étages, des émanations de désinfectant et de couches souillées s'y mêlent et imprègnent tout l'environnement, autant les humains que les meubles et les rideaux. Ma première idée, au terme d'une journée dans ces lieux, consiste à prendre systématiquement une douche parfumée pour chasser ces effluves désagréables et obsédants.

Mais aujourd'hui, je me fiche des odeurs. Je vais passer ma dernière journée auprès de madame Bérengère, mon stage se terminant en fin d'après-midi. Autant nous avons eu, elle et moi, de la difficulté à nous apprivoiser durant les premières heures de notre relation, autant nous sommes devenus maintenant d'excellents amis.

À la sortie de l'ascenseur, j'entends inopinément des cris de détresse et des lamentations se répercuter jusqu'à l'autre bout du corridor. Intrigué, je tente de localiser la chambre d'où ils proviennent et décide d'y pénétrer même si je ne connais pas du tout la patiente. Une vieille femme hurle à pleins poumons, mais je n'arrive pas à saisir la cause de sa panique.

L'infirmière en chef finit par accourir avec, à la main, une seringue contenant un médicament à administrer. Après m'avoir jeté un coup d'œil interrogateur à cause de ma présence inusitée, elle me prie de l'aider à immobiliser le bras de la femme fort agitée, tout en m'expliquant finalement que madame Ursule, âgée de quatre-vingt-sept ans, vit seule.

— La pauvre est mûre pour son antidouleur.

Faute de place en gériatrie dans les autres hôpitaux, elle est entrée ici par l'urgence, il y a quelques heures à peine. Elle souffre de nombreuses contusions à la suite d'une chute dans l'escalier extérieur de sa maison. Les ambulanciers ont, semble-t-il, oublié de prendre ses lunettes, ses prothèses dentaires et ses appareils auditifs avant de la transporter ici, au grand désarroi de la patiente.

Paniquée par la perte de ses repères habituels et incapable de communiquer, en plus d'avoir dû quitter abruptement son logis, elle hurle de terreur.

Cette vieille dame démunie me fait pitié et, pour donner suite à la demande de l'infirmière, j'approche d'elle à petits pas. Mais avant de lui saisir le bras, fort de mes expériences positives auprès de Bérengère, je me permets de poser, durant quelques secondes, une main douce sur son épaule en tentant de la rassurer d'une voix caressante.

— Allons, madame Ursule, il faut vous calmer. Nous sommes là, avec vous, et on ne vous abandonnera pas. Vos lunettes et votre dentier, on va finir par les récupérer, voyons ! Si ce n'est pas aujourd'hui, ce sera demain. Au pire, j'irai les chercher moi-même, je vous le promets.

Se demandant probablement de quoi je me mêle, l'infirmière me lance un regard étonné. Madame Ursule aussi me dévore de ses grands yeux bleus larmoyants, des yeux de bête traquée, et elle finit par se détendre. Je crains que, sans ses appareils auditifs, elle ait mal entendu mon discours. Malgré tout, je la sens s'apaiser peu à peu et, à peine une ou deux minutes plus tard, elle semble avoir retrouvé ses esprits. Est-ce déjà l'action du calmant? Je préfère y voir plutôt l'effet de mes paroles rassurantes et, surtout, du simple contact de ma main chaude sur son épiderme. Quelqu'un la comprend et s'occupe d'elle…

L'infirmière nous laisse aussitôt sans émettre de commentaire, mais moi, je reste sur place quelques instants, en continuant de tenir la main de la vieille femme jusqu'à ce qu'elle s'assoupisse. Je me mets alors à fouiller frénétiquement dans ses affaires. J'ai beau chercher partout, retourner par deux fois son sac d'effets personnels, tâter les couvertures et les oreillers, scruter les tiroirs, regarder sous le lit et derrière la commode, je ne trouve rien. Les ambulanciers, en la transportant ici, ont réellement négligé d'apporter ses précieux trésors.

Je quitte finalement madame Ursule en me promettant de venir vérifier, avant de partir en fin de journée, si on lui a enfin remis ses effets de première nécessité. Dans le corridor, je me bute à Francis, se rendant tranquillement à son bureau.

— Tout va bien, Vincent? A-t-on transféré ta patiente de chambre?

— Euh… non, non!

— Que faisais-tu là, alors?

— Bien… je… j'étais venu aider une infirmière à donner une injection. Ne vous inquiétez pas, ce n'est pas moi qui tenais la seringue.

— Tu n'es pas censé aller voir d'autres pensionnaires, tu sais ça, hein ? Et tu es tenu par le secret professionnel : défendu de parler de ta patiente avec les autres étudiants, n'oublie pas ça !

— Oui, oui !

Oups ! Le « meilleur étudiant » ne l'attendait pas celle-là ! Je m'empresse alors de tourner mes pensées vers Bérengère. Selon les probabilités, elle devra écouler le temps des Fêtes ici, avant de déménager dans une résidence pour personnes en perte d'autonomie. Je doute que son fils lui rende visite pendant cette période. Pas une seule fois le vilain ne s'est pointé au cours de cette semaine. Il a même osé venir signer les formulaires sans consulter sa mère.

— Bonjour, madame Bérengère. Avez-vous passé une bonne nuit ?

— Non, pas vraiment.

— Ah ? Que se passe-t-il ?

— Quelqu'un m'a dit, hier soir, que les étudiants finissaient leur stage aujourd'hui. Je ne pourrai donc plus te revoir, mon beau Vincent ?

Que répondre, à part la vérité ? Lui imposer une déchirure de plus me crève le cœur. Moi-même, je l'avoue, j'ai facilement oublié sa crise du début et je me suis attaché à elle, si raisonnable, résignée même, en dépit de sa rude épreuve. Et puis, mine de rien, elle s'est intéressée à moi, même si je ne lui ai rien divulgué de personnel. Une vraie mère adoptive, quoi ! Ou plutôt la grand-mère adoptive que je m'applique à percevoir en elle. Pas la même que Thérèse, bien sûr, mais elle représente tout de même une fibre de tendresse, un foyer de chaleur, une oasis pour le jeune adulte esseulé que je suis.

— Rien ne nous empêche de rester en contact, madame Bérengère. Je ne serai plus votre infirmier, mais votre ami. Votre petit-fils adoptif, tiens ! Ça, je le pourrais.

— Et tu vas revenir me voir ? Je ne veux pas passer Noël toute seule, moi !

— Hum… Je suppose qu'on doit organiser une messe de Noël, ici, au centre. Laissez-moi m'informer. Peut-être pourrais-je y assister avec vous ? Je ne sais pas si les gens de l'extérieur, principalement les étudiants, ont la permission d'y venir, mais je pourrais sans doute m'arranger pour qu'on m'ouvre la porte. Je vous promets d'essayer.

— Tu ferais ça pour moi ? Tu deviendrais mon petit-fils adoptif pour de vrai ?

À ma grande surprise, Bérengère se met à pleurer, comme si elle venait de recevoir le cadeau du siècle.

— Tu sais, il y a si longtemps que quelqu'un s'est montré gentil envers moi et a cherché à me faire plaisir. Mon fils… mon fils… Je n'ai plus de fils, je pense.

— Eh bien, moi, je suis là ! Et cet après-midi, je vous emmène à une grande fête organisée dans la salle commune. Vous êtes bien née un 2 décembre, n'est-ce pas ? Je l'ai vu dans votre dossier. Saviez-vous que chaque deuxième vendredi du mois, un énorme gâteau est servi pour les résidents dont c'est l'anniversaire au cours du mois, et pour leurs amis. Comme vous venez tout juste d'arriver ici, j'ai pris l'initiative d'ajouter votre nom sur la liste. Êtes-vous contente ? Vite, il faut vous faire belle, ma chère grand-maman.

— Mais… je n'ai rien à me mettre.

— Eh bien, vous porterez la robe que vous aviez en arrivant ici. La verte. Elle vous va tellement bien !

Que Dieu me pardonne ce pieux mensonge. En pénétrant, derrière le fauteuil roulant de Bérengère, dans la grande salle décorée de guirlandes et de fleurs de papier crêpé, je me félicite de mon initiative. L'espace de quelques heures, ma grand-mère adoptive va oublier tous ses chagrins. Sur l'estrade, un accordéoniste, un guitariste et un chanteur ajoutent à l'ambiance avec des airs d'autrefois. Les accords du piano, par contre, ne semblent pas au programme du jour. L'instrument, resté fermé, est à n'en pas douter encore plus vieux que le plus âgé des patients de l'établissement, et il semble condamné à rester muet. Une véritable relique silencieuse, comme de nombreux résidents de cette demeure.

À mon grand plaisir, je découvre, au fond de la salle, ma copine Florence, étudiante infirmière, elle aussi. Elle s'est installée aux côtés de sa patiente, madame Ladouceur. Son air rayonnant ne m'échappe pas quand la vieille dame, au lieu de se frotter la main sur sa tablette comme à l'accoutumée, agite les deux maracas que l'un des musiciens vient de lui prêter. Incapable d'articuler des mots, elle commence à turluter l'air de *Frou-Frou*, suivie par tous les assistants qui chantent eux aussi en se balançant la tête selon la cadence. D'autres chansons vieillottes et connues d'eux seuls ne mettent pas de temps à jaillir.

D'un autre côté, si certains patients, hébétés, ne semblent pas avoir conscience de la raison pour laquelle ils se trouvent là, d'autres illuminent leur visage fané avec des sourires édentés et entonnent à tue-tête *Tico-Tico* et *La vie en rose* en se regardant mutuellement avec des airs complices. Quant à madame Bérengère, elle m'impressionne en se rappelant étonnamment toutes les paroles des chansons de son époque.

Tout à coup, nous nous trouvons ailleurs, dans un autre univers, celui de la joie et du plaisir. Plus rien d'autre au monde n'existe que le moment présent, unique. Je me sens aussi ému que si je fêtais moi-même mon anniversaire en compagnie de mes amis.

Quand vient l'heure de servir le dessert, une préposée à la cuisine apporte un énorme gâteau au chocolat recouvert de multiples chandelles, sous les applaudissements de l'assistance. Mon plus grand plaisir sera de voir Bérengère et madame Ladouceur dévorer leur portion en se mettant du glaçage plein la figure et jusque derrière les oreilles. Et puis, tant pis pour les robes, hein ?

Florence plonge ses yeux ardents dans les miens.

— As-tu su pour Camille ?

— Pour Camille ? Non ! Que s'est-il passé ?

— Elle a abandonné le stage, hier. Elle ne se sentait pas à sa place ici. Que veux-tu… elle n'en pouvait plus de côtoyer des personnes incontinentes et incapables de se déplacer et même de s'alimenter, et dont plusieurs ont complètement perdu la boule. Elle renonce à l'idée de devenir infirmière.

— Dommage… mais elle a bien fait de changer d'option dès maintenant, avant de rencontrer un mur et de se sentir malheureuse pour le reste de sa vie professionnelle. De toute façon, ce qu'elle a appris pourra certainement lui servir un jour ou l'autre.

Je n'ose confier à ma compagne, qui me semble passablement perturbée elle-même, que pour moi, au contraire, le stage de cette semaine m'a conforté sans équivoque dans mon choix de carrière.

— Et les autres ? À cause des horaires, je n'ai à peu près pas rencontré les autres étudiants, cette semaine.

— Moi non plus ! Mais ça semble bien aller pour tout le monde, sauf pour Marc-Olivier. Son patient est décédé, mercredi, et cela l'a pas mal impressionné, paraît-il. Je lui en ai parlé hier, et il m'a paru ébranlé.

— Ah oui ? Il faut s'y faire, dans ce métier-là. Durant la fin de semaine, je travaille comme préposé aux bénéficiaires dans un hôpital offrant des soins généraux à des patients de tous âges. Là aussi, ça tombe comme des mouches, même chez les jeunes. Pas vraiment jojo, je te dis !

— En tout cas, si tu as une chance de lui parler… Il faut s'entraider, n'est-ce pas ? Tu me sembles plus solide, toi.

— OK. Je vais essayer de le rencontrer.

Plus solide, moi ? Le suis-je vraiment ? Avec ma peine d'amour, ma solitude actuelle, mes effroyables craintes pour ma santé, ces tests que je dois repasser sur une longue période de temps au cas où Simon m'aurait menti au sujet du sida… Sans le savoir, ma chère Bérengère m'a tellement captivé cette semaine que j'en ai oublié momentanément tous mes problèmes. Solide, moi ?

De retour à sa chambre, Bérengère m'apparaît rayonnante, la figure rougie de bonheur. Hélas, ce bonheur ne durera guère, puisque le temps vient pour moi de lui faire mes adieux, ou plutôt de lui dire au revoir. J'appréhendais cet instant crucial, mais il s'écoule facilement, adouci par la promesse d'un rendez-vous fort consolateur. La messe de Noël au CHSLD, que les patients appellent encore la « messe de minuit », aura lieu à six heures trente du soir, le 24 décembre, dans à peine quelques jours. Je me rendrai donc auprès de ma famille en fin de soirée seulement, quitte à entendre deux messes, la première, ici, au centre où réside temporairement ma grand-mère adoptive et celle, plus tardive, dans la paroisse de ma mère.

— Je viendrai la veille de Noël, grand-maman Bérengère, c'est promis.

— N'as-tu pas une famille à visiter ?

— Ne vous inquiétez pas, je vais m'arranger.

— Je t'attendrai donc, mon beau Vincent d'amour.

Je l'embrasse et la laisse rapidement afin d'éviter toute effusion larmoyante de part et d'autre. Cependant, avant de quitter l'établissement et après m'être assuré que les yeux du cher professeur ne sont pas braqués sur moi, je prends la liberté d'entrouvrir la porte de chambre de madame Ursule. Je jette furtivement un œil sur la table de chevet de la dame endormie, à la recherche de ses précieux objets si fortement réclamés. Avec satisfaction, je remarque, parmi une multitude d'autres cossins, une paire de lunettes et des boîtiers à prothèses dentaires et auditives. Parfait ! Elle va pouvoir se remettre tranquillement sur pied.

Ses ronflements bourdonnent encore dans ma tête comme une douce mélodie quand je m'achemine quelques minutes plus tard vers le stationnement. Le stage maintenant complété, je me jure alors de ne pas oublier de faire part à mon professeur de mon engagement absolument, totalement et entièrement personnel envers une certaine patiente du centre pour assister avec elle à la messe de Noël, à titre d'ami. Relation exclusive et amicale… Tant pis pour l'éthique ! Il ne sera pas dit que le brillant étudiant Vincent de Bellefleur ne fait pas bien les choses. Cette médaille d'or, je la mérite !

Le hasard joue en ma faveur. Avant de pénétrer dans ma voiture, je me bute à Marc-Olivier, enjambant un banc de neige, la tête basse.

— Salut, Marco ! Enfin, le premier stage est terminé ! Ta semaine s'est-elle bien déroulée ?

— Pas pire… J'ai dû changer de patient, le mien est passé pardessus bord après trois jours.

— C'était l'amateur de hockey, si je ne me trompe pas ?

— Ouais… Tout allait super bien quand, soudain, il a levé les pattes sans crier gare. Il hurlait, étouffait, se prenait la poitrine, puis il s'est effondré à mes pieds, raide mort. En tout cas, je n'avais jamais vu mourir quelqu'un avant lui, ça m'a plutôt causé une vive impression, crois-moi !

— La mort fait partie de la vie, hein ? Son heure était venue, personne ne peut échapper à ça. Dans notre métier, il faut s'y habituer et se faire une carapace, on n'a pas le choix. Mais je te comprends, ça ne laisse pas indifférent, surtout pas des jeunes comme nous autres. On imagine ça tellement loin pour nous. Presque dans un autre siècle ! Dis donc, as-tu le temps d'aller prendre une bière ?

— J'ai rendez-vous avec Marc-André dans un bar du village[12]. Il en a long à raconter sur son stage, lui aussi, à l'autre CHSLD où on l'a affecté. Viens donc avec nous autres !

— OK ! Ça va me changer les idées de voir du monde en santé et bien vivant. Avais-tu l'intention de marcher jusque-là ? Monte dans ma voiture, on va y aller ensemble.

Je n'aurais jamais cru que ma première semaine de stage dans un centre d'hébergement et de soins de longue durée apporterait dans ma vie non seulement une adorable grand-mère adoptive, mais également deux nouveaux amis avec qui j'ai tant et tant de choses en commun.

---

12. Village gai.

CHAPITRE 16

« *Sain-ain-te nuit…* »

À la vérité, le *Sainte nuit* interprété au CHSLD Sainte-Marie-Ange ne ressemble en rien à celui habituellement chanté dans l'imposante église paroissiale de ma ville de banlieue, avec chœur mixte et grandes orgues. Ici, la chorale se réduit à trois ou quatre personnes de l'assistance qui, de toute évidence, ne se sont jamais exercées ensemble. Ouille ! Voix claironnantes et rocailleuses qu'une vieille pianiste, tout à fait hors du tempo, n'arrive pas à suivre, ni dans le ton ni dans le rythme. Dans ce lieu de soins de longue durée, la courte messe de Noël se célèbre dans la salle communautaire convertie en chapelle, avec un célébrant aussi âgé que ses fidèles, une dame, chapeau fleuri sur la tête, pour distribuer la communion, et quelques autres bénévoles et membres du personnel auxiliaire.

Un réveillon rudimentaire est prévu par la suite et, peu de temps après, tout le monde sera retourné à sa chambre. Réveillon me semble un bien grand mot pour la circonstance. Impossible d'offrir un véritable buffet, la plupart des assistants n'arriveraient pas à se servir eux-mêmes, et tous ont pris leur souper aux alentours de cinq heures.

Sous un petit arbre de Noël artificiel dressé à côté de la table servant au culte, se trouvent de minuscules boîtes de chocolats, des châles tricotés par des bénévoles, des sacs de bonbons, de la lotion, quelques savons parfumés et autres bricoles qui feront oublier à plusieurs, l'espace de quelques heures, leur immense solitude.

Dès la fin de l'après-midi, madame Bérengère, une fois de plus vêtue de son éternelle robe verte, m'a accueilli avec un visage radieux. De toute évidence, elle m'attendait, mains ancrées sur les appuis-bras de son fauteuil et yeux rivés sur la porte d'entrée. Même si je l'avais avertie à l'avance de l'heure de mon arrivée, la préposée m'a informé avec un sourire en coin que déjà, très tôt ce matin, elle voulait se coiffer, se pomponner et revêtir sa robe qu'on avait dû, récemment, envoyer au nettoyage.

— Ah ! te voilà, mon beau Vincent ! Quel bonheur ! Joyeux Noël, mon grand !

— Joyeux Noël, grand-maman Bérengère ! Comment allez-vous ?

— Je vais bien, puisque tu es là...

— Je vous ai apporté un petit cadeau de Noël. Pourquoi ne pas l'ouvrir dès maintenant, avant de descendre pour la messe de minuit ? Nous avons tout le temps, je pense.

— Ah oui ?

Avec une excitation jamais encore égalée, Bérengère a tenté de défaire l'emballage dûment enrubanné. J'ai regretté de ne pas avoir songé à la maladresse de ses mains déformées par l'arthrite et usées par presque un siècle de travail. J'aurais dû insérer ma surprise dans un simple sac-cadeau plus facile à ouvrir.

Le souvenir de l'achat de ce présent, dans un magasin de vêtements pour dames, m'a arraché un sourire. Le regard incrédule lancé par la vendeuse quand je lui ai demandé une robe « jolie, pratique, lavable », je ne suis pas près de l'oublier ! Me considérant à n'en pas douter comme un travesti désirant s'acheter une robe, elle s'attendait à ce que je réclame une cabine pour l'essayer, jusqu'à ce que je lui précise la dimension du vêtement. « Pour une personne d'à peu près cent quinze kilos, s'il vous plaît. » Réprimant un fou rire, j'ai opté pour une robe rose cendré, de coupe ample et ornée de dentelle.

Bérengère, évidemment, a lancé un cri d'admiration en la découvrant. Cette fois, n'étant plus de service, je n'ai pas joué mon rôle d'infirmier pour l'aider à l'enfiler, et j'ai fait appel à la préposée de garde qui n'a pas manqué de se pâmer, elle aussi. Pas question de me mettre Francis à dos si jamais on lui rapportait un tel fait. J'ai fait le bon choix, à voir Bérengère, toute pimpante, faire son entrée de façon altière dans la salle communautaire.

« Sain-ain-te nuit… »

Sur les soixante patients du CHSLD, moins de vingt ont été en état de descendre pour la fête de Noël. Le faible nombre de visiteurs venant de l'extérieur me déçoit : à peine une dizaine de personnes se sont présentées pour accompagner l'un des leurs. Bien sûr, demain, on ouvrira les portes du centre aux familles durant toute la journée, mais ce soir, la messe restera intime, pour ne pas dire désertée.

Cet événement revêt pourtant une grande importance pour la plupart des aînés dont plusieurs se sont probablement rendus à la messe de minuit naguère, au cours de leur enfance, en carrioles tirées par des chevaux. Ils y viennent dans des fauteuils roulants poussés par le personnel ou à petits pas, appuyés sur leur déambulateur. Certains, parmi eux, ne semblent pas se rendre compte qu'ils assistent à la messe de Noël. D'autres, par contre, essuient furtivement une larme au coin de l'œil, bouleversés par la montée de souvenirs issus d'un temps révolu.

Si madame Ladouceur s'acharne à frotter rageusement la tablette devant sa chaise, Bérengère, elle, chante *Sainte nuit* de tout cœur avec une voix tonitruante inscrite dans le registre le plus faux jamais entendu. La pianiste, de son côté, me donne des grincements de dents. Un peu plus et je lui offrirais de la remplacer !

Heureusement, le prêtre nous fait grâce du sermon et se contente de souhaiter un joyeux Noël à chacun. Lorsque vient le temps de la communion, j'accepte davantage l'hostie pour faire plaisir à Bérengère que par conviction. Pour un moment, l'image de Simon remonte à la surface de mes pensées. Où se trouve-t-il, celui-là, en cette veille de Noël ? Que fait-il ? Lui arrive-t-il parfois de penser encore à moi ? S'il me voyait, en ce moment, dans le sous-sol d'un CHSLD, en train de communier aux côtés d'une vieille femme connue depuis seulement quelques jours, comment réagirait-il ?

Une fois la messe terminée, des employés poussent deux chariots recouverts de nappes blanches sur lesquelles quelques denrées font office de réveillon : croustilles, bouchées au fromage, cornichons, petits fours, profiteroles et boissons gazeuses. Le caviar et le champagne ne feront pas partie du menu cette année, on dirait !

De toute manière, peu de personnes s'y intéressent, pas plus qu'aux tentatives d'animation de la directrice, qui aimerait bien brancher l'auditoire sur sa lecture d'un ennuyeux conte de Noël. Quelle célébration déprimante, à bien y songer ! Soudain, une idée me vient à l'esprit. Et si j'essayais de leur faire chanter des vraies chansons de leur temps, comme à la fête des anniversaires ? Je me rappelle vaguement de *Frou-Frou*, mais ensuite ? Je me penche vers Bérengère.

— Que diriez-vous de nous chanter *Frou-Frou*, comme l'autre jour ?

— *Frou-Frou* ? Pourquoi *Frou-Frou*, ce soir ? Je préférerais *Il est né, le divin Enfant*, moi, ou *Dans cette étable.* Et pourquoi pas le *Minuit, chrétiens* ? Ce serait certainement plus de circonstance. Tu chantes avec moi, Vincent ?

— Je vais faire mieux, je vais vous accompagner au piano.

— Quoi ? Tu sais jouer du piano ?

— Mais oui, j'adore ça ! J'ai joué toute ma vie, depuis l'âge de cinq ans.

Après m'être assuré du départ de la pianiste, je fais signe à la directrice que madame Bérengère et tous les autres aimeraient peut-être entonner des cantiques de Noël. Elle accueille mon idée avec enthousiasme. Je m'installe alors sur le banc du piano et fais quelques arpèges pour me familiariser avec le toucher. Il y a si longtemps que j'ai joué… Des mois ! Soudain, je réalise à quel point cela m'a manqué depuis le studio du collège Saint-Anselme et le piano à queue du salon de mes parents. Le vieil instrument du CHSLD, même mal accordé, émet des sons très riches et d'une profondeur qui m'inspire. Je laisse alors Bérengère commencer son *Minuit, chrétiens*, puis, après avoir tâtonné quelque peu pour ajuster ma tonalité, je me lance. Les applaudissements, mais surtout les voix, ne manquent pas de fuser de toutes parts. On en redemande d'autres, et d'autres encore. De quoi épuiser tout le répertoire de Noël !

Quand la directrice vient me glisser à l'oreille que, dans dix minutes, il est prévu de remonter les patients à leur chambre, je ne résiste pas à l'envie de jouer pour l'auditoire, avant de partir, une composition de Beethoven. Vivement, mes doigts se mettent à danser sur le clavier. Les notes s'égrènent, rondes, perlées et mélodieuses, et leurs harmonies s'enrobent de toutes les émotions humaines. Joie, désolation, exaltation, colère, allégresse, chagrin, passion, espoir… Avec délices, j'y laisse s'épancher mon âme.

Soudain, je prends conscience du silence subitement installé autour de moi. On m'écoute religieusement et sans broncher, je le sens. Vas-y, Beethoven, toi, le solitaire, toi, le mal-aimé, toi, l'incompris et le durement éprouvé, enchante-les, ces laissés-pour-compte qui verront Dieu avant moi, remplis-les de lumière, de ta lumière, et emporte-les sur les sentiers du cœur humain où les sentiments n'ont pas d'âge. Ce soir, redonne-leur un cœur vivant, et vigoureux, et jeune, à ces gens-là. Ce sera ton cadeau de Noël, notre cadeau de Noël à tous. Et mon cadeau de Noël à moi…

De retour dans sa chambre, Bérengère ne porte pas à terre, les joues aussi colorées que sa robe rose.

— Je te trouve épatant, Vincent. Je n'avais pas passé une aussi belle nuit de Noël depuis des années, même auprès des miens. Merci infiniment ! Dis donc, moi aussi, j'ai un petit cadeau de Noël pour toi. Oh ! pas grand-chose, évidemment. Je l'ai fabriqué avec les moyens du bord, tu comprends.

— Un cadeau pour moi ? Voyons donc, ce n'était pas nécessaire !

— Les cadeaux ne sont jamais nécessaires, retiens bien ça, mon garçon. Mais les petits-fils, il faut bien s'en occuper, hein ?

Je n'oublierai jamais son regard à la fois mystérieux et heureux, pendant qu'elle se penche pour ouvrir le tiroir du minuscule bureau de sa chambre. D'une main tremblante, elle me tend un petit paquet enveloppé du papier dont on se sert dans les toilettes pour s'essuyer les mains et attaché maladroitement avec un bout de laine rouge. Avec un grand bonheur, en le déballant avec précaution, je découvre une rose fabriquée par elle-même avec une serviette de table rouge savamment pliée et enroulée en forme de fleur. Magnifique !

— Avec toute ma tendresse, mon beau Vincent.

Bérengère m'aurait offert une rose plaquée en or de dix-huit carats que je ne me serais pas senti plus content. Quelle délicate pensée de sa part ! Je m'empresse de l'embrasser avec enthousiasme et franchis la porte de la chambre en tenant la fleur à bout de bras, comme s'il s'agissait d'une bougie capable d'éclairer mon chemin.

— Tu vas revenir me voir de temps à autre, hein ?

— Je vous le promets, grand-maman Bérengère.

— Je n'y crois pas encore. Voilà que j'ai un petit-fils adoptif, maintenant, moi qui n'ai jamais connu ce bonheur de devenir grand-mère. Le Jésus de la crèche a fait un miracle, je pense. Je t'adore, mon petit-fils chéri !

Au même instant, son téléphone se manifeste avec une sonnerie stridente à faire sursauter un sourd.

— Allo ? Quoi ? C'est toi, mon garçon ? Ah, comme je suis heureuse ! Comment vas-tu ? Tu as l'intention de venir me voir demain ? Pour de vrai, cette fois ?

Ému, je m'empresse de sortir de la chambre en lui envoyant un baiser du bout des doigts. Bérengère vit un Noël joyeux, et je m'en réjouis. Qui sait s'il ne s'agit pas de son dernier Noël, après tout ?

Gaiement, je prends le chemin de mon patelin, en route vers la famille de Bellefleur. À cette heure tardive, mieux vaut me rendre directement à la maison de mes parents plutôt qu'à l'église. En dépit de l'abandon de plus en plus fréquent des pratiques religieuses au Québec, ces dernières années, maman tient à conserver les traditions d'autrefois et insiste pour que tout son monde assiste à la messe de minuit avant le réveillon.

En effet, ils sont tous déjà revenus à la maison, père, mère, frères et belles-sœurs, oncles, tantes, cousins et cousines, et on m'accueille à bras ouverts. L'odeur de la dinde, les décorations, les surprises au pied de l'arbre et surtout les sourires, tout me touche. Un peu plus et j'éclaterais en sanglots. Des sanglots joyeux, je me demande si cela existe. Des sanglots pour dire au monde entier que je crois encore au bonheur, que je suis là, que j'ai réussi ma première session en soins infirmiers avec une évaluation hors pair, accompagnée d'une médaille d'or offerte par Francis. Des sanglots pour annoncer à l'univers que je me console petit à petit de mon chagrin d'amour, que je respire la santé, que je suis tellement content de retrouver tous les miens. Que j'ai, ce soir, le cœur à fleur de peau.

Je l'ai encore davantage quand vient mon tour de recevoir le cadeau de Noël de la part de mes parents. Maman me prend alors par la main et me prie de descendre avec elle au sous-sol. Quoi ? Mon cadeau se trouve au sous-sol ? Comment cela ? Cette fois, je lance un cri et ne retiens pas mes larmes en découvrant le ravissant piano droit tout neuf qu'ils ont choisi pour moi. Mon père et ma mère savent-ils à quel point ils me font plaisir ? Comment ont-ils deviné que la musique me manque énormément ?

— Il sera livré à ton logement le jour où ça te conviendra, mon Vincent.

Je pleure tellement que je n'arrive pas à prononcer une parole. Un piano… Je ne serai plus jamais seul. Pour la deuxième fois ce soir, j'ai rendez-vous avec la musique, avec mes chers Beethoven, Mozart, Schubert, Chopin, Satie et tous les autres. Je voudrais pouvoir les jouer tous par cœur. Le bonheur…

Il atteint son paroxysme, ce bonheur, quand mon frère Alexandre et sa conjointe Ha Bin annoncent, d'une voix émue, qu'un bébé naîtra dans sept mois, l'été prochain. Incroyable, on me désigne comme parrain ! Et c'est sous l'insistance de Guillaume, paraît-il. Guillaume, accompagné ce soir d'une nouvelle dulcinée…

— Vous ne le regrettez pas, je vais me montrer le meilleur parrain du monde !

Pourquoi est-ce que je pleure autant ? Avant de monter à ma chambre, aux petites heures du matin, maman me tend une enveloppe timbrée adressée à mon nom. Ah ?

— Tiens, Vincent, j'allais oublier de te la remettre. C'est arrivé par la poste, cette semaine.

L'écriture me laisse perplexe, mais j'attends d'être rendu dans ma chambre avant d'ouvrir ce qui m'apparaît comme une simple carte de Noël. Sur l'image, un ange majestueux pose une main protectrice sur la tête d'un enfant. À l'intérieur, le texte écrit à l'encre bleue achève de me chavirer l'âme.

Bonjour, mon ange,

Je voulais te glisser un mot en surprise et j'ai pensé envoyer cette carte chez tes parents afin que tu la lises durant la nuit de Noël. Sache que je ne ressens toujours pas de symptômes de la... fameuse maladie. Je pète de santé et d'énergie. Tel que je te connais, de l'apprendre te rassurera sans aucun doute. Voilà donc, mon cher Vincent, mon cadeau de Noël. Je pense souvent à toi et te souhaite d'être heureux, comme tu le mérites. J'espère que tes études vont bien, tes amours aussi. Tu demeureras toujours dans mon cœur l'un de mes plus beaux souvenirs.

Joyeux Noël!

Simon

Je serre la carte sur mon cœur pendant je ne sais combien de temps. Merci, Simon, tu sais bien te racheter pour tes conneries et toutes ces heures de torture que tu m'as fait vivre. Allez, je te pardonne! Mais plus les jours passent, moins j'ai envie de te revoir. Serait-ce à cause de ma perte de confiance en toi? Ou encore du besoin de renouveau, celui de me rebâtir un bonheur sur une terre vierge ? Je ne saurais l'expliquer, mais je ne répondrai pas à ton mot, m'eût-il apporté l'unique élément qui manquait à mon exaltation, en cette nuit enchantée.

Tout bien considéré, après m'être finalement assuré du sommeil profond de tous les habitants de la maison, je descends en catimini dans la noirceur du salon, avec l'espoir de trouver encore quelques braises dans la cheminée. Brusquement, sans me permettre d'y songer plus longuement, je lance la carte dans l'âtre. Les flammes mettent un certain temps avant de s'en emparer, puis elles la lèchent avidement en se teintant des couleurs de l'arc-en-ciel. Impassible, je regarde brûler les dernières traces d'une histoire qui aurait pu devenir la plus belle des histoires d'amour, mais qui a viré au fiasco. En cette merveilleuse nuit de Noël, je me sens, pour la première fois, en mesure de l'admettre et de le supporter sans amertume. La page se tourne enfin et définitivement. Je ne penserai plus à toi, Simon Lagacé. Plus jamais.

Voilà le cadeau de Noël que je m'offre : je me sens moi-même et je me sens libre. Libre et tourné vers l'avenir.

Libéré.

CHAPITRE 17

La deuxième session va bon train, et je ne vois pas le temps passer en dépit du calme plat concernant mes activités sentimentales. Dans les salles d'entraînement pratique du cégep, en préparation de notre stage du printemps en médecine et chirurgie, nous devons intégrer de nouvelles techniques comme l'usage des seringues, les soins en inhalothérapie, l'administration de solutés et bien d'autres manipulations d'appareils archi-compliqués. Nous nous préparons, cette fois, à soigner une clientèle de tous âges.

La pratique des injections et des prélèvements sanguins suscite des frissons secrets chez les étudiants, quand ce ne sont pas carrément des grimaces de terreur ou des fous rires nerveux. Pendant un certain temps, les piqûres sur les fesses font l'objet de conversations et de badineries sans fin.

Mes nouveaux liens d'amitié avec les deux Marc, Marc-Olivier et Marc-André, devenus très amoureux l'un de l'autre, ont fait d'eux mes complices et mes compagnons de « supplice ». Après de multiples essais sur la couenne des bras et des fesses postiches du laboratoire, nous nous exerçons l'un sur l'autre avec les seringues. Si j'ai merveilleusement réussi à piquer la fesse de Marc-André, je n'oublierai jamais l'ecchymose géante provoquée dans le pli du coude de Marc-Olivier, lors d'une de mes tentatives de prise de sang. Oh là là ! Quelle maladresse ! Comme je me sens loin de la seringue de plastique de ma trousse-jouet appliquée joyeusement sur les bras de mes frères !

Bon prince, mon ami prétend à la ronde, en blaguant, que cette tache bleue, qui prendra probablement toutes les couleurs de l'arc-en-ciel, lui confère le statut d'être souffrant et fait de lui l'objet de toutes les sympathies.

— Au moins, je souffre pour la science, moi ! avance-t-il, avec un air fanfaron, voilà pourquoi mon chum doit me manifester davantage de délicatesse et de douceur lors de nos ébats amoureux !

Bien sûr, cela déclenche automatiquement les rires de toute la galerie. Secrètement, je l'admire de pouvoir afficher avec autant d'aisance son homosexualité. Sans doute plus pudique et réservé, je suis loin de là, même si j'ai eu le courage de révéler ma nature au début de la première session. Mais monsieur Legrand, du collège Saint-Anselme, se montrerait sans contredit fort content de mon bilan des seize derniers mois : une véritable autonomie acquise, des études en soins infirmiers comme je le souhaitais, une nouvelle peine d'amour mieux assumée que la première, une relation d'amitié avec des gais, de meilleurs rapports avec ma famille, en plus de la découverte d'une grand-mère adoptive. Il ne faut pas oublier une vision de plus en plus précise et réaliste pour mon avenir. Un de ces jours, j'irai rencontrer le directeur pour lui raconter tout ça et lui montrer à quel point j'ai magnifiquement adhéré à ses préceptes inculqués un sombre matin de décembre. Il me reste à mieux apprivoiser la solitude. Cette maudite solitude…

En ce début d'avril, quand le soleil gonfle les ruisseaux et allume des étincelles le long des gouttières, une certaine mélancolie m'envahit malgré moi en regardant les amoureux flâner main dans la main et, en même temps, lever le nez en l'air pour goûter à la tiédeur de l'atmosphère. J'essaie de les imiter afin de me délecter de la caresse du vent – au moins celle-là ! –, rien n'y fait. Si les glaces descendent enfin les rivières, celles qui ont figé mon cœur durant ces longs mois mettent du temps à se liquéfier. Trop de temps.

Certains jours, cette satanée solitude m'étouffe encore. J'ai beau prendre mes études au sérieux et leur consacrer la majeure partie de mon temps, j'ai beau poursuivre ma tâche de préposé aux bénéficiaires durant les fins de semaine, visiter les miens de temps à autre, j'ai beau confier presque chaque soir mes émotions à mon piano, je reste toujours habité par un vide effroyablement glacial et angoissant. Que sont devenues mes premières amours ? Samuel, disparu dans le silence du passé, et Simon Lagacé, à jamais dissous dans l'absence… Au fond, je me fiche bien d'eux, maintenant, puisqu'ils se fichent bien de moi !

En ce samedi après-midi à l'Hôpital général, Maxime, ce patient en urologie qui m'avait fait des promesses de romance, a rendu l'âme. En simple assistant, appuyé sur le cadre de la porte, je l'ai regardé s'éteindre doucement, entouré de sa famille. Puisque j'étais identifié comme un membre du personnel à cause de mon uniforme, personne n'a remarqué mes discrets reniflements. Maxime ne fera jamais la cour à son « beau petit Bellefleur », comme il s'amusait à me le promettre affectueusement, sans trop y croire. Moi non plus, je n'y ai jamais cru, il va sans dire ! Contrairement aux prévisions médicales, Maxime aura tout de même vécu quelques mois de plus, cloué sur son lit de souffrance. Sursis cruel et inutile, à bien y penser.

Adieu, mon cher Maxime. Il n'existe pas de consolation pour celui qui part si jeune, sinon l'assurance de ne jamais connaître les affres du vieillissement. Puisses-tu trouver, « de l'autre bord », le bonheur auquel tu avais pourtant droit ici-bas, en toute justice. En espérant que la Justice absolue, avec un J majuscule, existe bien quelque part…

Un peu déprimé à ma sortie de l'hôpital, en cette fin d'après-midi, je me risque à aller prendre un verre dans le village gai. Non, non, je ne m'en vais pas à la pêche à l'âme sœur, pas du tout !

Surtout pas dans ce quartier, je n'y crois plus ! Je veux seulement sortir du carcan de l'hôpital, du cégep et de mon petit logement pour aller voir du monde. Voir du vrai monde, du monde comme moi, jeune et en santé. Du monde joyeux. Voir du monde heureux et vivant. Bien vivant. Et libre…

En passant devant la clinique de dépistage des MTS, je soupire d'aise et ne peux m'empêcher de remercier le ciel pour les excellents résultats de mes analyses, d'abord en décembre et maintenant, trois mois plus tard. Restera un autre test. « Tout est beau », m'a dit l'infirmière au téléphone, la semaine dernière. Trois mots magiques qui ont signé la fin définitive d'un cauchemar et, pourquoi pas, le commencement d'une nouvelle philosophie de la vie. Je suis jeune, je suis beau, et l'avenir m'appartient comme la plus grande des richesses. À moi de le bâtir au jour le jour, ce fameux avenir. Et tant pis pour l'amour, il viendra en son temps !

Chose certaine, il semble bien que le coup de foudre ne se produira pas ce soir. Au fond d'un petit bar, je déguste ma bière seul, en feuilletant le journal du jour. Personne ne me porte attention. À croire que ma mère m'a créé transparent ! Tant pis, qu'ils aillent tous au diable ! Ces gens me paraissent sans intérêt, je ne vais pas me morfondre à attendre leur sollicitude trop souvent calculée et calculatrice. Les spas, les saunas, les clubs de danseurs, les boîtes de nuit et les chambres à l'étage ne m'intéressent plus, absolument plus. Fini pour moi ce genre d'aventures ! Fini pour moi le village !

Je ne viendrai plus dans ce soi-disant havre de paix que représente le quartier gai. Je veux vivre ma vie parmi la foule anonyme. Dans le monde ordinaire, quoi ! Dans un monde où les homosexuels et les hétérosexuels connaissent l'harmonie et se côtoient sans discrimination. Pas dans un ghetto. Je suis gai et j'aspire à la compagnie d'un gai, certes, mais je refuse d'être catégorisé, catalogué. Je suis un être humain normal et à part entière, et le sexe comme marchandise ne m'intéresse pas. J'ai eu ma leçon. Tout cela ne m'a jamais vraiment attiré, d'ailleurs.

Dans le contexte pourtant agréable des plaisirs sexuels immodérés, l'été dernier, je recherchais surtout Simon pour lui-même bien plus que pour le sexe. Contrairement à lui, je désirais toute sa personne, à bien y songer, avec son cœur, son âme, sa personnalité, ses qualités et ses défauts, ses aspirations, sa façon de voir les choses, sa poésie. Les jouissances de la couchette m'importaient moins que le profond contact humain. Sans trop en avoir conscience, je rêvais d'un amour à un cran supérieur. Hélas ! Simon n'a réalisé aucune de mes ambitions. Voilà la raison pour laquelle toute cette histoire a tourné au vinaigre et failli me mener, une fois de plus, au bord du gouffre.

J'ambitionne toujours de vivre une relation humaine plus sérieuse, basée sur des sentiments réels et non sur des sensations fortes et uniquement physiques. J'ai pourtant encore l'âge des rencontres volages et des frivolités sans suite, des plaisirs fous et sans conséquence. Ai-je donc tant changé à fréquenter l'univers de la santé ? Francis, notre professeur au cégep, parlait l'autre jour de maturité rapidement acquise durant nos études en soins infirmiers grâce au contact avec les malades, les personnes âgées, la souffrance, la mort. Ouais... Me voilà devenu sérieux et mature. Et qui sait, peut-être suis-je devenu ennuyeux ? Vieux jeu, même ? Je n'en ai rien à foutre, moi, de la maturité et encore moins de la sagesse ! Ce soir, j'aurais envie de crier « Au secours, quelqu'un ! Ma jeunesse est en péril et, en même temps qu'elle, les conneries et le je-m'en-foutisme qui vont avec ! »

À neuf heures, l'ennuyeux-vieux-jeu rentre chez lui, le dos courbé par le poids d'un puissant sac d'ennui. Et si demain, jour de congé exceptionnel réservé à la préparation de mes examens, je faisais l'école buissonnière ? Si j'allais m'entraîner à la piscine ? Et si, très bientôt, je sortais mon vélo de montagne ? Si, dans quelques semaines, une fois les sentiers pédestres dégagés et asséchés, je reprenais mon bâton de marche ? Et puis, il y a ce roman offert par mon frère, qui traîne sur ma table de chevet depuis des lustres. Et Beethoven n'a-t-il pas écrit trente-deux sonates ? Aurai-je assez d'une vie pour toutes les apprendre ? Qu'est-ce que j'attends pour bouger ? Pour redevenir jeune ?

Allons, mon vieux ! Ah… et puis, cesse de t'appeler « mon vieux », hein ? Et jette-le donc par la fenêtre, ce satané sac de morosité, et remplace-le par un brin de folie, que diable ! Et que ce fameux diable emporte tes idées noires et nostalgiques ! Pense à cet infortuné Maxime, parti sans avoir pu profiter de la vie. Allons, Vincent de Bellefleur, lisse tes ailes et va-t'en découvrir le monde, toi, le p'tit jeune pétant de santé, de potentiel, d'avenir. Toi, le trop sage, toi, le trop plein de vie. Allume, enfin ! Et, de grâce, redeviens le plus extraordinaire EX-ennuyeux-vieux-jeu de la terre !

Le centre de services sociaux et de santé a enfin trouvé pour madame Bérengère une place à la Résidence Bon Repos pour personnes âgées, après des semaines d'attente. Elle quittera le CHSLD Sainte-Marie-Ange demain, et son fils, ô miracle ! s'occupera de la déménager. Il n'est pas trop tôt !

La pauvre, lucide et disposant d'une autonomie encore appréciable la majeure partie du temps, n'en pouvait plus de voisiner, au centre de soins de longue durée, des hommes et des femmes atteints de démence, incapables de tenir une conversation ni même de retourner à leur chambre parce que trop perdus et ne sachant plus leur nom. Tous ceux-là, enfermés dans leur monde intérieur, qui ne savent plus leur âge ni ne reconnaissent leurs proches, ma grand-mère adoptive ne veut plus les voir. Selon ses dires, ces patients ne cessent de lui présenter l'image de ce qu'elle est en train de devenir petit à petit, avec ses pertes de mémoire occasionnelles. Certains entendent des voix, ou radotent, ou crient comme des animaux captifs, d'autres se montrent agressifs ou désespérés, ou encore fabulent et voient des apparitions. Nombreux sont les paralysés, les attachés dans leur lit ou sur leur chaise et les déments qualifiés par certains de « légumes » ou de « morts avant le temps ».

Pour les autres, les rares qui ont conservé toute leur tête, mais dont la carcasse ne veut plus suivre, on organise tout de même quelques activités : lecture d'un livre à haute voix par une bénévole, écoute de musique ou d'émissions de télé, ateliers de peinture, club de tricot ou de jeux de cartes, jeux de poches... Tout cela ne plaît guère à Bérengère. À part profiter de mes visites trop courtes mais régulières, elle ne trouve plus la vie très drôle.

— On ne peut même pas regarder la chaîne de télé qu'on veut, on ne se couche même pas à l'heure qu'on veut, on ne mange même pas ce qu'on veut ! J'en ai assez, moi, de cette *gang* de séniles ! Pour les années qu'il me reste, je veux vivre à ma manière et en paix. Et ça, même si je dois me contenter d'une chambre grande comme le fond de ma poche. Un petit coin bien à moi... J'arrive encore à me déplacer toute seule jusqu'à la cafétéria, après tout ! Et tant pis pour les couches, je porterai des culottes de confort que je peux enfiler facilement. Si jamais je m'échappe, je resterai mouillée en attendant que quelqu'un vienne me changer et me laver, voilà tout !

Je lui jette un air qui se veut optimiste, mais je me demande si son séjour dans cette fameuse résidence va durer longtemps. Dès le début de ma visite, ce matin, elle s'est empressée de me raconter avoir vu passer des chevaux dehors, au cours de la nuit.

— Oui, oui, j'en ai vu une dizaine traverser la rue sous le lampadaire. Et mon défunt mari était monté sur l'un d'eux, le premier en avant, vêtu en chevalier sur un magnifique étalon blanc, tenant un sabre dans sa main.

Puis, plus rien. Bérengère cesse complètement de parler, plongée profondément dans ses pensées confuses. Je respecte ce silence déconcertant, mais je cherche un moyen de la ramener à la réalité sans rien brusquer. Finalement, elle entrouvre elle-même la porte.

— Vincent, tu me rends visite ici pour la dernière fois. Tu n'as pas idée comme j'ai apprécié nos rencontres. Tu vas venir me voir là-bas, hein, mon grand ?

— Promis ! J'ai partagé votre plaisir, grand-maman, d'autant plus que ce CHSLD se trouve près de chez moi. Pour la Résidence Bon Repos, la distance à parcourir sera plus longue, mais… Vous êtes devenue ma grand-mère adoptive, n'est-ce pas normal de vous visiter de temps en temps ?

— Justement, je voudrais te prouver ma confiance et te faire un aveu. Jamais je n'ai raconté ça à quelqu'un au cours de ma vie. Jamais ! Tu seras le seul au monde. Ce secret pèse si lourd sur ma conscience que j'aimerais te le confier, à toi, mon petit-fils. Ça me libérerait et j'aurais l'impression de le refermer et de l'abandonner ici, dans cette maison de f… euh… dans cet endroit. Me le permets-tu ?

— Vous m'impressionnez, là, grand-maman.

— Tu sais, celui qui m'a un peu malmenée, ces dernières années, et s'est débarrassé de moi comme d'une charogne en me jetant ici, un peu avant Noël, il est mon fils unique. Je n'ai pas eu d'autre enfant, ça, tu le sais. Eh bien… Eh bien… ce garçon n'est pas le fils de son père !

— Comment ça, pas le fils de son père ?

— Mon mari n'en a jamais rien su, encore moins mon fils. Personne d'ailleurs, pas même mon confesseur, à l'époque. Toi seul, Vincent, es maintenant au courant. Au cours de ces années-là, il y a près de soixante ans, j'ai eu une aventure avec le concierge de l'immeuble où, jeunes mariés, nous habitions, mon mari et moi. L'après-midi, en l'absence de Ludger, le préposé à l'entretien venait soi-disant réparer un robinet ou exécuter une petite retouche de peinture. J'avais la cuisse légère, que veux-tu, et il me procurait des plaisirs que mon époux, trop expéditif, ne se préoccupait pas de me donner. Je me suis mise à adorer cet homme, mais en ce temps-là le divorce n'existait pas et on se mariait pour la vie. En dépit des enseignements de l'Église, mon mari et moi utilisions un préservatif, car il n'était pas question de mettre un enfant au monde avant de voir son entreprise reposer sur des assises plus solides.

Installée dans son grand fauteuil face à la fenêtre, Bérengère parle d'une voix calme et assurée, comme si elle avait appris son discours par cœur et le répétait depuis des années. Instinctivement, je porte mon regard sur ses mains gesticulant dans un rayon de soleil, des mains plissées, déformées, bleutées, tordues par l'arthrite. Des vieilles mains qui ont déjà paru belles et fraîches… et attirantes. Est-ce croyable ? Cette femme est en train de me parler de ses rapports sexuels quand elle avait vingt ans ! Difficile, difficile, en ce petit matin de printemps, au fond d'une chambre du CHSLD Sainte-Marie-Ange, d'imaginer cela… Pour quelle raison me raconte-t-elle cela, à moi ? Sans doute parce qu'elle n'a personne d'autre pour l'écouter. Et son fils, alors, le principal concerné ?

Rien ne peut plus arrêter Bérengère.

— Dès les premiers jours de retard de mes menstruations, j'ai paniqué, tu penses bien ! Puis, il m'est venu une idée : j'ai jeté les préservatifs à la poubelle, soi-disant par inadvertance, et j'ai fait l'amour une fois sans protection avec mon mari. Huit mois plus tard, j'accouchais d'un beau bébé en santé « pas mal gros pour son âge ». Ludger n'y a vu que du feu et il s'est pété les bretelles. Quant au concierge, comme nous avions déjà déménagé, j'ai décidé de rompre avec lui, et il n'a jamais rien su de toute cette histoire. Par une chance inouïe, l'enfant ressemblait à sa mère et non à son père.

— Cela a-t-il changé quelque chose dans votre relation avec votre fils ?

— Je me suis toujours demandé d'où venaient son je-m'en-foutisme et son cynisme à outrance. Les gènes du concierge, peut-être ?

— Vous croyez ?

— Dis-moi, Vincent, les choses qu'on ne révèle jamais ont-elles une incidence sur notre existence ? Je me suis posé la question un million de fois depuis soixante ans, mais je n'ai jamais confié mon secret à personne. Je ne me suis même jamais repentie et j'ai complètement délaissé la pratique religieuse. Je vais aller en enfer, tu sais.

Comment répondre à cela avec ma naïveté et mon expérience de la vie fort limitée ? Que dirait un petit-fils à sa grand-mère ? Ne m'étais-je pas promis de l'écouter ? Eh bien, le moment d'assumer ma promesse est venu.

— Le passé est passé et fini, Bérengère, et vous ne pouvez pas le recommencer. Dieu a dû vous pardonner depuis longtemps. Pensez plutôt à aujourd'hui, maintenant, à l'heure présente.

Je n'ose lui recommander de réfléchir à l'avenir, de se convaincre que demain sera meilleur, qu'elle trouvera enfin la paix et l'oubli. Pourquoi lui parler de cet oubli dans lequel les aînés ne veulent justement pas tomber ? La mort s'en chargera bien assez vite elle-même !

— Tu sais quoi, Vincent ? La nuit, je vois mon mari surgir sur un cheval, armé d'un couteau. Il revient du domaine des trépassés où, il y a trente ans, il a appris la vérité. Et là, il désire se venger. Il veut m'attaquer et j'ai peur… Parfois, j'aurais envie d'écrire ma vie et de tout révéler à mon fils…

— Serait-il capable de l'accepter ? Ça risquerait de le perturber à jamais, vous le savez plus que moi. Ma mère dit toujours que certaines vérités ne méritent rien d'autre que le silence. À vous de décider, madame Bérengère.

Dérouté, je m'approche d'elle fébrilement et la prends dans mes bras en lui donnant le meilleur de moi-même : ma présence, mon écoute, ma tendresse. Mon silence affectueux de faux petit-fils.

Au destin d'accomplir le reste, maintenant qu'elle s'est libérée de son secret.

En sortant du CHSLD, j'arrive nez à nez avec Nicole Martin, la préposée aux bénéficiaires avec qui j'avais donné son premier bain à Bérengère.

— Bonjour, vous ! N'étiez-vous pas stagiaire en soins infirmiers, ici, l'automne dernier ? Vous travaillez encore ici ?

— Non, non, j'ai quitté le CHSLD à la fin de mon stage, juste avant les Fêtes. Mais je me suis pris d'amitié pour une patiente et je reviens la visiter de temps à autre.

— S'agit-il de madame Bérengère ? Elle ne cesse de parler de vous à tout le monde et vous adore. Elle va partir bientôt en résidence pour personnes en perte d'autonomie, vous êtes au courant, n'est-ce pas ? Elle y trouvera la vie plus agréable qu'ici, je crois. Parce qu'ici…

— Oui, ici, c'est un peu déprimant, je l'avoue, surtout pour un jeune comme moi.

Madame Martin me gratifie d'un radieux sourire.

— Et pour une vieille comme moi, donc ! Heureusement, je prends ma retraite dans quelques jours et je suis encore suffisamment jeune pour profiter de la vie avec mon mari. « Encore un peu de temps, et vous me verrez, et encore un peu de temps, et vous ne me verrez plus ! » Ha ! ha ! Me voilà rendue presque aussi âgée que mes patients !

Malgré moi, je jette un œil sous cape sur son visage quelque peu ridé, ses cheveux gris et parsemés, ses mains fanées. Des allures de grand-mère, en effet. Madame Martin se met à rire, d'un rire qui semble sincère. J'aime bien cette femme généreuse, simple et sans prétention, une femme au grand cœur, adorée de tous les patients. Un rayon de soleil dans ce centre.

— Dites donc, jeune homme, vous travaillez les fins de semaine à l'Hôpital général Saint-Louis, n'est-ce pas ?

— Eh oui ! Il faut bien gagner son pain. Mais comment le savez-vous ?

— Je suis la belle-mère de Jean-Patrick Lapierre, le mari de ma fille Geneviève. Il est un des pharmaciens de cet hôpital avec qui vous jasez de temps en temps quand vous allez chercher des médicaments au sous-sol. Il vous connaît. Vous lui avez parlé, un jour, de votre stage en soins infirmiers au CHSLD Sainte-Marie-Ange. Vu que je travaille ici, il a porté votre nom à mon attention. Vous et moi avons lavé ensemble madame Bérengère, vous rappelez-vous ? Malheureusement, votre stage s'est terminé sans que je vous revoie, mais je me rappelle que vous étiez le meilleur de nos étudiants.

— Le meilleur, hein ? Affirmation de monsieur Francis, je suppose ? Il l'a annoncé officiellement pour chacun de ses six élèves lors de notre arrivée ici. Est-ce la mode, dans ce milieu, de qualifier tout le monde de « meilleur » ?

L'air coquin que me lance la femme en dit long sur sa complicité à long terme avec Francis.

— Tout un moineau, ce cher Francis ! Quel grand cœur il possède ! Ainsi, vous connaissez mon gendre ?

— Oui, oui, Jean-Patrick Lapierre, le pharmacien, je le connais bien. J'ai même rencontré ses enfants au parc, un bon matin de l'automne dernier.

— Ah ! mes deux petits-enfants, je les adore ! Gabrielle et Félix, les petits de ma fille Geneviève. Tous les deux à croquer et brillants, même si le garçon est dysphasique et a eu de difficiles victoires à remporter.

— Monsieur Lapierre m'en a glissé un mot. Mais il va mieux, d'après lui.

— Oui, ça s'améliore d'année en année. Dites donc, allez-vous revenir ici pour un autre stage ?

— Plus tard, peut-être, je l'ignore pour le moment. La prochaine étape se passera à l'Hôpital général, où se trouve justement votre gendre. Si je ne vous revois pas, je vous souhaite une belle retraite, madame Martin. Et bonne chance !

— Bonne chance à vous aussi, jeune homme !

L'image du pharmacien me hante jusque chez moi, faisant ressurgir un souvenir bien précis. Je n'arrive pas à oublier ce fameux matin où, effaré, je lui ai demandé des informations sur le sida. Je m'empresse de chasser ces pensées. Bérengère craignait, tantôt, que les secrets gardés à l'intérieur de soi aient un impact négatif sur l'existence… Hum !

Et s'il en était de même pour les mauvais souvenirs ?

CHAPITRE 18

Le fait de nous retrouver attablés tous ensemble dans la cafétéria de l'Hôpital général Saint-Louis, le cœur serré encore une fois en écoutant Francis nous donner ses recommandations, n'est pas sans me rappeler un autre matin de l'automne dernier. Ce jour-là, nous faisions notre entrée officielle pour un premier stage, dans un centre de soins de longue durée. Cette fois, il s'agit d'un séjour sur un terrain plus vaste, soit en médecine et en chirurgie dans un grand hôpital de soins généraux. Mis à part Camille, la décrocheuse remplacée par une autre fille, le petit groupe d'étudiants du CHSLD demeure le même, à mon grand plaisir.

Évidemment, comme je travaille dans cet hôpital depuis de nombreux mois, je m'y sens plus à l'aise que les autres élèves. La clientèle s'étendra de dix-huit à quatre-vingt-dix-neuf ans d'âge. Quant à l'échelle de soins à prodiguer, elle s'est passablement élargie : injections, solutés, pompes, drains, tubulures, inhalothérapie, pansements, prélèvements, et j'en oublie. Ça n'en finit plus !

Et le prof n'en finit plus, lui non plus, de nous ressasser ses recommandations.

— Vous devrez prendre des notes et monter un dossier sur la personne qui vous sera confiée en plus de vous documenter sérieusement sur son cas, classifier vos commentaires et écrire un rapport chaque jour. Et n'oubliez pas le contact humain, toujours aussi important. Ainsi, avant une injection, il ne faut pas voir juste cinq centimètres de peau sur la fesse, il faut aussi parler avec le patient.

— Moi, je me sens bien prête à voir autre chose que seulement cinq centimètres de fesse sur mon patient ! Et si j'en vois assez, je pourrais même lui dire des mots doux, ça dépend de son âge !

Tout le monde éclate de rire devant l'humour audacieux de Florence, Francis le premier.

— Un peu de sérieux, les enfants ! Il est temps de rencontrer votre fameuse ou fameux patient. Allez, ouste ! On monte sur les étages.

Florence ne renonce pas.

— Allez-vous encore présenter chacun de nous comme la ou le « meilleur des étudiants » ?

— Certainement, ça rassure les malades ! Toi, ma Florence, je vais te présenter comme « la moins pire des plus tannantes », si tu continues !

Quelques minutes plus tard, j'hérite, au sixième étage, de monsieur Paul-Émile, un homme dans la jeune soixantaine qui a pris récemment sa retraite comme cadre dans une grosse compagnie à la suite d'une grave crise cardiaque. Il doit maintenant subir, dans les prochains jours, un pontage coronarien, opération de routine pour le personnel du département.

Je pousse un soupir de soulagement. Ça ne devrait pas s'avérer trop compliqué pour moi. Dès les présentations faites par Francis, fidèle à sa promesse de nous décrire comme les « meilleurs », Paul-Émile, sa femme et moi sympathisons immédiatement. Je leur fais part de mon assurance certaine comme préposé malgré mon statut actuel d'étudiant infirmier, tout en promettant de prodiguer le maximum d'attentions et de soins dont je suis capable.

Contrairement aux prétentions de Francis sur la nécessité de sécuriser le patient, c'est mon patient lui-même qui me rassure.

— Ne t'en fais pas, jeune homme. L'élève idéal est tombé sur le patient idéal, ha ! ha !

— Je vais tellement bien m'occuper de vous, mon cher monsieur Paul-Émile, que dans dix jours, vous et moi allons sortir de l'hôpital bras dessus, bras dessous. Tout sera terminé, réussi, achevé, mené à bon terme, pour vous comme pour moi.

Après avoir rangé les affaires de son mari dans le petit meuble, la femme nous quitte aussitôt.

— Je m'en vais au travail, je reviens ce soir, mon amour.

Je m'applique alors à installer l'attirail habituel reliant mon patient à différents appareils de contrôle. Je prends ensuite ses signes vitaux : rythme cardiaque, pression sanguine, niveau d'oxygène, respiration, souplesse de l'abdomen. Tout est beau.

Et tout va bien. Paul-Émile représente vraiment le patient idéal et se laisse faire docilement. Je déchante quand vient le temps d'effectuer les prélèvements sanguins prescrits par le chirurgien. Oh là là ! Ces gros bras musclés et durs, ces veines saillantes mais fuyantes, je vais en arracher ! L'espace d'une seconde, l'image de l'ecchymose géante dans le pli du coude de Marc-Olivier vient m'embrouiller l'esprit. Je prends mon courage à deux mains et soupire profondément. Je dois le faire. Tu as choisi ce métier-là, mon cher, eh bien ! lance-toi, c'est le temps !

Sous la surveillance d'une infirmière, je réussis finalement, tant bien que mal, à prélever les cinq tubes de sang requis. Et de un ! Reste à installer un soluté. Allons, ça ira, il le faut ! Et… ça y va ! Et de deux !

Mine de rien, le malade pousse un léger soupir de soulagement.

— Dis donc, toi, tu me sembles un étudiant modèle pour de vrai !

— Et vous… un patient en or pour de vrai !

Hélas ! depuis le début de l'après-midi, des complications ne cessent de se présenter. La tension de Paul-Émile baisse dangereusement et on appréhende une insuffisance rénale. C'est la course folle dans la chambre envahie par le personnel spécialisé. Pendant un certain laps de temps, je joue le rôle de l'élève observateur plutôt que celui de l'infirmier, jusqu'à ce que le cardiologue survienne et me donne des consignes bien précises sans connaître mon statut d'étudiant. Je note tout, je ne veux rien oublier, je veux me montrer à la hauteur. Et je réussis à le faire, sous supervision, bien sûr, jusqu'à la fin de cet après-midi qui m'apparaît tout à coup comme une éternité.

À cinq heures, avant de quitter l'hôpital, je tente tout de même de rassurer mon patient.

— Monsieur Paul-Émile ? Ne vous en faites pas, tout va bien aller ce soir et cette nuit, je vous laisse sous bonne garde. D'ailleurs, un patient idéal, ça remonte la côte et ça prend du mieux. Restez un patient idéal, compris ?

Sous l'effet des médicaments, l'homme tourne la tête vers moi et ébauche un sourire qui pourrait tout autant ressembler à une grimace. Je dévale les marches de l'hôpital et vais me dégourdir les jambes dans le parc d'en face, question de réduire les tensions de cette folle et longue journée. Je me sens fier de moi, mais fourbu comme si j'avais cent ans.

À ma grande surprise, je découvre les deux Marc en train de faire leur jogging dans l'une des allées, en compagnie d'un type que je ne connais pas.

— Tiens, si ce n'est pas notre spécialiste national en utilisation de seringues.

— Toi, Marc-Olivier, mon espèce… Je pensais que tu m'avais pardonné !

— Oui, mais seulement un peu ! Au fait, as-tu passé un bon début de stage ? Moi, j'y ai goûté. Je me suis occupé d'un accidenté toute la journée. Le gars roulait à vélo, et une voiture l'a happé. Des pansements, j'en ai fait, défait et refait, crois-moi. Puis du sang, du vrai, j'en ai vu aussi. Pas du p'tit jus de crémage de gâteau comme au cégep, non, non, du vrai sang !

— Moi, de renchérir Marc-André, affecté à un autre hôpital, j'ai soigné une jeune fille atteinte de leucémie aiguë. Du sang, j'en ai vu, moi aussi, car elle est sujette à faire des hémorragies. Ouf ! Une vraie désolation ! Le stage va me paraître long et pénible, j'ai bien peur.

— Ouais, notre carapace ne semble ni épaisse ni solide, les amis ! Il va falloir la consolider, hein ? Dites donc, si on allait prendre un verre pour décanter tout ça ?

— Bonne idée !

Le garçon inconnu qui les accompagne nous écoute religieusement, jambes écartées et bras croisés, sans se mêler à la conversation. Je remarque ses épaules bien droites sous son étroit maillot de coton. Un gai, lui aussi, j'en mettrais ma main au feu. Marc-Olivier lui effleure l'épaule du bout des doigts.

— Viens-tu te changer les idées avec nous, Frédéric ? Après tout, toi aussi, tu travailles dans un hôpital et tu vois plein d'horreurs à cœur de jour. Oh ! mais j'ai oublié de vous présenter ! Frédéric, voici Vincent de Bellefleur. Vincent, voici Frédéric Deschamps. Je connais Frédéric de longue date, à vrai dire depuis l'époque où, en bons petits voisins, nous faisions nos mauvais coups ensemble. Frédéric est ingénieur et prépare une maîtrise en génie biomédical. Pour cela, il doit venir très souvent ici, à l'hôpital. Tous les beaux petits appareils que tu apprends à manipuler, mon cher, eh bien ! lui, il sait comment ça fonctionne à l'intérieur et il peut les réparer en tout temps. Ce n'est pas tout : ce petit monsieur rédige un mémoire et fait de la recherche pour régler les problèmes de mécanique du genou.

Grand, mince, imberbe, Frédéric me tend la main en souriant. Une main chaude et ferme. Il porte alors sur moi un regard franc et soutenu, et je me permets de l'interroger.

— Tu étudies à l'Hôpital général Saint-Louis ? C'est drôle, j'y travaille comme préposé à toutes les fins de semaine, mais je ne t'ai jamais rencontré.

— Ça se peut. J'y viens rarement les samedis et les dimanches. Et les jours de semaine, mon temps se partage entre l'hôpital et l'université.

Tranquillement, nous traversons le grand parc pour aller dénicher, sur une des rues adjacentes, un petit bar où nous délecter d'une bière froide dans un coin tranquille. Malgré notre sérieux désir de nous changer les idées, la conversation tourne immanquablement autour de l'hôpital. Tout de même, on ne met pas de temps à se dérider.

Marc-André y va d'une mésaventure lors de son stage de l'automne dernier au CHSLD, alors que, oubliant de vérifier la photo suspendue à la porte, il avait habillé et préparé la mauvaise patiente pour un transfert dans un autre lieu d'hébergement. La femme, souffrant d'Alzheimer, l'a laissé faire sans protester. On ne s'est aperçu de l'erreur qu'à l'autre résidence où on attendait… une dame de race noire !

L'autre Marc, lui, a confondu les prothèses dentaires de deux patientes de la même chambre en les déposant dans les mauvais boîtiers. Il paraît que le lendemain matin, quand on a distribué les cabarets du petit-déjeuner, les cris des femmes ont réveillé tous ceux et celles qui dormaient encore dans le secteur de l'hôpital.

Même Frédéric met son grain de sel en racontant qu'un jour, on l'a fait venir dans une salle pour réparer d'urgence un appareil ayant cessé de fonctionner au beau milieu d'un important traitement à un malade. Tout le personnel spécialisé se trouvait en suspens et l'attendait, et il s'était senti devenir le point de mire. Tout dépendait de lui.

— Je me sentais stressé, vous n'avez pas idée, surtout que mon patron restait introuvable dans l'hôpital pour venir me donner un coup de main.

Il s'est alors tiré une chaise pour s'installer au niveau de l'appareil. Mais la chaise sur roulettes s'est échappée au moment où il s'assoyait, et il s'est étalé par terre de tout son long devant tout le monde.

— C'est un miracle si j'ai réussi à m'en sortir. Et toi, Vincent, il ne t'est rien arrivé de drôle ?

À mon tour d'afficher ma maladresse et de relater, non sans gêne, mon vol plané dans une certaine flaque nauséabonde, à côté d'un patient.

Marc-Olivier a gardé le meilleur pour la fin en racontant avoir glissé un pied de plastique dérobé à la salle d'entraînement technique du cégep dans le sac d'école de son amoureux, un matin d'examen écrit. Le cri d'horreur lancé par Marc-André en ouvrant sa serviette, juste au moment où on passait les copies, a déridé toute la classe sauf le professeur, paraît-il.

Nos éclats de voix et nos rires réussissent à détendre l'atmosphère et à maintenir le moral. On trinque à notre santé et à celle de nos patients. Le fait de nous sentir solidaires contribue, pour une bonne part, à surmonter l'angoisse qui ne manquerait pas de se pointer naturellement, au terme d'une journée auprès de malades dont nous n'avons pas encore l'habitude. Mais nous sommes jeunes, nous sommes en forme et nous mettons tout notre cœur à soulager la misère. Pourquoi devrions-nous nous attrister ou nous inquiéter ?

Frédéric propose d'aller prendre une bouchée au bistrot de l'autre côté de la rue. Pourquoi pas ? Ne jouissons-nous pas également d'une grande liberté ? Pourquoi s'en priver ? Après le souper, nous nous séparons à la porte du restaurant. Les deux Marc se dirigent vers l'est en se tenant par la main, ils marcheront jusqu'à leur appartement commun. Frédéric et moi retraverserons le parc pour regagner nos voitures stationnées à l'hôpital.

Pendant un moment, lui et moi avançons, sans dire un mot, sous les lampadaires éclairant les allées du parc. En d'autres temps, ce mutisme m'aurait rendu mal à l'aise, mais pas cette fois. Je me sens bien, même si Frédéric et moi ne nous connaissons presque pas. Les passants se font rares, l'air est tiède et doux, et on peut humer le parfum des fleurs de mai. Pendant un moment, nous nous attardons pour regarder la fontaine illuminée danser au milieu du petit lac artificiel. Un couple de canards blancs glisse paisiblement sans faire de bruit. Un grand calme m'envahit soudain.

Frédéric brise la glace le premier.

— Tu aimes la nature, Vincent ?

— Bien sûr ! J'adore la nature et la musique.

— La musique ? Quel genre de musique ?

— Tous les genres, mais surtout la musique classique. Beethoven est mon idole.

— Tu aimes Beethoven ? Tu parles ! Moi aussi, je l'adore. La symphonie *Pastorale*, quel chef-d'œuvre, hein ? Quand j'étais jeune, j'ai appris à jouer du piano, mais à l'époque, je n'ai manifesté ni talent ni application, semble-t-il. De tout cela, j'ai tout de même gardé un intérêt pour la musique.

— Tu joues du piano, Frédéric ? Moi aussi, depuis des années !

— Moi, j'ai très peu joué, malheureusement. Et les sports, ça t'intéresse ?

— Bien, je possède un maillot de bain, de bonnes espadrilles, un vélo de montagne, des bâtons de marche…

— Dis-moi, Vincent, es-tu libre ? Je veux dire… Y a-t-il quelqu'un dans ta vie ?

— Non. J'ai mes parents, mes deux frères, une grand-mère adoptive, de rares copains, dont les deux Marc, voilà tout. Et toi ?

— Moi aussi, je garde un contact étroit avec les membres de ma famille et quelques amis, sans plus.

La silhouette de l'hôpital se dresse finalement devant nous, énorme et silencieuse, camouflant derrière ses murs aux fenêtres illuminées le mystère de souffrances innommables, mais, tout autant, la joie de merveilleuses victoires sur la maladie et la mort. Nous nous quittons simplement en nous souhaitant une bonne nuit, lui se dirigeant vers la gauche, à la recherche de sa voiture sur le devant de l'édifice, et moi, vers le grand stationnement situé derrière.

Les jours suivants oscillent entre l'espoir et le désespoir. L'état de mon patient Paul-Émile continue de se détériorer. Contrairement à mes aspirations et en dépit des mesures extraordinaires employées par le personnel de l'unité pour contrôler la situation, de nombreuses complications ne manquent pas de survenir. Lui et moi ne quitterons pas l'hôpital ensemble, bras dessous, bras dessus, au dernier jour de mon stage, comme je l'avais espéré. Je crains de le voir partir d'ici bien avant moi, les pieds devant et couché, inerte et froid, sur un brancard, en direction de la morgue.

À maintes reprises, Francis vient m'encourager et me soutenir, car cette mort prévisible et à petit feu m'impressionne. Je lui parle alors de Paul-Émile, de sa force, de son courage, de sa foi et de sa façon extraordinaire d'envisager sereinement le grand départ. Quelle belle leçon cet homme me donne ! Par contre, sa femme semble davantage désespérée, elle accepte mal le dépérissement du compagnon de sa vie. Constamment à ses côtés, elle pleure, s'arrache les cheveux, se lamente à n'en plus finir. Et moi, je ne sais trop comment réagir.

Quand, un soir, je reçois un coup de fil de l'hôpital pour me demander de revenir monter la garde auprès de Paul-Émile pendant quelques heures supplémentaires, en raison d'un manque imprévu de personnel, je n'ai pas le choix d'accepter. Il passe neuf heures lorsque je pénètre dans la chambre. À la lueur de la veilleuse, tout me paraît calme et tranquille. Trop calme et trop tranquille. Seuls le bruit du respirateur automatique et le « bip-bip » des autres appareils meublent le silence.

Soudain, j'ai le souffle coupé en découvrant la femme de Paul-Émile blottie contre lui sous les couvertures. Les deux semblent dormir paisiblement, serrés l'un contre l'autre. Je ne sais trop comment réagir. Les visiteurs, bien sûr, n'ont strictement pas le droit de monter dans le lit des patients. Comme je m'approche à petits pas, je vois tout à coup Paul-Émile ouvrir un œil et me sourire, du coin des lèvres, comme s'il voulait m'informer que tout va bien.

Alors, je décide de ne rien dire et de laisser aller les choses. Qu'ils restent ensemble, ces deux-là, et qu'ils vivent donc intensément ce qui sera probablement leur dernière nuit. Juste avant l'arrivée de mon remplaçant, un peu après minuit, je demande à la femme de sortir du lit. Puis, je quitte l'hôpital presque à regret, sur la pointe des pieds. J'ai la terrible intuition de ne plus jamais revoir briller les yeux de monsieur Paul-Émile. Secrètement, je lui dis adieu en lui souhaitant un bon voyage dans l'au-delà.

Je ne me trompais pas. Dès mon retour, le lendemain, je cours jusqu'au sixième pour voir mon patient avant même d'aller prendre mon petit-déjeuner. Je trouve une chambre déserte, éclatante de lumière et de propreté, avec un lit vide, impeccablement refait par le préposé.

À la cafétéria, le nez plongé dans mon assiette, j'arrive mal à avaler mes céréales.

— Salut, toi ! Je te cherchais justement.

Je lève la tête et découvre avec bonheur le beau Frédéric Deschamps, tout souriant. Il me regarde avec ses yeux pétillants et rieurs, en tenant son cabaret à bout de bras. Sans me demander la permission, il s'installe directement en face de moi.

— Je n'ai pas eu la chance de te croiser, cette semaine, mais ce matin, il me fallait absolument te trouver. As-tu le temps de jaser un peu ?

— Oui, oui, je commence dans seulement une demi-heure. On va sans doute m'attribuer un nouveau patient uniquement pour la journée, car le stage se termine aujourd'hui à cinq heures. Mon malade est mort cette nuit. Pas vraiment jojo…

— Que veux-tu, ce genre de choses arrivent plutôt souvent dans un lieu comme ici. J'ai justement une proposition pour toi qui pourrait te changer les idées. Cette semaine, on a annoncé dans les journaux un concert, qui a lieu ce soir au Conservatoire de musique. Un pianiste y jouera une sonate de Beethoven et un nocturne de Chopin. Un quatuor à cordes se produira également. Que dirais-tu si on y allait ensemble, toi et moi ? Je me suis informé, et il reste encore de bons billets, paraît-il.

— Yesssss !

Le même après-midi, Francis survient dans la chambre de ma nouvelle patiente avec, dans les mains, une violette joliment emballée, tout juste reçue à l'étage et adressée à mon nom.

— Comment ça, à mon nom ? Il doit y avoir une erreur.

— Non, non, c'est bien écrit : *À l'étudiant Vincent de Bellefleur*.

Je m'empresse de lire avec émotion le message de la petite carte accompagnant le cadeau :

Merci pour la nuit dernière.

Estelle,
la femme de Paul-Émile

Je retiens mes larmes et me garde bien d'informer mon prof, fort intrigué, d'avoir dérogé aux règlements en laissant cette femme couchée dans le lit, entre les bras de son mari, durant quelques heures.

— J'ai accepté de revenir à l'hôpital, cette nuit, pour remplacer un membre du personnel absent. La femme de mon patient l'a apprécié, je suppose, et m'en remercie tout simplement.

— Ah bon.

Je ne lui dirai pas non plus que cette petite fleur vaut autant, à mes yeux, que la médaille d'or qu'il m'a offerte en décembre, à la fin de la première session.

C'est à Frédéric que je raconterai cela, ce soir.

CHAPITRE 19

Ma violette est là, sur le bord de la fenêtre de ma cuisine, et je la regarde tendrement chaque fois que je m'approche de l'évier pour m'occuper du repas ou pour me laver les mains. Elle devrait commémorer mon ex-patient Paul-Émile et même mes brillantes notes obtenues à l'évaluation de mon deuxième stage, mais elle ne me rappelle rien de tout cela. En vérité, je l'apparente à infiniment plus beau et plus grand que cela.

À sa simple vue, je sens monter en moi une telle bouffée d'amour, un tel sentiment de tendresse, un tel apaisement que je pourrais la regarder durant des heures, cette petite fleur. Bien plus qu'un souvenir d'hôpital, la violette reçue le jour même de ma première sortie avec l'homme le plus merveilleux de la terre évoque le soir où lui et moi avions pris rendez-vous avec Beethoven au Conservatoire de musique de la ville. Un soir de coup de foudre.

Frédéric… Avant de le connaître, j'ignorais le véritable sens du mot *amour*. Mes expériences sentimentales avant lui frisaient l'insignifiance, quand j'y songe. Aucun Samuel ou Simon de la planète ne supporterait la comparaison avec Frédéric Deschamps. Son intelligence, son affabilité, son charme envoûtant, sa transparence remporteraient tous les prix. Frédéric, c'est mille violettes, mille forêts enchantées, mille couchers de soleil. Frédéric, c'est mille sourires d'enfants et les éclats de lumière de leurs yeux et, en même temps, c'est mille regards et mains protectrices posées sur mon épaule. Frédéric, c'est mille amis pour l'écoute et le partage, mille amoureux pour l'affection et la tendresse, mille amants pour le plaisir. Pour le bonheur.

Je suis bien, je suis heureux, je ne porte plus à terre. Je suis devenu fou, fou d'amour jusque dans les couches profondes de l'âme et bien au-delà de l'épiderme. D'ailleurs, Frédéric a mis le temps qu'il fallait avant de m'approcher physiquement. Le temps de nous connaître, de nous apprivoiser et de nous plaire. Le temps d'avoir autre chose à exprimer dans les gestes de l'amour que le simple plaisir charnel. Et cela m'a plu. Tout le contraire de Simon Lagacé !

Je n'oublierai jamais ce concert. Pour la première fois, j'ai trompé Beethoven et ne l'ai pratiquement pas écouté, trop obnubilé par mon compagnon. Du coin de l'œil et mine de rien, je l'ai longuement regardé. De découvrir Frédéric emporté à ce point par la musique, avec son recueillement et son visage absorbé et méditatif, a canalisé toute mon attention. Cet homme possède, à n'en pas douter, un monde intérieur ardent, d'une intensité qui n'a rien à voir avec les obsessions uniques et superficielles de jouissance charnelle d'un Simon.

Alors, ce soir-là, pendant le concert, j'ai commencé à l'aimer.

Pour la durée du congé scolaire de l'été, j'ai réussi à troquer mon travail de fin de semaine comme préposé aux bénéficiaires pour le même emploi, mais à temps plein durant les jours de semaine. Libre maintenant les week-ends, je peux ainsi concilier mes temps libres avec ceux de Frédéric, qui s'est récemment déniché un emploi à mi-temps dans une firme d'ingénieurs consultants. Cela lui permet de poursuivre ses travaux de recherche et d'effectuer ses incessants va-et-vient entre l'hôpital et l'université, en préparation de son mémoire de maîtrise.

En dépit de nos maigres moyens financiers, nous réussissons à profiter pleinement du beau temps. Bien sûr, un voyage de camping dans la péninsule de Cape Cod ou même dans les Maritimes nous aurait bien plu, mais cela dépasse nos ressources. Néanmoins, d'autres activités tout aussi intéressantes occupent agréablement nos week-ends. Camping dans des parcs de la province, canotage sur différents cours d'eau, promenades en forêt, concerts gratuits en plein air, pique-niques sur l'herbe, nous ne voulons rien manquer ! Sans doute le fait de travailler quotidiennement dans un hôpital et d'être sans cesse confrontés à la fragilité de la vie nous rend-il inconsciemment gourmands et nous incite-t-il à savourer intensément chaque moment de plaisir. À nous en créer de toutes pièces aussi… Inventer une recette de cuisine, faire du jogging sous la pluie, expérimenter un nouveau bistrot, visionner un film japonais les pieds sur la table du salon en dégustant chocolats, croustilles et boissons gazeuses…

Pour l'instant, il n'est pas encore question d'habiter ensemble même si nous approchons les six mois de fréquentation. « Prenons le temps de mieux nous connaître », a prêché le manitou Frédéric dans sa grande sagesse. J'avais espéré une proposition dans ce sens avant l'automne, où nos études reprendront de plus belle. Mais non, le chéri préfère le *statu quo*. Il n'aurait pourtant qu'à lever le petit doigt pour que je remette mes clés à mon propriétaire, il le sait très bien. Son appartement, plus spacieux que le mien et situé à mi-chemin entre le cégep et l'hôpital, me conviendrait parfaitement. Cela ne nous empêche pas de connaître des nuits d'amour enchanteresses. Et pas que des nuits !

L'autre jour, j'ai manifesté le désir de retourner dans le bois, derrière le collège Saint-Anselme, à cet endroit même où j'avais décidé de mourir sur la neige, un certain soir d'hiver. Il me semblait que d'y aller en tenant Frédéric par la main, ce symbole concret et assuré de bonheur, me permettrait d'envoyer à jamais ce mauvais souvenir au fond de l'oubli. Je n'ai rien eu à expliquer, Frédéric a accepté ma proposition sans me poser de questions, réalisant qu'il s'agissait pour moi de bien d'autre chose que d'une simple excursion dans le bois.

Là, seuls au monde, étendus sur le tapis moussu entourant l'un des grands sapins de ce coin de forêt, il m'a pris dans ses bras en me disant: « Je t'aime, Vincent, je vais t'aimer toujours. » Alors, je me suis mis à pleurer. Qui aurait cru qu'un jour, à l'endroit précis où j'ai construit ma croix de branches sur la neige, quelqu'un me parlerait d'amour ? L'espace d'une seconde, j'ai pensé à ma grand-mère Thérèse, celle à qui j'ai confié mon désarroi d'être gai, au moment de sa mort. Convaincu de sa protection, je l'ai mentalement remerciée avec ferveur. Tant d'eau a passé sous les ponts, depuis ce temps.

Assis côte à côte à l'endroit même où j'ai failli y laisser ma peau, je n'ai pas résisté à l'envie d'en parler à mon amoureux et de tout lui révéler sur mon court passé, en n'oubliant ni les Samuel, ni les Simon, ni les Edgar et compagnie, ni surtout mon escapade dans la neige, un certain soir de décembre. Frédéric sait tout de moi, maintenant.

À la sortie du bois, en repassant devant le collège Saint-Anselme, j'ai aperçu un des directeurs déambulant près de l'entrée principale. Sans même réfléchir, j'ai pris l'initiative d'aller le saluer un petit instant.

— Bonjour, je suis Vincent de Bellefleur. J'ai terminé mes études ici, en juin de l'année passée.

— Monsieur de Bellefleur ! Mon pianiste préféré ! Je me rappelle très bien votre performance à la remise des diplômes. Comment allez-vous ?

— Bien, bien. Je croyais le collège fermé.

— Vous avez raison, les cours d'été ne débuteront que la semaine prochaine. Mais pour la direction, nous restons ouverts. Je peux faire quelque chose pour vous ? Vous avez des cours à rattraper ?

— Non, non, pas du tout. En fait, je viens de terminer avec succès ma première année en technique de soins infirmiers. Dites donc, monsieur Legrand se trouverait-il au collège, par hasard ? Ça me ferait tellement plaisir d'aller lui dire bonjour.

— Oh… Vous ne l'avez pas su ? On l'a pourtant abondamment annoncé dans les journaux. Il est décédé ce printemps. Une crise cardiaque. En quelques minutes, il a rendu l'âme ici même, dans ces murs, à cinquante-huit ans. Fini ! Il s'agit d'une grosse perte pour nous, vous savez.

Et pour moi, donc ! Même si je ne suis jamais revenu le saluer, cet homme a représenté un point tournant dans ma vie. Et encore aujourd'hui, je voyais en lui une bouée de sauvetage, le dernier recours à consulter avant de perdre le nord. Je baisse la tête, abasourdi. Monsieur Legrand avait offert de devenir mon père spirituel. Lui aussi est parti sans laisser d'adresse. Comme pour ma grand-mère Thérèse, quelques minutes auparavant, je l'ai remercié intérieurement d'être passé dans ma vie. S'il me voit, du haut de son nuage, il doit certainement apprécier mon évolution positive depuis notre dernière rencontre. Maintenant, je m'assume parfaitement. Frédéric Deschamps se trouve là pour le prouver.

Sur le chemin du retour, assis aux côtés de mon amoureux conduisant sa voiture, je me suis senti léger et vaporeux. Comme si des ailes m'avaient poussé, j'avais envie de m'élancer loin et haut dans le ciel de l'existence. Un ciel vaste au-dessus d'un univers sans neige et sans glace. Un ciel bleu.

Aujourd'hui, 29 juillet, nous célébrons le baptême de mon neveu, le petit Julien, fils de mon frère Alexandre de Bellefleur et de Ha Bin, et filleul de Vincent de Bellefleur. À noter que le nouvel oncle ne se sent pas peu fier de sa nomination comme parrain du premier enfant de la famille. Avec quelle complaisance je déambule jusqu'à l'avant de la chapelle pour signer le registre d'une main ferme et posée. Avec quelle détermination aussi, en dépit de ma foi quelque peu chancelante, je renonce en son nom, au-dessus des fonts baptismaux, à Satan et à ses pompes. À croire que ces promesses ne plaisent pas au bébé qui hurle à fendre l'âme lorsque le prêtre lui verse de l'eau sur la tête. Parfait ! Ce petit-là aura du caractère, et je m'en réjouis. Le diable aura affaire à lui !

Au fait, je ne me suis jamais demandé si l'homosexualité fait partie ou non des pompes de ce fameux Satan… Peu m'importe, jamais je n'éprouverai de remords d'être ce que je suis. Et de toute manière, je vais aimer cet enfant-là tel qu'il sera, je vais le soutenir, le protéger tant et aussi longtemps que Dieu, que je préfère assurément à Satan, me prêtera vie.

Frédéric rencontre officiellement ma famille pour la première fois. Sans doute son statut d'ingénieur, étudiant en maîtrise, influence-t-il l'accueil de mon père, je l'ignore, mais papa semble accepter sa présence de façon évidente. À quelques reprises, je les surprends tous les deux, verre à la main, en train de jaser autour du buffet installé sur la terrasse entièrement décorée de bleu. Maman et ma belle-sœur y ont mis le paquet : fleurs, rubans, ballons, mais aussi champagne, caviar, saumon fumé, crevettes, tout ce qu'il faut pour célébrer la venue d'un premier descendant de la lignée en même temps que l'entrée en fonction d'André de Bellefleur et de sa femme comme fiers grands-parents.

Mes frères aussi semblent contents de rencontrer mon amoureux, et j'explose secrètement de joie quand Guillaume vient me glisser à l'oreille, au sujet de Frédéric :

— Celui-là, il fait l'affaire, on le prend ! Dis donc, as-tu remarqué ma nouvelle blonde ?

— Oui, oui, celle-là aussi, elle fait l'affaire !

Que Dieu me pardonne ce mensonge pieux. Quant à ma mère, la classe de Frédéric autant que sa gentillesse et sa prestance ne manquent pas de la séduire dès le premier instant, je le vois bien. Mais quand, plus tard après le repas, ce dernier insiste pour prendre lui-même le bébé dans ses bras afin de l'admirer de plus près, elle devient totalement conquise.

Sans s'en rendre compte, Frédéric passe tout haut ses réflexions à l'enfant.

— Guili-guili ! Tu vas ressembler à ta mère, toi ! Les yeux bridés, évidemment. Quoique le nez et la fossette, juste là sous le menton, ne sont pas sans rappeler ton papa Alexandre. Longue vie à toi, petit ange. Je te trouve magnifique !

Maman me prend alors par le bras et m'attire vers la cuisine.

— Ce garçon-là me paraît super bien, Vincent. Il passe le test. J'espère qu'il te rend enfin heureux.

— T'as pas idée, maman !

— Tu devrais l'emmener plus souvent. Je pense que ton père aussi l'apprécie.

— Je n'y manquerai pas, ma belle maman d'amour.

CHAPITRE 20

Un dimanche, au retour de la plage en début de soirée, l'envie me prend de présenter ma grand-mère adoptive à Frédéric. Emporté par trop d'obligations et d'activités, je n'ai pas tenu ma promesse à Bérengère de la visiter très souvent depuis son départ du CHSLD. C'est à peine si j'ai trouvé le moyen d'aller lui porter, de temps à autre, les caramels enrobés de chocolat qu'elle préfère aux bonbons à la menthe. Et mes appels téléphoniques ne me donnent guère de renseignements sur son état, ni physique ni mental.

— On pourrait arrêter quelques minutes, de toute façon, c'est sur notre chemin. Tu connaîtras alors tous les miens. Et ça lui ferait tellement plaisir.

Frédéric accepte de bonne grâce, à la condition de rentrer tôt chez lui, car une grosse journée l'attend le lendemain.

La Résidence Bon Repos ne paie pas de mine. Les rares fois où je suis venu, elle ne m'apparaissait nullement accueillante. Ce soir, sa malpropreté dégoûtante nous saute au visage. Papiers et vieux journaux épars dans l'escalier extérieur, porte principale à la peinture abîmée, palier maculé de taches. Nous appuyons à de multiples reprises sur le bouton de l'entrée sans obtenir de réponse. La porte n'étant étonnamment pas fermée à clé comme il se doit, nous pénétrons dans le hall où l'air ambiant nous apparaît vicié par une puissante odeur d'urine. Il ne se trouve personne derrière le poste d'accueil pour nous recevoir. C'est à croire que n'importe qui peut s'introduire ici à toute heure du jour et, qui sait, de la nuit !

Dans le corridor, des fauteuils roulants et des chariots traînent en désordre le long des murs. En route vers la chambre de Bérengère, nous croisons deux femmes au regard perdu. À coup sûr, l'une d'elles porte une couche souillée dont l'odeur bien définie ne trompe pas. L'autre marche derrière une marchette et affiche un visage à moitié tuméfié, résultat probable d'une chute. Nous les saluons et leur demandons si elles connaissent madame Bérengère. Elles nous regardent comme si nous leur parlions chinois. La première se contente de hausser les épaules, tandis que l'autre s'enfuit en boitillant. En perte d'autonomie, ces femmes ? Mon œil ! Autonomie perdue, je dirais plutôt, et manque flagrant de surveillance sur les lieux. Je me pose de sérieuses questions.

Notre arrivée dans la chambre de Bérengère baignant dans la pénombre n'arrange rien. L'espace restreint est jonché d'objets hétéroclites. Articles de toilette, bassine, vaisselle sale, pot à eau, vêtements, vieilles revues envahissent la place. L'ameublement se réduit à un lit, un bureau microscopique, un chariot où déposer les repas, une chaise et un vieux fauteuil. Je ne suis pas sans remarquer l'unique plante totalement desséchée, déposée sur le rebord de la fenêtre donnant directement sur un mur de briques situé à deux ou trois mètres. Cette petite fleur, je la lui avais apportée un jour, en espérant la voir jouer le même rôle réconfortant que ma violette.

Je reconnais à peine Bérengère, blême et amaigrie, calée au fond de son fauteuil, les mains tremblantes et les yeux fixes. Je m'empresse d'allumer la lampe en lançant un cri que je voudrais joyeux.

— Bonjour, ma belle grand-maman ! Je suis venu vous saluer et vous présenter mon ami Frédéric.

— …

— Madame Bérengère ? Comment allez-vous ? Bérengère ? Ne me dites pas que vous ne me reconnaissez pas ! C'est moi, Vincent, votre petit-fils adoptif. Voyons, Bérengère, répondez-moi !

Elle ne bronche pas. Son regard garde l'immobilité de celui d'un reptile. Vide, figé, vitreux, stationnaire. On dirait presque méfiant. J'avance doucement une main sur la peau froide de son bras et dépose fébrilement un baiser sur son front.

— Portez-vous encore votre belle robe rose cendré, ma petite grand-maman ?

Soudain, je la sens ciller légèrement. La pensée de la robe semble l'éveiller quelque peu à la réalité. Son visage tout à coup s'illumine, mais le rayonnement ne dure que quelques secondes. Je tente désespérément de la ramener sur terre en lui tendant une autre perche.

— À cette heure, je pensais vous trouver à la cafétéria. Qu'avez-vous mangé pour souper, ce soir, ma chère grand-maman ?

Elle secoue la main en signe de négation.

— Vous n'y êtes pas allée ? On a apporté votre repas ici, alors ?

Toujours le même geste de négation.

— Vous n'avez pas mangé du tout ? Allons donc, ça ne se peut pas ! Et vos médicaments, vous les prenez bien chaque jour ?

Elle manifeste brusquement sa colère en projetant un jet de salive, comme si elle voulait recracher ce qu'on l'oblige à ingurgiter. Inquiet, je me mets alors à la bombarder de questions sur un ton insistant, toujours sans obtenir de réponse.

— Sortez-vous de votre chambre, parfois, Bérengère ? Profitez-vous des jolies balançoires dehors ? Et les activités sociales, y participez-vous de temps à autre ? Allez-vous jouer aux cartes avec les autres pensionnaires ? Bérengère, répondez-moi, je vous en prie. Bérengère !

Désespérément, elle s'enfonce dans son mutisme et sa colère de moins en moins contenue. Je la vois trembler de plus belle. Cette fois excédé, je bondis sur mes pieds et affirme à Frédéric que tout cela mérite une vérification immédiate. Sur le coup, je me dirige vers le poste central situé au bout du corridor, suivi de mon ami, muet d'étonnement.

Le cas de madame Bérengère ne relève ni de la première personne à qui je m'adresse ni de la deuxième. Finalement, l'infirmière de garde ce soir-là, une femme dans la cinquantaine, accepte de me recevoir sans dissimuler son agacement.

— Qui êtes-vous, monsieur, pour vouloir m'interroger de la sorte ?

— Son petit-fils adoptif, Vincent de Bellefleur.

— Je ne vois pourtant pas votre nom dans le dossier.

— Il s'agit d'une erreur ou bien d'un oubli, madame. J'ai le droit de savoir ce qui se passe avec ma grand-mère adoptive, OK ?

— D'accord, d'accord ! Énervez-vous pas comme elle ! C'est de famille ?

— C'est pas de famille, puisque je suis adopté ! Alors ?

— Alors, cette femme a jeté par terre tout ce qu'il y avait dans son cabaret, ce soir, comme elle le fait chaque jour. Elle fait la même chose avec ses médicaments. Que voulez-vous ? On n'y peut rien. Nous n'avons pas assez de personnel pour la suivre d'heure en heure, jour et nuit. On voit à ce qu'elle n'attente pas à ses jours, c'est déjà ça. Depuis que votre père est venu lui rendre visite, elle est devenue insupportable.

— Mon père ?

— Oui, son fils, donc votre père, non ? Puisqu'elle n'a qu'un enfant unique… Elle se montre maussade, agressive même. Comme elle refuse ses médicaments, son état de démence empire de jour en jour.

L'espace d'une seconde, je me rappelle le premier jour où je l'ai rencontrée, au CHSLD. Une Bérengère hystérique, donnant des coups de poing et des coups de pied sur tout ce qui se trouvait autour d'elle à cause de la décision de son fils.

— Que s'est-il passé, dernièrement, lors de la visite de son… de mon père ?

— Pour ce que j'en sais, il l'a obligée, semble-t-il, à signer différents papiers en la menaçant de la ramener au CHSLD si elle refusait.

— Des papiers ? Quels papiers ?

— Des papiers comme quoi elle se décharge de tous ses avoirs et de leur usufruit, et lègue en totalité, immédiatement et inconditionnellement, ses biens mobiliers et immobiliers à son fils unique. Elle possédait une maison et des épargnes lui permettant de défrayer les coûts d'un hébergement décent jusqu'à la fin de ses jours, selon ses dires. Des économies pour lui procurer surtout la tranquillité d'esprit… Vous devez bien savoir ça, vous, pourtant ! Moi, je vous conseille de prendre un avocat. Je ne suis pas certaine que cette femme se trouve assez lucide pour signer validement de tels papiers.

— Prendre un avocat ?

— Qui d'autre que vous pourrait l'aider à se défendre contre son fils profiteur ? D'ailleurs, depuis ce temps, votre père adoptif a pris la clé des champs et demeure introuvable. Le monsieur refuse maintenant de payer la pension de sa mère. Avant longtemps, elle sera transférée au secteur public, à la charge de l'État. Son nom est déjà inscrit sur une liste d'attente. Au fait, avez-vous une idée où on pourrait le joindre, votre cher papa ?

— Aucune idée ! Mais c'est du vol, ça !

— Que voulez-vous qu'on fasse ? Elle n'a plus d'argent pour se payer un avocat, et cela dépasse maintenant ses capacités. Si vous décidez d'y voir, elle a amplement le temps de mourir avant que sa cause ne soit entendue devant un juge.

Déconcerté et la tête basse, je retourne à la chambre de Bérengère. Silencieux à mes côtés, Frédéric passe la main sur mon épaule pour me manifester sa compréhension et partager mon émotion. Déjà, Bérengère montre un peu plus d'intérêt et de vivacité. Elle semble redevenue lucide et consciente du moment présent. Évidemment, je ne peux retenir mes questions concernant le geste dégueulasse de son fils.

— Il m'a menacée. Je me sentais tellement énervée que j'ai accepté de signer n'importe quoi. Maintenant, je n'ai plus rien. Plus rien.

— C'est du vol, ça, Bérengère. Il faut contester avec l'aide d'un avocat. Comprenez-vous bien, grand-maman ? Je vais vous aider.

— Je n'en ai plus envie. Ne t'en fais pas pour moi, Vincent. Je n'ai plus le courage de rien, même en sachant qu'aucun autre endroit au monde ne peut s'avérer pire qu'ici. Ici, on est carrément laissé à soi-même, si tu voyais ça ! Malgré qu'il s'agisse d'une résidence privée, on ne me lave pas assez souvent, la nourriture est immangeable et on organise rarement des animations. Pire, une femme de la chambre voisine s'est brûlée dans son bain, une autre tombe continuellement et on ne la surveille même pas. Je voudrais mourir, Vincent. Pourquoi le bon Dieu ne vient-il pas me chercher ? Je ne cesse de l'appeler, pourtant. Je ne veux plus manger, je ne veux plus de médicaments, je veux seulement mourir. Seulement mourir…

Soudain, les écluses s'ouvrent et les sanglots commencent à secouer de plus en plus la pauvre vieille. Voir quelqu'un appeler la mort à ce point et avec raison, quand on n'a pas encore vingt ans, ébranle un homme. Je me mets à larmoyer avec elle.

— Non, non, grand-maman, je ne veux pas vous perdre, moi ! Il faut continuer à vivre, voyons !

Comment lui affirmer que la vie est belle et en vaut la peine ? Avant même que je fasse un mouvement, Frédéric s'approche d'elle et passe affectueusement son bras autour de ses épaules.

— Eh ! grand-maman, il faut chasser au plus vite ces idées noires, pour l'amour du ciel ! Vous avez maintenant deux petits-fils adoptifs. Trop pris par vos problèmes, Vincent n'a même pas eu le temps de me présenter. Alors, me voici : Frédéric Deschamps, son... son copain. Je vous trouve adorable et j'aurais bien envie de vous adopter, moi aussi. Vous n'allez tout de même pas nous abandonner comme ça, tous les deux. Vos deux petits-fils !

Étonnée par ces paroles, Bérengère semble retrouver son sang-froid et surtout son bon sens. Après s'être mouchée bruyamment, elle s'exclame d'une voix éraillée :

— Vous avez raison, mon beau Frédéric. J'accepte de vous adopter, vous aussi. Sais-tu, Vincent, que tu l'as choisi pas mal mignon, ton *chum* ?

— Comment avez-vous deviné qu'il est mon *chum* ?

— Écoute-moi bien, jeune homme : j'ai beau être vieille, sénile, débile, démente, tout ce que tu voudras, je suis encore capable de voir clair. Tu es homosexuel, mon cher Vincent, je le sais depuis le premier jour où tu es venu au CHSLD, même si nous n'en avons jamais parlé. Un jour, je t'ai confié mon grand secret au sujet de mon fils dans l'espoir que tu m'avouerais le tien, mais tu ne l'as pas fait et j'ai respecté cela. Mais ça m'a franchement un peu déçue.

— Oh ! grand-maman... vous êtes... tu es... euh... une vraie grand-mère !

— Oui, mon cher, et maintenant, j'ai deux petits-fils. Allez, je ne pleure plus. Vous pouvez repartir tranquilles, je vais me ressaisir. La vie peut être encore belle, vous venez de me le prouver.

— Au revoir, grand-maman ! On va revenir bientôt, c'est promis. Et tu ne refuses plus tes médicaments, hein ?

Une fois dans la voiture, Frédéric pose sa main sur moi.

— Sais-tu pourquoi je t'aime, Vincent ? Pour ton grand cœur.

— Et toi, sais-tu pourquoi je t'aime, Frédéric ? Pour ton grand cœur. Dis donc, l'as-tu vraiment trouvée adorable, comme tu l'as prétendu tantôt ?

Il me répond aussitôt, en me faisant un clin d'œil taquin :

— Ben voyons, j'ai failli la croquer, ha ! ha !

Nous voilà tous les deux tordus de rire, incroyablement heureux de partager nos idées et nos élans et de nous trouver sur la même longueur d'onde.

Ce soir-là, comme ils le font de plus en plus souvent, les deux petits-fils adoptifs de madame Bérengère dorment dans les bras l'un de l'autre.

Et tant pis pour la grosse journée du lendemain !

Au mois d'août, pendant une promenade exceptionnelle dans le village gai lors d'une insupportable canicule, Frédéric prend l'initiative de me parler de la parade de la fierté gaie, prévu pour le dimanche suivant.

— Si tu y tiens absolument, Vincent, on peut y aller, quoique…

— Pas du tout ! Je ne sens aucunement le besoin de m'afficher de la sorte, moi ! Ce défilé semble présenter un manque flagrant de substance et de sérieux, d'après ce qu'on en voit dans les médias, tu ne penses pas ?

— Tu as parfaitement raison, mon amour. Moi non plus, je ne ressens aucun intérêt pour ce genre d'activité. Je t'en parlais juste au cas… Tu m'as raconté à quel point, adolescent, tu as éprouvé de la difficulté à accepter ta vraie nature. Je me demandais si de voir d'autres gais afficher haut et fort la leur pourrait te réconforter.

— J'ai très peu d'affinités avec ce monde-là. Ma crise d'identité est maintenant irrévocablement réglée, mon beau Frédéric. Je me sens normal, je suis normal, je veux me sentir normal. Plus on me considère comme quelqu'un d'ordinaire, plus ça fait mon affaire. Toutes ces extravagances, ces costumes colorés, ces paillettes, ces tape-à-l'œil, ces danses suggestives au milieu de la rue nous présentent comme de véritables exhibitionnistes obsédés sexuellement. Jamais je ne paraderai pour cette fierté-là. Telle n'est pas la mienne, je ne me reconnais pas là-dedans, moi.

— Il faut croire que ça compte pour certains… Ces gens-là ont aussi le droit de se sentir normaux dans leur différence. Il est tout de même dommage que les médias ne montrent que les chars les plus colorés. Beaucoup d'organismes sérieux participent aussi à cette manifestation de la fierté gaie.

— Mais j'y pense, Frédéric… Toi, tu ne m'as jamais raconté comment ça s'est passé pendant ton adolescence.

— Moi ? Bof… J'étais en sixième année, et on me traitait déjà de tapette alors que je ne connaissais même pas encore mon orientation sexuelle. On m'appelait Frédérica, imagine-toi ! Au début, je répliquais pour me défendre, mais quand j'ai réalisé que ça ne faisait qu'envenimer la situation, j'ai pris le parti de me taire.

— Et plus tard ?

— Naturellement, les choses ne se sont pas améliorées au secondaire, et aucun professeur n'a jamais osé intervenir. Moi aussi, au début, je voulais nier mon orientation, comme tu l'as fait. Mais à seize ans, j'ai eu ma première relation sexuelle avec un gars bien plus vieux que moi. Là, j'ai vraiment dû admettre que j'étais gai. Cet homme de quarante ans, un prof, soit dit en passant, représentait le salut pour moi. Je le voyais comme un dieu, comme une fin en soi. Je ne réalisais aucunement que le salaud profitait simplement de ma jeunesse et de ma naïveté. Quand il m'a carrément laissé tomber pour un autre jeune, j'ai vécu ma première peine d'amour.

— Et tes parents?

— Ils se doutaient bien de mon orientation sexuelle, mais je ne leur ai jamais parlé de mes aventures avec ce prof. Ma mère est sergent-détective et je n'aurais voulu pour rien au monde voir cette histoire s'ébruiter. Je me sentais coupable, tu comprends?

— Oh! que si! Je te comprends!

— Par contre, mes parents se sont véritablement rendu compte de mon désarroi à ce moment-là. Ils étaient et sont toujours des gens fort occupés, et ma mère, éprouvant quelques problèmes graves avec ma sœur Marie-Hélène à l'adolescence, n'en a eu que pour elle durant une longue période de temps. Moi, j'étais le petit garçon sage et, plus tard, le grand ado sage. Trop sage. À vrai dire, tant et aussi longtemps que nous ne faisions pas de bruit ou de grabuge, mon frère et moi n'obtenions que le minimum d'attention.

— Tiens, tiens, ça me fait penser à quelqu'un que je connais!

— J'ai tout de même eu une véritable conversation avec mes parents, au cours de cette période, et je leur ai fait part de ma vraie nature. À mon grand étonnement, ils ont bien pris la chose. Ils m'ont respecté et même aidé à m'assumer, à cultiver l'estime de moi-même et à cesser d'avoir honte. Vu mon intérêt pour les sciences, ils m'ont poussé vers l'École Polytechnique et encouragé dans cette direction. Tu vois ce que ça a donné!

— Dis donc, mon amour, tu connais maintenant toute ma famille. Quand est-ce que je rencontre la tienne ?

— J'y pensais justement. J'ai même parlé de toi à ma mère, et elle a bien hâte de faire ta connaissance. Ce sera à ton tour de collectionner les conquêtes !

CHAPITRE 21

À la fin de l'été le plus heureux de mon existence, la vie retrouve son cours normal. Grâce à sa bourse d'études, Frédéric reprend ses travaux de recherches et son mémoire de maîtrise tout en conservant son emploi auprès de la firme de consultants. Moi, je retourne allègrement à mon travail de préposé pendant les fins de semaine et au cégep pour une troisième session à temps plein.

Vers la fin de septembre, alors que je prends mon petit-déjeuner dans un café du quartier, un titre dans le journal du jour attire mon attention : *Fermeture de la Résidence Bon Repos.* Je m'empresse de parcourir l'article en retenant mon souffle.

> *La semaine dernière, des pensionnaires de cet établissement privé pour personnes âgées ont été trouvés affamés et malpropres. Certains souffraient d'infections chroniques non soignées. D'autres n'avaient pas pris leurs médicaments depuis des semaines. Le courrier et les chèques de pension de plusieurs résidents ont été trouvés dans les tiroirs de l'administration sans jamais avoir été remis à leurs destinataires.*

Les autorités du CSSS[13] *ont décidé d'évacuer les lieux d'urgence et de déménager les patients ailleurs.*

Et Bérengère, alors ? Déménagée, la chère grand-mère ? Mais où ? Mon nom et mes coordonnées ne figurant pas dans son dossier, comment la retrouver ? Pour une fois, la première depuis le début de mes études au cégep, je sèche une séance de laboratoire pour partir à la recherche de ma petite Bérengère. Vite, la rejoindre pour la réconforter et la soutenir. Hum ! Pas facile quand la personne à l'autre bout du fil vous demande votre lien de parenté. Vous êtes un ami ? Un étranger ? Son petit-fils adoptif ? Et votre nom n'est pas inscrit au dossier ? Allons donc ! Désolée, pas question de vous donner des informations. Et vlan !

Quelque peu découragé, je me rends directement au CSSS pour en parler à une travailleuse sociale et lui révéler la vérité. Je me présente à elle comme un étudiant en technique de soins infirmiers ayant connu cette femme lors de mon premier stage dans un CHSLD. Madame Geneviève Martin me reçoit gentiment et semble comprendre mon problème lorsque je lui explique comment Bérengère est devenue ma grand-mère adoptive. En deux coups de téléphone, elle réussit à obtenir son adresse : Pavillon des Ailes Dorées, rue des Magnolias.

— Vous n'avez qu'à vous y rendre, je leur ai donné votre nom. S'ils ont besoin d'une référence, ils n'ont qu'à me rappeler. Dites donc, à quel hôpital de la ville étudiez-vous ?

— Je suis présentement des cours au cégep Jacques-Cartier, en préparation d'un troisième stage dans un centre de psychiatrie à la fin de cet automne. Et durant les week-ends, je continue de travailler comme préposé aux bénéficiaires à l'Hôpital général Saint-Louis.

---

13. Centre de santé et de services sociaux.

— À l'hôpital en face du parc ? Mon mari y occupe la fonction de pharmacien. Tu parles d'une coïncidence !

— De pharmacien ? Je connais un Jean-Patrick Lapierre. Est-ce lui ?

— Oui, oui, c'est lui !

— Je vais souvent placoter avec lui. Très gentil, votre mari. Comme sa femme, d'ailleurs. Le monde est petit ! Je vous remercie, madame, j'apprécie beaucoup votre compréhension et votre aide.

Quelques minutes plus tard, je me présente au Pavillon des Ailes Dorées, où on me conduit sans faire d'histoires à la chambre de madame Bérengère. Une chambre pour deux dans laquelle les occupantes dorment à poings fermés. Je n'ose les déranger et réveiller ma grand-mère. Elle semble en bonne condition et, au moins, elle ne se trouve plus seule. L'espace d'un instant, je regrette son refus formel de prendre un avocat dans l'espoir d'obliger son fils à lui payer une résidence privée plus agréable. Je sors sur la pointe des pieds en me promettant de lui téléphoner dès mon retour chez moi, ce soir.

J'arrive au cégep à la fin du cours pratique, juste à temps pour voir Marc-Olivier imiter un patient souffrant de maladie mentale en train de vivre une crise hallucinatoire. Évidemment, cela déclenche un rire communicatif parmi les élèves de la classe. Le professeur a beau nous rappeler à l'ordre, mon copain persiste à marcher, l'air hagard et les mains tendues en avant, comme un somnambule, en s'écriant d'une voix traînante et monocorde :

— Je le vois, il arrive vers moi. Ah ! qu'il est mignon ! Ah ! qu'il est merveilleux ! Viens, mon beau fantôme, viens, mon doux amour, viens, je vais t'aimer jusqu'à la fin du monde.

Bien sûr, Marc-André ne résiste pas à l'envie de jouer le rôle du fantôme en levant les bras très haut d'un air menaçant. Il s'approche alors du soi-disant malade avec le même regard égaré, pour finalement l'enlacer et l'embrasser dans le cou. L'audace des deux Marc de s'afficher de la sorte devant leurs compagnes de classe me laisse pantois. Genre de parade de leur fierté gaie, il faut croire ! Mais leur culot de se moquer d'un malheureux schizophrène me remue davantage. Je ne doute pas que cela leur vaudra un long sermon du professeur Francis, à la fin du cours.

La scène de leur chaude étreinte se termine finalement sous les applaudissements des élèves qui, sans doute, ressentent comme moi le besoin de démystifier la maladie mentale, inquiétante et déroutante. À bien y penser, je préfère les autres catégories de malades, quoique de nombreux aînés ne donnent pas leur place dans l'art de perdre la boule.

L'Institut psychiatrique pour adultes ainsi que le Centre de pédopsychiatrie se trouvant en banlieue, je verrai mon amoureux moins souvent durant mes jours de formation à cause des longues heures de transport. Même la dernière partie du cours sur les maladies mentales devra se dérouler dans un CHSLD éloigné, auprès de personnes âgées atteintes d'Alzheimer.

En ce premier matin de stage, dans une petite salle du cégep, les « six meilleurs étudiants » n'en mènent pas très large avant leur départ pour les établissements où ils devront se rendre, convaincus que certains recoins doivent ressembler à l'antre du diable. Tous ces humains déconnectés et souffrant d'un handicap mental nous donnent le frisson, et l'évocation de leurs cris étranges émanant des salles d'isolement le long des corridors n'est pas pour nous rassurer. Mais comme toujours, Francis s'empresse de nous réconforter.

— On tente, dans ces lieux, de contrôler médicalement tous les patients, vous n'avez donc rien à craindre. Il existe d'ailleurs des boutons d'urgence un peu partout en cas de crise aiguë, ne vous en faites pas. Vous aurez à administrer les médicaments, pratiquer une étroite surveillance afin de prévenir les accidents, prodiguer des soins d'hygiène, conduire les patients à leur thérapie, sans oublier de rédiger minutieusement toutes vos observations. Surtout, et j'insiste là-dessus, vous devrez prôner le respect. Le véritable respect, mes amis… Ces malades sont des êtres humains. Certains vivent des épisodes psychotiques ou de dépression profonde, quelques-uns sont venus au monde avec un trouble mental, d'autres sont momentanément suicidaires. La plupart ont perdu la notion des choses, se sentent égarés et n'ont plus le contrôle sur eux-mêmes, ou ne l'ont jamais eu. Quelques-uns sont attachés, reclus, barricadés dans des chambres d'isolement et ne peuvent vivre dans la société. Tous souffrent, sans exception. N'oubliez jamais cela et, de grâce, respectez cette souffrance. Aidez-les au meilleur de vos connaissances, compris ?

On me confie d'abord, au Centre de pédopsychiatrie, une fillette maintenue sous contention dans un fauteuil roulant relégué au fond d'une salle. La lecture de son dossier m'impressionne.

Marie-Soleil Beauchemin a douze ans. À quinze mois, quelqu'un d'enragé l'a secouée à bout de bras, mais on n'a jamais pu trouver le ou la coupable. Cette agression a provoqué des détériorations irréversibles dans plusieurs parties de son cerveau. Malgré les efforts des spécialistes à l'époque du drame, elle n'a évolué d'aucune manière, à part grandir modérément sur le plan physique, en dépit de la paralysie générale qui l'atteint d'un côté et de la cécité affectant son œil gauche. Quant à son degré de communication avec le monde extérieur, il est demeuré au niveau de celui d'un bébé.

De plus, les lésions de son cerveau toujours enflé exsudent continuellement un fluide qu'une sonde déverse automatiquement dans son estomac. Elle doit par conséquent subir annuellement une opération chirurgicale pour changer cette sonde. Elle peut à peine marcher, manquant d'équilibre, et on doit la soutenir dans ses déplacements. Incapable de s'alimenter seule, elle porte une couche pour ses besoins naturels. Quant à la conversation, il n'en est pas question. Elle ne sait faire autre chose que d'émettre des sons bizarres ressemblant à des gazouillis, de frapper des mains et d'enrouler autour de ses doigts un collier-jouet qu'elle tourne et retourne durant des heures en le regardant fixement de son seul œil, fascinée par le mouvement. Elle est momentanément hospitalisée ici pour l'expérimentation d'une nouvelle médication dans l'espoir d'améliorer sa condition. Un miracle, qui sait? Certains l'appellent «l'enfant-légume», mais Francis ne manque pas de me signifier de ne jamais user de ce terme péjoratif.

Marie-Soleil est belle, belle à faire rêver avec ses longs cheveux blonds ondulés, son teint de lait, ses grands yeux bleus et ronds comme des perles, tellement innocents. Je vais prendre soin de toi, ma pauvre petite, et essayer de te rendre la vie douce au cours de mon séjour ici, ne t'en fais pas.

Au milieu de la semaine, à la fin d'un après-midi, je vois le père de Marie-Soleil se pointer d'un pas alerte. Charles Beauchemin, selon les notes au dossier, vient la visiter tous les quatre ou cinq jours. Je l'aperçois au loin, grand et mince, avec ses tempes grises et ses petites lunettes métalliques. À peine me salue-t-il d'un signe de tête distrait, après avoir déposé sur la table un sac de chocolats aux noisettes et un autre rempli de raisins verts, que déjà il s'empare de sa fille en la serrant très fort dans ses bras. L'enfant lance des cris stridents que j'interprète comme des cris de joie. Puis, il la soulève et commence à tourner sur place avec elle, joue contre joue, en turlutant un air de valse. Là, j'assiste à la scène la plus incroyable et la plus émouvante du monde. Une scène qui me laisse bouche bée. La fillette se met à rire aux éclats et le père, tout autant. Ébahi, je les regarde tourner tous les deux, emportés dans une ronde sans fin autour de la salle. Une ronde de rires et de bonheur. De leur bonheur à eux seuls. Un bonheur que je n'aurais jamais cru possible si je ne l'avais constaté de mes propres yeux.

Je n'oublierai jamais ce moment, et si un jour j'arrête de croire au bonheur, je me rappellerai qu'il peut toujours exister, même sous la forme la plus étrange et dans la plus pathétique des situations. Follement, stupidement, je souhaite que Marie-Soleil cesse de grandir afin que son père reste capable de la soulever et de la faire valser dans ses bras, tant et aussi longtemps qu'elle vivra. Ou qu'ils vivront…

À l'Institut psychiatrique pour adultes, Denis, un homme d'une trentaine d'années atteint de schizophrénie mais libre de circuler dans son secteur, m'inquiète un peu plus. Longtemps, il a été en mesure de conserver une certaine autonomie avec l'aide d'une travailleuse sociale et d'une médication rigoureuse. Mais à la longue, le mal a empiré et ses crises se sont multipliées. De plus en plus coupé de la réalité, il oubliait de prendre ses médicaments et devenait dangereux avec son idée fixe de se sentir continuellement menacé. Sans s'en rendre compte, il s'est mis à agresser les gens de son entourage en s'imaginant qu'ils allaient l'attaquer.

Il y a une dizaine d'années, convaincu d'être observé par quelqu'un à travers une fibre optique imaginaire fixée dans le trou du plafonnier de son appartement, il a commencé à défoncer le plafond à grands coups de pelle, puis de hache. Quand les policiers, appelés à la rescousse par le propriétaire, sont arrivés sur les lieux, il a lancé sa hache sur l'un d'eux, ne réussissant pas, heureusement, à l'atteindre. On l'a évidemment immobilisé et mis en état d'arrestation. Après de nombreuses analyses, Denis a été transféré ici, au centre, pour y subir des traitements radicaux. Je me demande comment se dessinera l'avenir de ce pauvre homme. Arriverai-je à l'aborder comme il faut et à lui inspirer confiance pour qu'il m'accepte comme son infirmier durant toute la semaine ? S'il fallait qu'il se sente menacé par moi…

Finalement, je me suis inquiété pour rien. Denis, évidemment sous l'effet de puissantes drogues, se montre docile et coopérant. Pour les repas, la douche, les besoins naturels, la prise de remèdes, même par injection, tout se passe relativement bien. Un jour, en mal de placotage, il me dit subrepticement :

— Tu sais, Vincent, moi, j'ai personne au monde. Je vis avec mon chèque d'aide sociale, c'est tout. La seule personne que je voyais avant de venir ici, c'était Geneviève Martin, ma travailleuse sociale, pis mon maudit propriétaire. Toi, t'as des enfants ?

— Moi ? Mais non, je suis trop jeune pour ça. Il me reste encore un an et demi d'études avant de gagner ma vie.

— Ben, si je peux te donner un conseil, mon p'tit gars, tâche d'avoir des enfants. Sans ça, tu manques le bateau royalement.

— Euh… vous avez peut-être raison, je vais retenir ça, mon cher Denis.

Des enfants, des enfants… il en a de bonnes, lui ! Les poules vont avoir des dents avant que Vincent de Bellefleur se fabrique des enfants ! Et heureusement que Denis n'en a pas non plus…

Ravi de m'en tirer aussi facilement auprès de cet homme fort attachant malgré sa maladie, je ne vois pas passer les jours. Grâce à la médication, Denis prend tranquillement du mieux et retrouve une meilleure conscience de la réalité en même temps qu'une certaine maîtrise de ses pulsions. Néanmoins, je prie tous les saints du ciel de me garder à jamais serein et lucide.

La dernière partie du stage s'effectue dans un CHSLD, auprès de personnes atteintes de démence, et s'avère tout compte fait plus difficile. Ces gens complètement coupés du monde, mais pas nécessairement tous très âgés, causent sur moi une vive impression. Celui-là ne se rappelle plus son nom ni ne reconnaît ses visiteurs, celle-là réclame son dîner quand je viens tout juste de la faire manger, cet autre veut aller voir sa femme malade à l'étage supérieur, mais il se trompe continuellement d'étage ou de chambre. Il y a aussi cette vieille fille qui se met entièrement nue à tout instant dans la salle commune, alors que d'autres s'y disputent et se tiraillent à cœur de jour parce qu'ils se détestent et ne peuvent se supporter mutuellement. Il ne faut pas oublier non plus le vieux physicien se rasant pendant des heures avec une pièce de bois qu'il prend pour son rasoir électrique, et cette ancienne infirmière qui fait ses besoins dans le lavabo à côté de sa chaise d'aisance… Et tant et tant d'autres !

Mais la vie est là, soumise à la mémoire qui vacille, prisonnière d'un organe appelé *cerveau* qui refuse de plus en plus la confrontation avec la réalité. Mais elle reste là, la vie, elle reste vibrante au toucher et au langage du corps, réceptive à la musique, sensible à la tendresse qui sait se passer de mots, de raisonnement et de logique. Et j'ai compris cela. Et j'ai répandu des câlins et des gestes de douceur. Et j'ai multiplié les mots doux, les chansons même ! Et j'ai allumé des sourires tout en prodiguant des soins infirmiers, veillant à l'hygiène, au bien-être, à la médication. Et je n'ai pas manqué d'inscrire quotidiennement et avec minutie mes notes aux dossiers.

Il reste que, en dépit de mon jeune âge, chaque rencontre avec un de ces patients égarés mentalement me renvoie à mes propres limites, mes peurs, mes angoisses, mon humanité. Maman, papa, je ne veux pas que ça vous arrive, non, non ! Moi, si jamais je souffre d'Alzheimer, ce sera dans longtemps. Très longtemps. Infiniment longtemps. Tellement longtemps qu'on aura alors découvert un médicament, un traitement, j'en suis certain. Mais vous deux, mes parents… Oh ! non, non, s'il vous plaît !

Chaque soir, quelque peu déstabilisé au moment de rentrer à la maison, j'attends avec impatience l'appel de mon amoureux. Vite, Frédéric, viens-t'en ! Prends-moi, aime-moi, fais-moi oublier ! Et, très souvent, Frédéric vient, et il m'aime, et il me change les idées. Nous allons à la patinoire ou nous marchons dans la nuit avant de nous retrouver l'un contre l'autre sous les draps. Ou encore, nous jouons de la musique.

Jamais je n'aurais imaginé partager un tel plaisir devant mon piano avec mon amoureux. Il va sans dire qu'il a dû forcément rafraîchir ses connaissances musicales avec mon aide, sur le clavier usagé qu'il s'est récemment procuré à rabais. Mais l'intérêt et la bonne volonté sont là, et il semble s'amuser autant que moi à jouer ensemble, l'un à côté de l'autre. Ce duo facile de Diabelli que nous avons entrepris d'apprendre, nous allons en venir à bout. Quand il sera présentable, nous le jouerons en surprise à sa mère.

L'autre dimanche, il m'a enfin présenté les siens lors d'un souper de famille. Sa mère, Isabelle Guay-Deschamps, sergent-détective et femme de tête de toute évidence, a l'air de savoir où elle s'en va tout en demeurant fort sympathique. Devant moi, elle s'est montrée très fière de son grand fils Frédéric, travaillant avec acharnement au mémoire de maîtrise qu'il présentera à l'École Polytechnique. Son homosexualité ne semble nullement déranger ses parents.

Son jeune frère Matthieu, lui, avance brillamment vers la fin de son secondaire. Grand mordu d'escrime, il occupe depuis quelques années la position de champion de la province dans sa catégorie d'âge. En apprenant cela, je n'ai pu retenir un cri d'admiration.

— Wow ! Je te félicite. Je n'avais jamais vu de près quelqu'un capable de manier une épée. Tu m'impressionnes !

— Moi, je n'avais jamais vu de près quelqu'un capable de manier une seringue. Tu m'impressionnes !

Naturellement, tout le monde s'est esclaffé, le père, Robert Deschamps, un peu plus fort que les autres. Sans s'en rendre compte, l'homme d'affaires m'en a mis plein la vue, occupé plus que sa femme autour des casseroles. Dire que je n'ai jamais vu mon paternel s'intéresser le moindrement à la cuisine ! De là vient sans doute l'intérêt de Frédéric pour les petits plats savamment cuisinés.

Quant à Marie-Hélène, l'aînée de la famille, je l'ai trouvée adorable avec sa figure épanouie et son ventre gonflé sur lequel elle portait sans cesse la main. Dans un peu plus de trois mois, si tout se passe bien, elle mettra au monde une fille. Épouse d'un informaticien qui semble l'adorer et travailleuse sociale à l'Institut pédiatrique, elle m'est apparue comme une jeune femme heureuse et équilibrée, ayant facilement surmonté ses problèmes d'adolescence dont Frédéric m'a fait mention, l'autre jour.

— Tu travailles à l'Institut pédiatrique ?

— Oui, c'est moi qui appelle ma mère à la rescousse quand je soupçonne la présence d'un enfant hospitalisé chez nous pour maltraitance.

— Ta mère à la rescousse ? Comment cela ?

— Maman occupe toujours la fonction de sergent-détective à la police municipale, responsable des enquêtes sur la jeunesse.

— Ah, je vois ! Dernièrement, j'y ai fait un court stage en pédopsychiatrie et j'y retournerai, cette fois en médecine, au printemps prochain.

— Ah oui ? Dommage, je serai en congé de maternité, à ce moment-là.

À l'heure du digestif, nous sommes passés au salon, et je n'ai pu me retenir d'enfoncer deux ou trois notes sur le vieux piano tassé dans un coin, question d'en explorer la sonorité. J'adore le son des vieux pianos. Frédéric a saisi la perche.

— Saviez-vous, papa et maman, que Vincent joue merveilleusement bien du piano ?

Je n'ai pu y échapper. On a aussitôt réclamé de m'entendre « jouer un petit quelque chose », en insistant gentiment. J'en ai un peu voulu à Frédéric et je me suis installé, non sans une certaine appréhension, devant le clavier. Après tout, je joue en amateur et ne m'exerce plus très souvent à cause de mes études. Tant pis ! Ils devront se contenter de l'*Adagio cantabile* de Beethoven, le seul morceau classique que je connais de mémoire et encore, peut-être pas au complet.

J'ignore si c'est par politesse et indulgence ou bien s'ils ne connaissent rien à la musique, mais j'ai eu droit à de chauds applaudissements de la part de tous et à des cris d'admiration fort peu mérités, à mon avis, car je m'en suis tiré vraiment passablement. Pourtant, Frédéric ne se montrait pas peu fier de son amoureux. Au fond, je n'ai joué que pour lui plaire, l'a-t-il deviné ? Bien sûr, nous avions convenu de garder sous secret ses propres performances sur le clavier. « Quand je serai prêt, on jouera pour mes parents, mais je préférerais ne pas en parler tout de suite afin de leur ménager une véritable surprise », m'a-t-il répété cent fois avant notre arrivée chez ses parents. Notre duo est donc resté en réserve pour la prochaine rencontre.

Ce soir-là, lorsque nous sommes repartis, on m'a salué et embrassé chaleureusement.

— À la prochaine, Vincent ! Tu seras toujours le bienvenu.

— À la prochaine ! Ce fut un plaisir de vous connaître.

Je suis rentré chez moi avec l'impression d'avoir conquis une nouvelle famille. Ma future belle-famille, qui sait ? La tête enfoncée dans mon oreiller, je l'ai souhaité ardemment.

À partir de ce moment-là, notre idée de jouer des duos faciles et à la portée de Frédéric devant les siens a pris de l'ampleur. Quel ravissement de nous convertir en musiciens devant mon piano, une ou deux fois par semaine ! Nous nous retrouvons alors tous les deux seuls au monde dans notre petit univers, heureux comme des princes. Pendant des heures, assis côte à côte sur le même banc, je le vois pianoter, la langue entre les dents, les yeux plissés, tout concentré. Comme j'aime cet homme… Nous rions, nous discutons, nous mesurons le rythme à haute voix, nous nous applaudissons, nous nous exclamons devant nos réussites et nous recommençons les parties difficiles avec une patience infinie.

Cette nouvelle activité, coïncidant justement avec ce fameux stage débilitant en maladie mentale, me remonte le moral et me réconcilie avec la vie. J'en remercie mon Frédéric, toujours disponible, toujours là.

Certains soirs, pourtant, je trouve cela trop beau pour être vrai… et j'ai peur.

CHAPITRE 22

Les mois s'écoulent, un à un, marqués du sceau de l'amour, mais aussi du travail et de l'étude, autant pour Frédéric que pour moi. Si l'hiver nous conduit parfois sur les pentes enneigées, notre statut d'étudiants nous ramène encore plus souvent sous la lampe. Mon amoureux travaille allègrement à son mémoire, tandis que j'accumule les apprentissages en vue du stage printanier de cette deuxième année qui me conduira auprès des enfants malades, à l'Institut pédiatrique. Cours théoriques, exercices de laboratoire, examens, comptes rendus, ça n'en finit plus, sans parler de mes fins de semaine de travail, toujours à l'Hôpital général Saint-Louis comme préposé.

Seule ma grand-mère Bérengère étend une ombre sur le tableau du temps qui court, et cela me rend anxieux. À n'en pas douter, elle ne se plaît pas du tout au Pavillon des Ailes Dorées, dans une chambre pour deux personnes tellement étroite qu'elle peut à peine circuler autour de son lit sans se heurter contre le fauteuil roulant de sa voisine. Quant au cabinet de toilette, elle doit le partager avec les résidentes de la chambre voisine, dont certaines s'approprient l'endroit durant des heures.

J'ai beau lui ramener parfois son « Frédéric chéri », j'ai beau la questionner, essayer de trouver avec elle des bons côtés, rien n'y fait.

— Pourquoi ne pas devenir amie avec d'autres gens dans la salle communautaire, grand-maman ? Ça vous changerait les idées, et vous auriez quelqu'un à qui parler.

— Tu sais, mon garçon, la bonne société s'imagine à tort que, parce qu'on est tous vieux, on devient tous semblables et qu'on a envie de se lier d'amitié avec chacun. Des minables, des imbéciles, des bornés, ça existe ici comme ailleurs, tu sauras, et peu importe l'âge. C'est pas parce qu'elle a quatre-vingt-cinq ans comme moi que j'ai le goût de me faire amie avec une « deux de pique » incapable de raisonner ou avec l'autre folle, là-bas, qui n'arrête pas de se lamenter et de chialer pour tout et pour rien. Les négatifs ne deviennent pas plus positifs en vieillissant, bien au contraire. Et ceux qui ont toujours eu un « air de beu » l'ont encore, cré-moé ! Quant à entendre parler des bobos de tous et chacun, de leurs problèmes de famille et de leurs enfants qui ne viennent plus les visiter… ça m'intéresse pas ! Pas plus que de faire connaissance avec un petit vieux qui se prend pour le nombril du monde, comme il l'a fait toute sa vie. Na !

— C'est à ce point-là, Bérengère ?

— Oui, mon cher, surtout qu'ici les parfaitement lucides sont denrée rare. Archi-rare ! Ici, tu sauras, c'est le royaume de la démence et de la débilité…

— Vous avez raison, on ne réalise pas assez cela. Il existe tout de même des gens gentils et allumés, non ?

— Ils sont occasionnels, crois-moi !

Voilà sans doute pourquoi, dans la salle commune d'un centre d'hébergement pour personnes âgées, les résidents assis côte à côte ne se parlent guère. Du moins, je le suppose. Ils restent là, immobiles, muets et le regard vague, sans aucune communication les uns avec les autres. Ils me font penser à des statues figées en rangées le long des murs, chaque fois que je traverse un espace communautaire. Comme si elle devinait ma pensée, Bérengère s'empresse de renchérir :

— Tu sais, beaucoup de gens ordinaires, les jeunes surtout, croient que les vieillards n'ont rien d'intéressant à dire, alors ils cessent de communiquer avec eux. Des petits-fils adoptifs comme vous deux c'est exceptionnel, mon beau Vincent.

— Ouais, je m'en doute un peu.

— Tant pis pour nous, les vieux et les vieilles lucides ! On nous met dans la même catégorie que les autres. Hier soir, ma compagne de chambre, en pleine possession de ses moyens intellectuels, a reçu la visite de sa fille, de ses deux petits-fils dans la vingtaine et de leurs blondes, à l'occasion de son anniversaire. Ils ne viennent pas la voir souvent, à peine quelques fois par année. À leur arrivée, ils l'ont embrassée avec effusion, puis ils ont bêtement déposé un bouquet de fleurs sur le rebord de la fenêtre sans même se préoccuper de le mettre dans l'eau. Ce fut tout. Dix minutes plus tard, ils se parlaient entre eux de choses qui ne la concernaient pas, sans s'occuper d'elle. Ils ont même sorti de leurs poches leurs petites bébelles électroniques pour vérifier l'heure d'ouverture du guichet d'une salle de spectacle où se produit une chanteuse américaine que ma voisine ne connaît absolument pas. Puis, le sujet est tombé sur leur fin de semaine à venir. Quand ils sont repartis, ils ont négligé de replacer son téléphone et sa marchette près d'elle, de même que ses pantoufles repoussées par mégarde loin sous le lit. Et bye bye, grand-maman ! Oublie pas qu'on t'aime ben gros !

— Je n'en reviens pas.

— Le pire, ce sont les repas à la cafétéria. La femme dont la place assignée se trouve en face de moi bave en mangeant, imagine-toi donc ! Elle mâchouille ses aliments la bouche ouverte et ça lui coule sur le menton. C'est dégueulasse et ça me donne la nausée. Si tu penses que je vais devenir amie avec ça!

— Il doit quand même y avoir des éléments positifs, non?

— Ouais... J'aime bien les ateliers de bricolage, la lecture de bons romans par la récréologue, les lundis et jeudis matin, les auditions de musique aussi, de temps en temps. Mais ne viens pas me parler de jouer au bingo deux fois par semaine, beurk! Ça ne me disait rien dans mon jeune temps, pourquoi me faudrait-il aimer ça, maintenant?

À force d'entendre ses récriminations, on a fini par changer Bérengère d'unité, mais l'initiative ne s'est pas avérée heureuse. Sa nouvelle compagne de chambre ne se levait pas et utilisait une bassine que le personnel débordé mettait un temps infini à nettoyer, laissant ainsi la puanteur se répandre et imprégner la pièce durant des heures. Je peux facilement imaginer les saintes colères de ma grand-mère, connaissant sa capacité de devenir parfois hystérique. À la longue, la fameuse voisine est tombée malade. Faute de lui trouver une place à l'hôpital, on l'a gardée dans la même chambre. Elle s'est alors mise à râler de douleur, jour et nuit, empêchant sa compagne de dormir. Elle a agonisé durant des semaines pour finalement rendre l'âme sous les yeux de Bérengère. On n'a retiré le cadavre qu'après un certain laps de temps, selon ses dires.

La patiente suivante, souffrant de surdité sévère, mettait son téléviseur à tue-tête et imposait ses choix d'émissions à Bérengère. Tant que ma grand-mère a pu quitter la chambre pour se rendre à la cafétéria ou à la salle communautaire, ça allait. Mais une épidémie de gastroentérite dans le centre a mis tout le monde en quarantaine, avec interdiction formelle de sortir des chambres et annulation des visites de l'extérieur. Pour les visites, cela n'a à peu près rien changé pour Bérengère, Frédéric et moi étant les seuls à venir et à de plus en plus rares occasions, faute de temps. Cependant, après deux semaines, le confinement dans les chambres a pratiquement rendu ma grand-mère folle.

La rage lui a fait perdre la tête, à ce qu'on m'a raconté, et on a dû l'isoler et la calmer à l'aide de sédatifs très puissants. Maintenant, je ne la reconnais plus. Elle ne prononce plus un mot et a recommencé à refuser de se nourrir et à cracher ses médicaments. J'ai beau lui téléphoner plus souvent, j'ai beau la supplier, lui parler de ses deux petits-fils adoptifs, rien n'y fait. Bérengère veut mourir et elle se laisse mourir. Et moi, je prie mon autre grand-mère, Thérèse, celle de là-haut, de venir la chercher et de l'emmener dans cette fameuse terre promise idyllique, ce saint lieu où, semble-t-il, l'âge n'existe plus.

Quoi de plus réconfortant pour contrer les effluves nostalgiques générés par la vieillesse que de palper concrètement de jeunes vies saines et normales, remplies de promesses ? Le parrain que je suis ne cesse de se pâmer d'admiration devant les exploits de Julien, fils de mon frère, dont on célébrera bientôt la première année d'existence. De l'entendre rire aux éclats et marmonner maladroitement quelques mots, de le voir gambader sur ses petites jambes, mains tendues vers tout objet à sa portée, de le regarder prodiguer des sourires aux siens et se montrer méfiant à l'égard d'un nouvel arrivant ne cessent de m'étonner et de m'enchanter. Rien n'est plus beau au monde qu'un enfant. Et un enfant en santé. À mes yeux, mon filleul symbolise l'avenir, l'espoir, la vie, la joie de vivre. Les soirs où je ne vois pas Frédéric, je suis porté à « m'inviter » à souper chez mon frère Alexandre, attiré par le bambin qui semble adorer son parrain. J'y rencontre souvent Guillaume, parfois mes parents.

Frédéric, quant à lui, adore tout autant sa nouvelle nièce, le bébé de sa sœur Marie-Hélène, encore trop jeune pour reconnaître son oncle. L'autre jour, lors d'un souper familial chez les Deschamps, la petite hurlait à fendre l'âme et se montrait inconsolable même si sa mère, désespérée, s'acharnait à lui présenter le sein. Avant que tout le monde ne pogne les nerfs, l'idée m'est venue de profiter de ce moment pour créer une belle diversion. Un léger coup de coude dans les côtes de mon amoureux a suffi pour confirmer que l'heure était venue de révéler notre fameuse surprise.

— Madame Deschamps, saviez-vous que Frédéric a repris ses exercices de piano et joue presque tous les jours depuis un bon bout de temps ?

— Quoi ? Tu veux rire de moi ! Frédéric a recommencé à jouer du piano ? Allons donc, il n'y avait pas moyen de le faire pratiquer durant son enfance, je ne vois pas pourquoi ça l'intéresserait maintenant. Et puis, qui lui donne des leçons et où répète-t-il ?

— Vous vous trompez royalement, madame. Écoutez bien cela.

J'ai alors tiré le banc du piano et invité Frédéric à s'asseoir à mes côtés. Il paraissait blême, et ses mains tremblaient sur le clavier. Je l'ai effleuré d'un geste furtif en tentant de le rassurer. Nous étions prêts tous les deux, il le savait. À notre dernière répétition, notre petite pièce apprise de mémoire semblait parfaitement au point et méritait d'être présentée à nos parents respectifs.

— Allez, mon amour, tu es capable. Ensemble, toi et moi, on réussit toujours nos entreprises, tu le sais bien. Oublie tout le reste de l'univers et laisse-toi emporter par la musique. Concentre-toi uniquement sur elle et ça va bien aller. Prêt ? On part ! Un et, deux et, trois et…

Frédéric a quand même cafouillé un peu au départ, démarrant sur une fausse note et oubliant le tempo. Mais, après avoir poussé un bruyant soupir, il s'est finalement ressaisi, et nous avons exécuté une interprétation assez satisfaisante d'un mouvement *moderato* de l'*Opus 149* de Diabelli.

Surpris et rayonnants, Isabelle et Robert Deschamps ont bondi sur leurs pieds et ont sauté au cou de leur fils en lançant des cris de joie. Frédéric ne pouvait leur offrir un plus beau cadeau, je pense.

À mon grand étonnement, mon amoureux m'a pris par les épaules et s'est serré contre moi, comme s'il voulait nous fondre tous les deux en un seul être et, par le fait même, concrétiser officiellement notre union devant tout le monde. Puis, il s'est écrié :

— C'est à lui, mon professeur, que vous devriez dire merci. Vincent a ramené la musique dans mon existence, et encore bien davantage…

Tous m'ont alors félicité, madame Deschamps m'a embrassé en essuyant une larme et son mari ne tarissait pas d'éloges. Une fois de plus, je me suis senti sincèrement accepté dans leur famille, tel que je suis, avec ma personnalité, mes goûts, mes qualités, mes défauts et surtout avec mon immense amour pour leur fils.

Personne ne s'est rendu compte que le bébé de Marie-Hélène a immédiatement cessé ses pleurs dès la première note de musique. C'est le père qui s'est levé et, posant la main sur mon épaule, s'est exclamé :

— Dis donc, tu ferais un bon papa, toi !

CHAPITRE 23

Si le stage parmi les aînés psychiatrisés s'est avéré moralement pénible, celui effectué ce printemps à l'Institut pédiatrique a fait résonner en moi un autre son de cloche. Bien sûr, rouge jusqu'aux oreilles, j'ai dû enseigner aux nouvelles mamans comment offrir des soins à un nouveau-né, comment le manipuler, le laver, l'envelopper, et surtout il m'a fallu les instruire sur l'art de l'allaitement maternel. Ouf! Dans la section périnatale, il s'agissait de soigner les prématurés et de se mesurer aux effroyables malformations congénitales affectant certains nouveau-nés. Du côté de la pédiatrie, on n'a pas eu le choix de lutter contre des maladies incurables et des cancers, toujours horribles, qui regroupent, au centre d'oncologie, de jeunes enfants chauves injustement condamnés ou sur le bord du précipice. Mais, grâce à la chirurgie et aux nouveaux traitements constamment améliorés, un espoir de guérison existe pour des cas de plus en plus nombreux et pour la plupart des autres maladies banales de l'enfance.

Contrairement au vieillissement, pour lequel l'usure s'avère irréversible, chez les enfants, l'ennemi se montre de front, concret mais facilement diagnostiqué et, en général, attaquable. Si, dans les CHSLD, la mort finit indéniablement par gagner la bataille, dans un hôpital pour enfants, c'est la vie elle-même qui se bat, se défend et s'acharne, appuyée par la haute technologie et les connaissances scientifiques. À l'Institut pédiatrique, on ne se contente pas de repousser simplement la mort en rendant acceptable le temps de l'attendre, non ! Là, on lutte férocement pour assurer une victoire définitive à la vie. Une vie jeune et nouvelle, vibrante, fougueuse, qui ne demande qu'à jaillir, germer et grandir comme un arbre… Et, heureusement, on réussit souvent.

Sirotant notre café à la grande table de la salle à dîner de Frédéric, j'essaie de traduire à mon amant les sentiments et les réflexions qui ne manquent pas de me rendre confus depuis le début de ce stage.

— Contrairement aux CHSLD, en pédiatrie, c'est la vie, forte de la pulsion de s'acharner, de persister, de grandir, qui remporte le plus souvent la victoire. Pas la mort. Mais quand la mort gagne malgré tout, c'est… c'est effroyable, Frédéric. Effroyable et démesurément révoltant.

Il m'écoute religieusement, vêtu de sa chemise bleue qui lui va si bien, collet entrouvert sur sa poitrine hâlée, son beau visage concentré et ses yeux tout plissés me dévorant avidement. Et moi, je me laisse aller et j'ouvre mon cœur sans réticence. Que ferais-je sans mon amoureux ? Devine-t-il à quel point il m'est précieux et indispensable, cet homme de ma vie à qui je n'hésite pas à ouvrir mon âme ?

— Tu n'as pas idée, Frédéric, de l'énormité des émotions que ce stage me fait vivre. Pour Jérémie, par exemple, un des petits dont je suis responsable, l'espoir se réduit à des réussites bien minces. Trop minces. Scandaleusement trop minces… Si tu le voyais, tu le trouverais adorable avec ses cheveux en bataille, son visage tout rond, ses grands yeux brillants d'intelligence mais affreusement cernés. Des yeux pas encore éteints dans lesquels on ne décèle même pas de révolte alors qu'il vient de passer les sept premières années de sa vie dans une chambre d'hôpital. Le croirais-tu ? Ce petit garçon ne connaît rien d'autre que l'hôpital et il sourit… Un ange, je te dis !

— Mais de quoi souffre-t-il ? Existe-t-il au moins un espoir de guérison ou, à tout le moins, d'une amélioration de sa condition ?

— Malheureusement non, pas pour le moment. Jérémie est venu au monde avec plusieurs malformations inopérables dont une de la trachée et une autre de l'œsophage. Les deux aboutissent à un cul-de-sac. On le nourrit donc par un tube relié directement à son estomac, et il respire à travers un orifice percé dans sa gorge. De plus, à cause d'une déviation de sa colonne vertébrale, il se tient à peine debout. Ajoute à cela de sérieux problèmes cardiaques. Très peu survivent à cette anomalie excessivement rare sur la planète. Comble de malheur, il est le quatrième enfant d'une famille habitant à cinq cents kilomètres de l'Institut. Il reçoit donc très peu de visites. T'ai-je dit que ses parents lui ont donné, en guise de cadeau de Noël, un couvre-lit portant le sigle du club de hockey *Les Canadiens* ? Tu devrais le voir s'agiter au fond de son lit quand il reconnaît le sarrau bleu d'une bénévole venue jouer aux blocs avec lui ou lui raconter une histoire, car, ne l'oublie pas, Jérémie possède une intelligence normale. L'horreur, je te dis !

Frédéric garde la tête basse et ne me pose plus de questions, sans doute excédé lui aussi par l'énormité du sort de cet enfant.

— Cet après-midi, disposant d'un peu de temps libre, je lui ai demandé s'il aimerait s'habiller « en petit garçon » et sortir du lit quelques minutes pour se rendre jusqu'à la salle de jeu de l'étage. Il est devenu tout excité, tu penses bien. En dépit des tubes et des fils auxquels il est branché, j'ai réussi à lui enfiler le pantalon et l'unique chandail trouvés dans son tiroir, un chandail rouge qui lui donnait bon teint. Et là, avec mille précautions, je l'ai installé et attaché dans un fauteuil roulant, et l'ai poussé en même temps que toute sa batterie de solutés et de tubes jusqu'au bout du corridor, à trois ou quatre portes de sa chambre. La jardinière d'enfants nous a suggéré de pêcher des poissons métalliques au fond d'un récipient à l'aide d'une ligne dont l'hameçon est aimanté, ce jeu d'habileté manuelle ne nécessitant aucun déplacement physique.

Cette fois, Frédéric ne résiste pas à l'envie de me questionner.

— Et alors, il s'est bien amusé, le petit ?

— Tout content, Jérémie a pêché durant trois ou quatre minutes, puis il a délaissé sa ligne et s'est tourné lentement vers moi sans dire un mot. Jamais je n'oublierai la détresse de son regard, Frédéric, jamais ! Je lui ai demandé s'il se sentait trop fatigué pour continuer, et il a fait oui de la tête en baissant les yeux. Quand je lui ai offert de le bercer, il m'a tendu les bras. Alors, dans la grande chaise berçante de la salle de jeu, je l'ai pris contre moi en ravalant mes larmes, avec l'impression de presser sur mon cœur toute la souffrance du monde. Par la fenêtre, je voyais des enfants normaux jouer au ballon dans la cour de l'école située de l'autre côté de la rue, juste en face de l'hôpital. J'ai failli me mettre à crier, Frédéric, je te dis, à crier à tue-tête comme un fou.

J'ai prononcé cette dernière phrase d'une voix tremblante. Spontanément, Frédéric quitte sa chaise et vient par-derrière m'entourer de ses bras afin de me consoler un peu.

— Cher Vincent, si sensible et si généreux… Sache que tu as choisi l'un des plus beaux métiers et que cette profession convient parfaitement à ton grand cœur. Je t'y sens tellement à ta place. Tu ne changeras pas le monde, c'est certain, cela, personne ne le peut, mais tu vas contribuer à l'améliorer chaque jour, chaque matin, chaque heure… Réalises-tu, mon amour, tout le bien que tu peux accomplir dans ce métier-là ?

— Il y a du bien à accomplir dans tous les métiers, voyons ! S'il n'y avait pas eu des ingénieurs comme toi pour inventer le respirateur de Jérémie et le cathéter implanté dans son système digestif ou pour dessiner des fauteuils roulants et des appareils à solutés, Jérémie n'aurait même pas survécu une heure. Pourtant… Tu sais,

Frédéric, je n'arrive pas à comprendre pourquoi il est là. Si Dieu existe, pourquoi permet-il de telles horreurs ?

— Ça, mon cher, si jamais tu trouves une réponse à la souffrance du monde, viens me la dire. J'envie les croyants convaincus de l'existence d'un monde meilleur, dans un ailleurs qu'on ne connaît pas. Un monde meilleur après le grand passage, sans doute…

— Ouais, on peut toujours espérer.

— Et rester positif. Tu sais, Vincent, mieux vaut miser sur le beau, le bon, le bien. Penses-y : la générosité des gestes posés dans un hôpital, le miracle accompli par le chirurgien, l'habile décision prise par le médecin, le soulagement apporté par un nouveau médicament ou un appareil révolutionnaire, la guérison de tant de maladies, le courage et l'effort de ceux qui veulent s'en sortir ou qui réapprennent l'autonomie, la joie sur le visage d'une personne qui reçoit une bonne nouvelle, le dévouement des bénévoles…

— Tu as tellement raison.

— Et pourquoi ne pas se concentrer, comme je le fais, sur le bonheur de celui ou celle qui pourra bientôt déambuler grâce à une fantastique prothèse à son genou, prochainement mise sur le marché grâce aux recherches d'un brillant ingénieur spécialisé en sciences biomédicales que tu connais bien ?

Malgré mon éclat de rire, Frédéric poursuit son discours, emporté par son idée sur le positivisme.

— Un hôpital, Vincent, doit représenter à tes yeux davantage la maison de l'espoir que celle du désespoir. Un lieu où l'être humain, prenant conscience de son impuissance, peut souhaiter et espérer l'existence de ce mystérieux monde meilleur, sinon dans ce monde-ci, à tout le moins dans l'au-delà.

J'acquiesce silencieusement d'un simple signe de tête. L'espoir d'un monde meilleur, quelque part ailleurs… Cela suffit-il à justifier l'horreur d'une souffrance inacceptable et imméritée chez un pauvre enfant innocent ? Et cet « ailleurs », où se trouve-t-il donc ? Pourquoi faudrait-il mourir pour y accéder ?

Je ne sais combien de fois j'ai compté, et recompte encore, le temps qu'il me reste à passer auprès de mon petit Jérémie avant de me rendre, pour douze autres jours de stage, dans la section des soins périnataux. Cet enfant-là va me manquer, mais il me faut réprimer mes désirs impulsifs et me retenir d'élaborer des projets. J'ai déjà adopté une grand-mère, je ne vais tout de même pas adopter un enfant, maintenant. Si je commence cela, je n'en finirai jamais !

Cette profession convient à mon grand cœur, selon Frédéric. Il est la seule personne à qui j'arrive à livrer mes réflexions et tous ces questionnements qui surgissent quand je songe à ce métier. Il a raison, je dois cultiver l'espérance et apprendre à le contrôler plus sérieusement, ce grand cœur, si je veux me sentir réellement à ma place dans ce fichu travail. Malheureusement, les carapaces d'insensibilité ne se vendent pas au magasin, et le détachement ne s'enseigne pas dans un cours de soins infirmiers. Je devrais consulter Francis, à ce sujet, tiens ! Parce que lui aussi semble posséder un grand cœur.

Le silence envahit la pièce, un silence lourd de questions existentielles sans véritables réponses. Après un long moment, Frédéric se lève brusquement pour remplir de nouveau nos tasses de café, puis il revient plonger dans mes yeux un regard quelque peu trouble. Après s'être bruyamment raclé la gorge, il m'annonce la dernière chose à laquelle je m'attendais.

— Dis donc, Vincent, changement de propos, j'ai une nouvelle à t'apprendre. Jusqu'à hier, il s'agissait d'un vague projet et je n'ai pas voulu te tourmenter avec ça, mais ce matin j'ai reçu la confirmation officielle : un rêve auquel je ne croyais pas va se concrétiser. Dans une dizaine de jours, je vais partir pour une période de quelques semaines à Boston.

— À Boston ? Comment ça, à Boston ? Tu ne m'as jamais parlé de ça !

— Je ne pensais pas que ça marcherait. Un chercheur en génie biomédical, une sommité mondiale, rien de moins, accepte de me recevoir pour un stage dans son unité de recherche au MIT[14], situé à Cambridge, dans la région de Boston. Je n'aurais jamais imaginé qu'il accéderait à ma demande et, crois-moi, il s'agit d'une chance unique. Son équipe et lui mettent justement au point de nouvelles prothèses, et cela m'intéresse particulièrement, surtout qu'ils emploient des matériaux novateurs. Tout ça a un lien direct avec ma maîtrise, tu comprends. Je ne peux pas refuser ça.

— Je n'ai rien contre l'idée. Au contraire, je suis très content pour toi ! Par contre, on ne pourra pas aller camper comme prévu, mes seules vacances de l'année commencent dans deux semaines. Ne pourrais-tu pas retarder ton départ ?

— Impossible. On me reçoit justement pour remplacer quelques chercheurs partis en congé. T'en fais pas, je reviendrai bien avant la fin de l'été.

— La fin de l'été ? Mais j'ai réservé mes vacances à l'hôpital pour le début de juillet, moi ! Je ne peux plus changer la date maintenant ni me permettre de perdre mon emploi de préposé, tu le sais bien. J'ai besoin de cet argent pour boucler mon budget. Bon, t'en fais pas, je vais me faire à l'idée et me débrouiller sans toi.

Je reste songeur. Que Frédéric parte momentanément pour ses études ne me dérange aucunement. Cependant, qu'il renonce aux vacances avec moi ne me plaît guère. Il aurait pu me consulter avant de fixer une date, non ? Mais puisque j'ai un grand cœur, je me garde bien de protester trop fort. Et puis, faisons la part des choses : son travail de maîtrise importe davantage que deux petites semaines de camping dans Charlevoix, quand même !

14. Massachusetts Institute of Technology.

Toutefois, comme nouvelle, j'aurais préféré autre chose. À vrai dire, je me suis abstenu de lui en parler, mais j'aspirais secrètement à une tout autre proposition de sa part dans un avenir rapproché : celle d'aller habiter avec lui dans son logement. Après tout, nous nous fréquentons depuis assez longtemps, maintenant, et notre relation se porte à merveille. Déjà, l'an dernier, j'en rêvais. Fort de ma grandeur d'âme d'accepter aussi facilement son départ imprévu et mes vacances sous la tente ratées, je risque néanmoins des aveux à ce sujet.

— Je pensais déménager très bientôt, moi !

— Comment ça ? Tu veux changer de quartier ?

— Non, non, Frédéric, je pensais que… je souhaitais que… que l'on vive ensemble, tous les deux. J'y songeais déjà, l'an dernier. J'attendais cependant que ça vienne de toi. Tu es plus vieux, plus mature… et c'est moi qui emménagerais chez toi, probablement.

Frédéric me regarde soudain d'un drôle d'air, comme si je venais d'évoquer une idée farfelue à laquelle il n'a jamais songé.

— On est bien comme ça, non ? Libre chacun de son côté et heureux ensemble. Pourquoi changer ce qui fonctionne correctement ? Je préférerais attendre une autre année avant de faire le grand saut. Terminons d'abord nos études, toi et moi, et on verra par la suite. Qui sait à quel endroit chacun de nous trouvera un emploi, l'année prochaine ? Rien ne presse, il me semble. Il s'agit d'une décision très sérieuse. Je ne possède pas un tempérament volage et je ne prends pas d'engagements à la légère, tu le sais bien.

Justement, moi non plus ! À la légère, à la légère… il en a de bonnes ! Je me sens prêt à m'embarquer pour la vie, moi, et lui, il me parle de légèreté ! Je me mords les lèvres et me réfugie dans un mutisme maussade. Inopinément, l'image de ma mère me traverse l'esprit. « Le fruit tombera de l'arbre quand il sera mûr », répétait-elle souvent. D'accord, d'accord, nous nous mettrons en ménage lorsque nous nous sentirons prêts tous les deux, autant lui que moi. Mais n'attendons pas d'avoir quarante ans, hein ?

Soudain, la notion d'espoir dont nous parlions plus tôt remonte à la surface de mes pensées. Frédéric a peut-être raison. Pourquoi aspirer à un monde meilleur quand celui dans lequel on vit s'avère déjà merveilleux ?

— T'en fais pas, mon petit Vincent, je ne pars pas pour l'éternité. Et ce sera encore meilleur après mon retour.

Tiens, tiens, le monde meilleur ! En autant que Frédéric ne le trouve pas quelque part ailleurs, ce fameux monde meilleur…

Le matin du départ de Frédéric a coïncidé avec celui du dernier examen de la session concernant mon stage en pédiatrie et avec l'arrivée de mes deux semaines de vacances. Je n'ai pu lui raconter à quel point j'ai failli rater l'épreuve. Antérieurement, mes connaissances acquises avec zèle et acharnement ont toujours assuré mon succès. Hélas ! Cette fois, j'avais l'esprit troublé et j'ai carrément manqué d'aplomb et de concentration. Cette fois, mon grand cœur m'a nui. Cette fois, mon chéri s'en allait…

À six heures du matin, ce jour-là, un Frédéric tout excité m'a quitté sans effusion ni adieux déchirants. Il s'est montré fort peu démonstratif du regret de m'abandonner que j'aurais voulu le voir afficher. Parti vers ailleurs, mon bel amoureux, sans même me donner de date de retour. Je ne pourrai pas compter les jours, « les dodos », comme font les enfants. Parti en m'embrassant tout de même chaleureusement, mais l'esprit déjà tourné vers une captivante lueur dans le lointain.

Le moment est venu pour moi aussi de m'inventer momentanément un nouvel ailleurs, en espérant que ce « momentanément » ne dure pas trop longtemps. Qui donc parlait d'espérance ?

CHAPITRE 24

La musique bat son plein et la bière coule à flots dans l'immense jardin des parents d'une compagne du cégep. Afin de célébrer la fin de notre deuxième année en technique de soins infirmiers, la copine a réuni chez elle une grande partie de la classe. À bien y penser, je me demande pourquoi j'ai accepté l'invitation. La plupart des filles y sont venues accompagnées d'un ami de cœur. Quant à moi, Frédéric brille par son absence, envolé hier pour les États-Unis. Mes copains, les deux Marc, ces éternels fêtards, n'ont pas montré le bout du nez, et j'ignore pour quelle raison. Je me contente donc de danser au milieu du patio avec les rares célibataires, devenues mes bonnes amies au cours de ces deux dernières années d'étude et de travail acharnés.

Tout en me dandinant, je ne peux m'empêcher de songer que Frédéric est probablement, en cet instant même, en train de s'installer dans un petit appartement des suites résidentielles du MIT, dans la banlieue de Boston. Je viens d'éteindre mon téléphone portable, méchamment et avec rancune. Si jamais il décide de m'appeler pour me donner de ses nouvelles, il devra s'adresser à la boîte vocale, symbole de mon indifférence volontaire ou, à tout le moins, de ma tentative d'indifférence. Indifférence crasse, s'il en est, parce que je lui en veux un peu, et tentative la plus hypocrite du siècle !

En ce soir de fête, je ne songe qu'à m'étourdir. Vive la voix stridente de Madonna, et vive le *beat* endiablé de cette musique ! Et tant pis pour Beethoven ! Tant pis pour Frédéric Deschamps, surtout ! Et vive la bière, car ce soir je veux tout oublier. Oublier mon amoureux disparu, oublier le cégep et l'hôpital, oublier le début de mes vacances gâchées, oublier jusqu'à mon nom.

— Tiens, salut, Vincent !

Magnétisé par la musique et perdu dans mes sombres pensées, je n'ai pas remarqué que Marc-Olivier a rejoint le groupe et est en train de sautiller devant moi sur un nouveau rythme effréné.

— Hé ! salut, toi ! Enfin, te voilà ! Et l'autre Marc, il n'est pas là ?

Mon interlocuteur s'arrête net de danser et s'approche tout près pour me murmurer à l'oreille, d'une voix trahissant une profonde tristesse :

— C'est fini entre Marc-André et moi.

— T'es pas sérieux. Quelle mauvaise nouvelle ! Que s'est-il passé ? Est-ce toi ou lui qui ? ...

— Lui.

— Ça faisait quand même un bon bout de temps que vous sortiez ensemble, au moins deux ans, si je ne me trompe pas ?

— Oui, deux ans. L'autre jour, il a rencontré un gars plus *cool* et plus intéressant que moi, du moins, je le suppose. Il n'a vu que du feu et m'a bêtement laissé en plan pour l'énergumène en question, croirais-tu ça ? Un gars archi-riche et beau parleur. Il faut dire que ça ne marchait plus très fort entre nous deux depuis quelque temps. Tôt ou tard, l'un ou l'autre allait sauter la clôture, je sentais ça venir.

Je passe spontanément mon bras autour des épaules affaissées de mon malheureux compagnon, histoire de le réconforter, puis je tente de l'entraîner vers l'une des tables du jardin.

— Ouais, pas très jojo, cette histoire. Pauvre toi ! Allons prendre un verre et jaser un peu.

— Je te remercie, Vincent, mais je préfère essayer d'oublier en dansant plutôt que de téter de l'alcool et de ressasser tout ça. Mais toi non plus, Vincent, t'as pas amené ton Frédéric. Viens pas me dire que tu as une peine d'amour toi aussi, quand même !

— Non, non, il n'est parti que pour deux ou trois semaines. Voyage d'affaires, ou d'études, devrais-je dire.

— Depuis qu'il sort avec toi, je ne le vois plus, ce cher Fred, trop occupé à te faire la cour. Ah… l'amour !

Nous continuons de danser comme des fous, lui avec le regard perdu dans le vide et moi, ne cessant de remâcher, histoire de me rassurer, l'une des phrases qu'il vient tout juste de prononcer au sujet de son ex : « Ça ne marchait plus très fort entre nous deux depuis quelque temps… je sentais ça venir. »

Ce malheur ne m'arrivera pas, ça allait bien entre Frédéric et moi depuis… tout le temps ! Et je n'ai rien senti venir, pas question qu'il saute la clôture, allons donc ! Pourquoi alors m'inquiéter de la sorte ? Ce soir, je ne suis pas fier de moi, car je n'ai pas fait preuve de sagesse comme Marc-Olivier. Entre le début et la fin de cette soirée, j'ai fumé quelques joints et ingurgité un nombre incalculable de bières, question d'oublier ma déroute qui, au fond, n'en est probablement pas une. À la vérité, je ne me sens pas en état de conduire mon auto.

Bon prince, Marc-Olivier le raisonnable offre gentiment de me raccompagner chez moi avec sa propre voiture à la fin de la soirée. Les idées plutôt embrouillées, je n'ai pas le choix d'accepter.

— Tu reviendras chercher ton bazou demain matin, Vincent, ce serait plus prudent. Tu n'auras qu'à venir en autobus. Ou si ça t'arrange mieux, je te ramènerai moi-même ici.

Une fois devant ma porte, tout juste avant que je ne sorte de l'auto en le remerciant vaguement, il passe hardiment son bras autour de mon cou et dépose un baiser sonore sur ma joue.

— Bonsoir, mon ami. Dors bien. Et rappelle-moi si tu veux un *lift* demain matin. Sinon, fais-moi signe un de ces soirs, si tu as envie de sortir en copains. J'aime bien ta compagnie, tu sais.

Il n'en faut pas plus pour que je tombe dans ses bras et me blottisse contre lui en sanglotant.

— Voyons, voyons, Vincent ! C'est toi qui pleures et c'est moi qui ai une peine d'amour… Là, je ne comprends pas trop. Que se passe-t-il donc ?

— Rien, rien, je me comporte en enfant gâté, voilà tout ! Des copains, des amis, j'en ai si peu…

— Comment ça ?

— Contrairement à toi, j'ai eu beaucoup de mal à assumer mon homosexualité durant mon adolescence. À force de me replier sur moi-même, je ne me suis pas fait beaucoup d'amis, à part les filles de la classe. Toutefois, je les considère comme des copines ou des connaissances plutôt que de véritables amies. Chose certaine, je n'irais pas pleurer dans leurs bras.

Il passe quatre heures du matin lorsque je quitte la voiture de Marc-Olivier. L'alcool ayant fait tomber les barrières, je lui ai tout raconté, sans détour ni exagération : ma détresse à la découverte de mon homosexualité, le gouffre dans lequel m'a plongé le rejet de Samuel, la croix de branches sur la neige, le peu de soutien psychologique de mes parents, Simon Lagacé et ma deuxième aventure amoureuse, Edgar et le cauchemar du sida, puis Frédéric, mon premier sérieux et véritable amour. Et ma peur, ma peur irraisonnée de le perdre, de voir mon bonheur éclater et disparaître à tout jamais comme neige au soleil.

— Cesse donc d'avoir peur, Vincent, et arrête de dépendre des autres. Je t'avoue que je viens tout juste de comprendre ça, moi.

— Facile à dire…

— Il faut croire en la vie, voyons ! Toi et moi, on va se battre chaque jour à l'hôpital pour prolonger cette vie-là. Sois donc optimiste ! Après l'orage, le soleil se pointe toujours, et le printemps gagne infailliblement la partie sur l'hiver. Il ne faut jamais oublier ça, mon ami.

— Oui, oui, je sais tout ça.

— Et puis, je connais ton Frédéric depuis assez longtemps pour te certifier qu'il s'agit d'un bon diable, sérieux et fidèle. Pendant notre enfance, il se montrait toujours le plus sage de nous deux.

— Un bon diable, un bon diable, je veux bien, mais ça ne garantit rien. S'il fallait qu'il ne se sente pas parfaitement heureux dans sa relation avec moi sans l'avoir jamais exprimé, hein ? Ou s'il fallait qu'il rencontre quelqu'un d'autre là-bas ?

— Des « quelqu'un d'autre », il y en a et y en aura partout dans l'univers, Vincent, et ce, jusqu'à la fin du monde ! Et la confiance en lui, tu en fais quoi ? Allons donc, Frédéric t'aurait déjà quitté s'il n'était pas bien avec toi.

— Tu crois ?

Avant de partir, Marc-Olivier m'embrasse sur la bouche. Un long mais pudique et chaste baiser, en vérité. À moitié dégrisé, cela me déconcerte quelque peu. Je franchis les marches menant à mon logement d'un pas chancelant, mais avec suffisamment de lucidité pour souhaiter ardemment que ce doux embrassement ne signifie rien d'autre que la naissance d'une belle amitié. Ou plutôt la continuité d'une belle et simple amitié.

Qui sait, de ma première amitié profonde…

CHAPITRE 25

Les premiers jours des vacances s'avèrent les plus difficiles. En ce moment où je devrais me trouver à Baie-Saint-Paul, en train de célébrer l'été avec mon bien-aimé comme nous en avions fait le projet, je tourne en rond dans mon appartement, dérouté par la tournure des événements. Je pourrais toujours me rendre dans Charlevoix tout seul, mais je ne possède pas d'équipement de camping, et mes moyens financiers restent limités.

Côté famille, rien à espérer de mes parents, déjà envolés vers l'Europe pour quelques semaines. Mon frère Alexandre, lui, m'a aimablement offert d'aller les rejoindre, lui, sa femme et le petit Julien, à leur chalet loué sur le bord de la mer, au Nouveau-Brunswick. Non, je n'ai pas envie de me taper des centaines de kilomètres pour aller déranger leur intimité familiale, ne serait-ce que pour quelques jours. Quant à Guillaume, il vient tout juste de changer d'emploi et se trouve encore une fois à l'assaut d'une nouvelle conquête. Très peu pour moi, ce genre de chasse ! D'ailleurs, il ne parle pas de vacances pour le moment.

Je ne vais tout de même pas faire du ménage pendant quinze jours, hein ? Ni rester rivé à mon téléphone pour attendre le rassurant appel quotidien de Frédéric. Il ne manque pas de se rapporter tous les soirs en me faisant davantage part de son engouement pour le MIT que de son amour pour moi. Il y met le paquet, ne tarissant pas d'éloges sur l'intérêt des recherches et de tout ce qu'il y apprend, sur la qualité de l'équipement du département, extraordinaire et à la fine pointe de la technologie, sur la compétence des gens et la gentillesse de tous et chacun. Ah bon. Je souhaite seulement que tout cela ne lui donnera pas envie d'allonger son séjour là-bas ou, pire, de s'y installer à long terme. Non, non, je n'ose même pas l'imaginer. Frédéric avoue tout de même se languir de moi à la fin de chacun de ses appels. Et moi, donc ! Alors, en attendant son retour, il me reste le cinéma, la lecture, le vélo, le piano et… le vélo, la lecture, le piano, le cinéma, et encore la lecture, le vélo, le…

Oups ! voilà que mon portable vient perturber ma méditation. À mon grand étonnement, à l'autre bout, Marc-Olivier me fait une proposition surprenante : une étudiante du collège, parmi ses bonnes amies, l'invite à passer deux jours à la campagne, au chalet de ses parents, avec quelques autres élèves. Si ça m'intéresse, je suis le bienvenu. Pourquoi pas ? Nous serons une dizaine de jeunes pour y faire du canot, du pédalo et d'autres sports nautiques, pour se baigner, jouer au tennis, cuire des hamburgers sur le barbecue et chanter autour d'un feu de camp. Oh là là ! Sans hésiter, je m'empresse de faire mes bagages, déjà tout excité.

Quelques heures plus tard, sous un ardent soleil d'été, je me retrouve sur une petite plage au bord d'un lac sauvage, immense et magnifique. Deux seuls garçons accompagnent le groupe de six filles : Marc-Olivier et moi. Non encore remis de son baiser de l'autre nuit, je me demande s'il ne m'a pas attiré dans un guet-apens. J'ignore si l'invitation est venue de lui ou de l'hôtesse elle-même. Par un heureux hasard, la chambre que lui et moi occuperons ce soir comporte des lits jumeaux. Au moins ça de réglé !

Pendant que les bateaux
Font l'amour et la guerre

Avec l'eau qui les broie,
Pendant que les ruisseaux
Dans le secret des bois
Deviennent des rivières,
Moi, moi, je t'aime,
Moi, moi, je t'aime.

Sous le ciel criblé d'étoiles, la belle voix d'Anne se mêle aux cris lointains du huard glissant paresseusement sur le lac. À mes pieds, un feu de bois crépite et danse aux accents de la guitare. Autour de moi, tout le monde se tait, l'heure est à l'écoute et à la méditation. Comme elle est magnifique, cette chanson de Gilles Vigneault ! Et toutes ces autres de Félix Leclerc, de Ferland, de Léveillée... Peut-être devrais-je me mettre à écouter les chansonniers du temps de mes parents ?

Soudain, je sens une main s'emparer discrètement de la mienne. Je la retire aussitôt en pinçant les lèvres. Ah non, Marc-Olivier, s'il te plaît, non, pas ça !

Je ne me trompe pas. Mon compagnon a envie de moi et me le démontre toute la soirée. La fête terminée, nous nous retrouvons assis, côte à côte, sur le bord de mon lit. Cette fois, je n'ai presque pas bu et je me sens à même de tirer les choses au clair une fois pour toutes. J'entreprends alors une sérieuse discussion avec un Marc-Olivier quelque peu dépité.

— Écoute, je sais que tu as une peine d'amour, mais tu ne choisis pas la bonne personne pour te changer les idées et remplacer Marc-André dans la couchette. Je suis amoureux de Frédéric Deschamps par-dessus la tête et je veux me garder tout entier pour lui. D'ailleurs, je te croyais son ami, comment oses-tu essayer de lui voler l'homme qu'il aime ?

— Tout d'abord, Frédéric Deschamps n'est qu'un copain d'enfance plutôt qu'un véritable ami. Et je n'ai absolument pas l'intention de te voler à lui, voyons donc ! Pas du tout. Je veux seulement avoir du plaisir… au lit ! Ça ne dérange et n'enlève rien à personne, après tout.

— J'ai un peu connu ça, le fameux plaisir au lit, à la fin de mon secondaire. Le gars s'appelait Simon Lagacé, et ça ne m'a mené nulle part, tu peux me croire. Je t'en ai déjà parlé, d'ailleurs. Très peu pour moi, cette façon de voir les choses ! Désolé de te décevoir. Sans doute me trouveras-tu vieux jeu, mais je crois encore à la fidélité et à l'exclusivité.

— Non, t'es pas vieux jeu, Vincent. Je t'admire parce qu'au contraire tu joues franc jeu, et on voit ça rarement de nos jours. Excuse-moi, j'espère que ça changera rien entre nous autres. Peut-on au moins rester des amis, toi et moi ? Seulement des amis ?

— Certainement ! Et de vrais amis, cette fois, je t'en donne ma parole. Mais tu devras respecter notre pacte.

— Promis, main sur mon cœur.

Quelques minutes plus tard, nous dormons profondément tous les deux.

Tôt le lendemain matin, assis les jambes pendantes au bout du quai, je réalise soudain ne pas avoir parlé à Frédéric au cours de la journée d'hier. À part le lendemain de son départ, où j'avais volontairement fermé mon portable, cela se produit pour la première fois. Le MIT assumant ses frais d'appel, mon chéri prend toujours l'initiative de me téléphoner lui-même, à la fin de chaque journée, afin de m'éviter une dépense qui risquerait de devenir extravagante à la longue. Sans doute a-t-il laissé un message sur la boîte vocale de mon téléphone cellulaire, fermé et oublié sur la table de chevet depuis hier après-midi. Sur la pointe des pieds, je retourne le chercher à la chambre et bute sur une fille fort aguichante dans sa robe de nuit, assise sur le bord du lit, en train de caresser l'épaule de Marc. Ah ? Dis donc, il ne perd pas de temps, celui-là ! En voilà un « aux deux », aurait lancé le fameux Simon.

Penaud, je retourne sur le quai la tête basse, n'ayant trouvé aucun message de Frédéric. Cette journée sera longue.

L'appel tant espéré ne sonne que très tard le soir, une fois de retour chez moi, où, là non plus, aucun message ne m'attend.

— Vincent ? Allo ! Comment vas-tu ? J'avais hâte de te parler.

— Et moi, donc !

— Je t'avoue qu'hier, je t'ai complètement oublié. Des gens de l'institut m'ont invité à passer deux jours au bord de la mer en leur compagnie. Je ne pouvais pas refuser, tu penses bien. Il y a eu tant d'action que, d'une chose à l'autre, le temps s'est rapidement écoulé sans que je songe à t'appeler. Me voilà de retour dans mon petit appartement depuis quelques minutes. Demain matin, lundi, je retourne au travail, et tout va rentrer dans l'ordre. Tu ne m'en veux pas, j'espère ?

— Non, non, je ne t'en veux pas. Moi aussi, je viens de passer deux jours au bord de l'eau avec des amis. Ce n'était pas la mer, évidemment, mais… Et moi aussi, je t'ai oubl…

— Des amis ? Je les connais ?

— Une *gang* de ma classe. Marc-Olivier en faisait partie, d'ailleurs.

— Bon, il se fait tard, et mon réveil va sonner très tôt demain matin. Fais un beau dodo, mon Vincent. On se reparle demain.

— Bonne nuit à toi !

Rien de plus, notre conversation se termine là, bêtement. Je ne saurai pas comment il a vécu ces deux derniers jours et avec qui, précisément. Il ne saura pas à quel point j'ai réussi à l'oublier, moi aussi, auprès de toutes ces étudiantes infirmières tellement charmantes et gentilles avec lesquelles je suis en train de me lier plus sérieusement d'amitié. Il ne saura pas que j'ai fait de la voile et du kayak. Il ne saura pas non plus à quel point les chansons des temps anciens se sont avérées une belle découverte pour moi. J'ai même appris par cœur celle de Vigneault, *Pendant que*. Par contre, je me serais bien gardé, de toute façon, de lui mentionner les avances de Marc-Olivier auxquelles je n'ai pas donné suite. Quant aux « je t'aime, mon beau Vincent, et je m'ennuie de toi » et « je t'embrasse, Frédéric, avec tout mon amour », ce sera pour la prochaine fois. Pour demain, j'espère.

Croire à la vie et se la rendre meilleure à soi-même, sans trop dépendre des autres... Qui donc m'a dit ça, dernièrement ? Merci, Marc-Olivier.

Les jours suivants se passent assez rapidement. Un groupe de filles m'invitent à jouer au tennis, au cours d'un après-midi, et je me fais battre à plate couture. Un dur coup pour mon ego, même si le manque d'entraînement constitue une excuse tout à fait plausible. Tiens, tiens, ma fierté masculine vient de prendre une débarque !

Je revois aussi Marc-Olivier à quelques autres reprises, dont une soirée au cinéma et une autre à un spectacle en plein air. Il se comporte maintenant en bon compagnon, respectueux et réservé, et je lui en sais gré. Nous discutons de nos projets de carrière, de nos stages à l'hôpital, des derniers examens au cégep pour lesquels j'ai finalement obtenu la note de passage. Une fois son diplôme en poche, Marc-Olivier, quant à lui, a l'intention de s'inscrire au baccalauréat à l'université pour trois autres années. Je l'admire de désirer s'engager dans des études à si long terme.

— Vois-tu, Vincent, je suis plus à l'aise avec la gestion d'un département, la prise de décisions, les spécialités médicales, le défi des cas compliqués ou hors de l'ordinaire. Et j'aime l'étude. Toi, tu préfères la proximité des malades et le contact direct avec eux, je le sais.

— Comment le sais-tu ?

— Tu es un gars sensible et généreux, à l'aise auprès des patients. Ça se voit tout de suite.

— Ouais, sauf que, dans ce métier-là, posséder un trop grand cœur ne rend pas nécessairement service, je te jure.

— Avec ton humanité et ta grandeur d'âme, tu feras un excellent infirmier, je n'en doute pas un instant.

— Merci, Marc-Olivier, merci mille fois. Tu es vraiment un ami. Quand je douterai de moi, je penserai à ce que tu viens de me dire.

CHAPITRE 26

Une fois mes quinze jours de vacances terminés, je retourne à mon emploi d'été à l'Hôpital général Saint-Louis avec un certain soulagement. Toutefois, j'ai le moral dans les talons. Comme je l'appréhendais, Frédéric a décidé de prolonger de quelques semaines son séjour aux États-Unis. Cependant, les conseils de Marc-Olivier de l'autre nuit s'agitent sans cesse dans ma tête : je dois m'y faire et cesser de dépendre de lui. Le moment est venu de développer une certaine autonomie affective, à tout le moins une vague forme d'indépendance, ce qui ne change en rien mes sentiments toujours exaltés envers mon bel amoureux.

À l'hôpital, on m'affecte d'abord à l'unité de chirurgie, où je me sens un peu frustré de devoir me limiter à transporter les patients, à les installer confortablement, à les laver et à mesurer leur verre d'eau ou leur pot d'urine. Devenu maintenant plus connaissant et plus habile, je me sentirais en mesure de poser une perfusion, de changer un pansement, d'insérer un drain ou de faire un prélèvement. Hélas, on m'a embauché comme préposé aux bénéficiaires, et je devrai m'en tenir à cette tâche pour le reste de l'année, durant les cinq jours de la semaine de juillet et d'août, et au cours des week-ends pendant l'année scolaire.

Un matin, je crois reconnaître le visage d'une patiente à son retour de la salle d'opération. En effet, son histoire de cas me ramène à un souvenir bien particulier. Cette femme est bel et bien celle qui m'a remis sa médaille scapulaire, précisément dans cet hôpital, il y a moins de deux ans. Madame Sergéa Lynn, une ancienne professeure de piano. À son grand désespoir, elle attendait sa place dans un CHSLD, je m'en souviens très bien. Je la revois encore en train de prier, attachée dans son fauteuil roulant, au fond de la chapelle. La paralysie l'avait frappée à la suite d'une embolie au cerveau. Ayant perdu une bonne partie de ses moyens physiques, elle regrettait que l'incident ne lui eût pas été fatal.

Pauvre Sergéa… Elle ne pensait qu'à mourir, suppliait, implorait le ciel de la laisser partir. Incapable de supporter sa condition, elle m'avait recommandé de prier la madone de la médaille, d'abord pour trouver consolation à ma peine d'amour du moment, mais surtout afin que le bon Dieu accomplisse le miracle de venir enfin la chercher. Ainsi, elle a survécu jusqu'à maintenant, puisque la revoici à l'Hôpital général Saint-Louis. Miracle, mon œil ! Il faut dire qu'à partir du moment où j'ai retiré la médaille de mon cou pour la reléguer au fond d'un tiroir, à la suite de son départ pour le CHSLD, je l'ai complètement oubliée. Très peu pour moi, les fétiches, les superstitions et les miracles !

Il semble que l'on ait dû ramener madame Lynn ici, tout récemment, pour l'opérer à l'intestin, à la suite d'un diagnostic de carcinome. Hélas, le cancer s'est avéré plus envahissant que prévu, car le chirurgien a détecté de multiples métastases. On attend maintenant les résultats du laboratoire pour savoir vers quelle chimiothérapie l'orienter.

Paralysie, cancer, métastases, traitements palliatifs et douloureux, souffrances innommables, survie de courte durée… Pourquoi la sauver contre sa volonté ? Cette femme ne demande qu'à partir pour le grand voyage, je n'en doute pas un instant. Possède-t-elle suffisamment de lucidité, ou aura-t-elle assez de courage et de cran malgré le chagrin et les protestations de ses enfants pour refuser l'emploi de mesures extraordinaires ?

Penché au-dessus d'elle, je la regarde dormir paisiblement, encore sous l'effet de l'anesthésique injecté lors de la chirurgie. Elle adorait Beethoven, tout comme moi. Jusqu'à son départ vers le CHSLD, je lui ai rendu visite à de nombreuses reprises pour discuter musique. Le temps n'est-il pas venu pour elle d'aller le rejoindre là où il se trouve, ce fameux Beethoven ?

Consoler sans cesse… Soudain, une idée jaillit dans mon esprit, une idée folle et probablement stupide. Demain, je vais apporter la médaille scapulaire et la lui remettre. Cela va la réconforter et la rassurer. On verra bien si la madone de la breloque accomplira enfin son miracle. Dans mon cas, Frédéric est apparu dans mon existence peu après mon acquisition de la médaille. Hélas, je crois au destin, mais pas aux miracles. Et encore moins aux médailles. Dommage…

Le lendemain, avant d'entreprendre mon quart de travail, je m'introduis donc en catimini dans la chambre de Sergéa Lynn, malheureusement toujours dans le coma. Pas question de glisser la médaille à son cou ou à son poignet, cela intriguerait trop le personnel. Mine de rien, j'enroule la chaînette autour d'un montant de la tête de lit, derrière le matelas. Toujours sans y croire, j'implore alors la Vierge, les forces divines, ma grand-mère et pourquoi pas Beethoven, de venir chercher madame Lynn.

Quelques heures plus tard, en début d'après-midi, le miracle se produit. Sans doute le hasard, me dis-je, quelque peu ébahi. En effet, la femme s'éteint doucement sans avoir repris connaissance, entourée de ses enfants et de ses petits-enfants. Finie sa souffrance et finie sa misère ! Allez rejoindre ma grand-mère Thérèse, ma petite dame, et que Dieu vous bénisse. En passant devant sa dépouille enfin libérée de tout l'attirail médical, j'ébauche un signe de la main pour lui souhaiter un bon voyage, en me promettant bien de récupérer la fameuse médaille à la première occasion, afin de la remettre à sa place au fond de mon tiroir de souvenirs.

Ainsi, les jours s'écoulent, un à un, jamais semblables. Mon amour me manque et je noie mon ennui dans le travail. Je m'abreuve dans les sourires et les soupirs de soulagement de mes patients pour me convaincre de mon utilité. Au moins, ici, je me sens nécessaire et important pour quelqu'un.

Au milieu d'une nuit où on m'a demandé de demeurer à l'hôpital pour quelques heures supplémentaires, j'aperçois, sous la lumière tamisée du corridor du troisième étage, une femme en train de déambuler lentement en longeant les murs. Elle marche à petits pas hésitants et pousse maladroitement un support sur lequel se balance le sac de sérum auquel elle est connectée. On dirait un fantôme cherchant un recoin où se cacher. Je m'approche en toussotant pour lui éviter de tressaillir.

— Madame ? Où allez-vous comme ça ? Qui vous a donné la permission de sortir de votre lit en pleine nuit ? Venez, il faut immédiatement retourner à votre chambre.

— Jamais ! J'aimerais mieux dormir par terre ici, sur le plancher du corridor, plutôt que de revenir dans mon lit.

J'ai beau essayer de la prendre doucement par le bras, elle ne veut rien entendre. Je décide alors de l'accompagner jusqu'au poste des infirmières et infirmiers, au bout de l'allée, là où elle insiste pour se rendre. En arrivant, l'infirmière de garde, perdue dans la paperasse, me jette un regard interrogateur.

— Que se passe-t-il ?

La patiente n'hésite pas une seconde et répond d'une voix furieuse :

— Faites votre *job* comme il faut, garde, et vous allez le savoir, ce qui se passe. Et moi, je vais pouvoir retourner me coucher. Savez-vous que je pourrais porter plainte contre vous ?

— Faire ma *job* comme il faut ? Expliquez-vous, s'il vous plaît, madame.

— Ça fait au moins dix fois que j'actionne le bouton d'urgence, vous saurez, mais personne ne vient pour calmer la folle à côté de moi. C'est même elle qui a abaissé le côté de mon lit pour que je puisse me lever et m'en aller, le croiriez-vous ? Une vraie possédée du démon, je vous dis !

— Quel est votre numéro de chambre ?

— Comment voulez-vous que je le sache ? Je dormais quand on m'a mise là, en revenant de la salle d'opération. Pensez-vous que j'ai demandé le numéro de la chambre pendant que je roupillais sur la civière ?

— Comment vous appelez-vous ?

— Suzannha Réal.

Je regarde l'infirmière s'emparer du dossier de madame Réal, d'une main fébrile, en cherchant à dissimuler un air coupable. Où se trouvait-elle quand la sonnette d'appel retentissait et que la lumière rouge clignotait ? À son poste, dans ses papiers ou bien dans la salle du personnel en train de siroter un café ? Et celle qui doit la remplacer quand elle a à s'absenter, que faisait-elle ? Soudain, sous la pile de dossiers, je vois dépasser quelques magazines de mode. Hum ! ça regarde mal ! Grrr ! Je serre les dents et tourne ma langue dix fois plutôt que sept. Ah ! ce fameux silence d'or…

Pas un seul instant, cette infirmière ne songe à s'excuser pour n'avoir pas répondu au signal de détresse de la patiente. À un moment donné, elle relève brusquement la tête, le visage un peu moins ténébreux.

— Ah ! je comprends. Vous êtes au 331-B, madame. Chirurgie d'un jour. En fait, on devait vous opérer ce matin pour vous enlever un kyste au sein, n'est-ce pas ? Et vous deviez recevoir votre congé en fin d'après-midi, mais des changements à l'horaire sont survenus en raison de trop nombreuses urgences. Le chirurgien, ne vous ayant opérée qu'à cinq heures et demie, a décidé de vous garder ici, en observation jusqu'à demain matin. C'est bien ça ? Mais alors, vous n'êtes pas censée quitter votre lit, madame. Le préposé aurait-il oublié de monter les côtés du lit ?

— Non, garde, le préposé a bien fait son travail, lui. Vous n'avez même pas écouté mon explication.

Au lieu de s'aventurer sur un terrain trop glissant, l'infirmière change de sujet en continuant plutôt d'interroger la patiente.

— Que se passe-t-il donc avec votre voisine ? Elle vous empêche de dormir ?

— Si c'était juste ça ! Oui, elle m'empêche de dormir et, pire, elle m'effraie sans bon sens. Je suis encore sous l'effet de l'anesthésie, moi, et je voudrais bien me laisser aller et dormir en paix. Mais je ronfle, que voulez-vous… Ça doit sûrement la déranger, sauf que ce n'est pas une raison pour me sauter dessus ni pour me crier après comme une perdue. De vrais cris de malade mentale !

— Elle circule dans la chambre ?

— Oui, madame, et elle est enragée ! Quand elle s'est approchée de mon lit, la première fois, j'ai manqué mourir de peur. Je n'arrêtais pas d'appuyer sur le maudit bouton, mais personne ne venait à mon secours. Heureusement, j'ai réussi à la repousser, et elle est retournée se coucher. Mais un peu plus tard, elle a recommencé, et là, je l'ai menacée de porter plainte si elle n'abaissait pas mon côté de lit. Elle l'a fait, mais a continué de hurler. Personne ne l'entendait, évidemment, à cause de la porte fermée. Une fois de plus, j'ai appuyé je ne sais combien de fois sur le bouton d'urgence, toujours sans réponse. Alors, j'ai décidé de me lever et de venir moi-même jusqu'ici, même branchée à mon sérum.

L'infirmière se tourne aussitôt vers moi et me lance un ordre d'une voix soudainement impérieuse :

— Vincent, va donc voir ce qui se passe dans la 331 et ramène madame Réal à sa chambre, s'il te plaît.

La fameuse voisine, une femme dans la trentaine, échevelée et les yeux hagards, semble avoir retrouvé son calme. Mais elle ne dort pas et m'apparaît passablement confuse. Avec mille précautions, j'installe Suzannha Réal dans son lit en prenant garde de bien soulever les barrières pour l'empêcher de se relever de nouveau. Après lui avoir promis de veiller sur elle, je retourne informer l'infirmière de l'état de la patiente du lit voisin.

— La 331-A aurait besoin d'un calmant ou, à tout le moins, de plus de surveillance. Peut-être devrions-nous l'isoler dans une autre chambre ? Cette patiente-là ne me dit rien de bon, et madame Réal a certainement raison de se plaindre.

— Pas question de transfert, trop compliqué pour la paperasse. Que veux-tu, dans un hôpital, on ne choisit pas sa voisine ou son voisin, il faut faire avec… Pour le moment, on vient de demander un préposé à la 252. Un puissant dégât à nettoyer, paraît-il. Tu ferais mieux d'y aller.

Lorsque je reviens au troisième étage, une demi-heure plus tard, je me dépêche d'aller vérifier la situation à la chambre 331, d'où émanent des cris stridents à travers la porte. La malade du lit A se roule par terre en hurlant sous le lit B. Madame Réal, prisonnière des barreaux, semble plus morte que vive tant elle tremble d'épouvante. Je la vois appuyer encore une fois comme une désespérée sur le bouton d'urgence, toujours sans résultat. Cette fois, je veux en avoir le cœur net : ou ce bouton ne fonctionne pas du tout, ou quelqu'un ne fait pas son travail.

— Ne bougez pas, madame Réal, je reviens dans dix secondes.

— Non, non, ne me laissez pas, je vous en supplie.

— Dix secondes, madame Suzannha, dix secondes, pas plus !

Je prends mes jambes à mon cou jusqu'au bout du corridor pour constater qu'il ne se trouve personne au poste pour répondre aux appels des patients. Sur le bureau, je vois la petite lumière de la

331-B clignoter allègrement. Manque exceptionnel de personnel au cours de cette nuit ? Urgence monopolisant temporairement tout le monde ailleurs dans le service ? Désintérêt et incompétence des infirmières et infirmiers de garde ? J'opte plutôt pour la dernière éventualité, mais je ne connaîtrai sans doute jamais la véritable raison.

Je prends alors une décision qui pourrait me valoir, sinon un congédiement, à tout le moins une sérieuse réprimande. Je considère cependant mon initiative fort défendable. Je sais que la chambre privée d'en face, la 330, ne comporte qu'un seul lit et est inoccupée pour cette nuit. À moins d'un imprévu, elle le restera jusqu'à demain matin. Je risque le tout pour le tout. De toute manière, si l'une des infirmières de garde proteste trop fort, je suis prêt à jurer sur l'Évangile que personne ne répondait aux appels des patients à une heure dix-huit minutes du matin, précisément.

— Venez, madame Réal, je vais vous emmener dormir dans la chambre d'en face. Il ne faudra pas le dire, car je n'ai pas le droit de faire ça, vous comprenez ?

— Je vous le promets.

— Il y a toujours bien des limites ! Là, vous pourrez vous reposer paisiblement sans être dérangée, vous méritez bien ça ! Cependant, juste avant de terminer mon quart de travail, demain matin, je vous ramènerai dans votre lit et remplacerai les draps de la 330 par de la literie propre. Ainsi, personne n'en saura rien, sauf l'infirmière. Ça vous va ?

— Vous êtes un vrai trésor.

Tout content de son initiative, le vrai trésor s'exécute, puis prend le risque d'aller s'enquérir rapidement dans le dossier, auquel il n'a aucun droit d'accès non plus, de ce dont souffre la folle de la 331-A. Tant qu'à pécher, péchons pour la peine ! Je découvre avec effarement que la femme, hospitalisée dans la journée d'hier en prévision d'une chirurgie éventuelle, se trouve actuellement en crise aiguë de manque de drogue. Cette toxicomane invétérée, connue de l'hôpital et soignée pour une ostéomyélite causée par l'usage de seringues infectées, réussit toujours à perturber l'environnement dès qu'elle met les pieds dans l'établissement.

Cela me conforte dans ma décision et je me félicite d'avoir procuré à Suzannha Réal la nuit de sommeil à laquelle elle a droit. Toutefois, par mesure de prudence, j'en avise l'infirmière du poste, dès sa réapparition, au cas où un problème imprévu surviendrait. Son silence et l'air coupable avec lequel elle acquiesce d'un simple signe de tête achèvent de me rassurer. Je retiens avec peine un sourire de fierté en la voyant noter aussitôt au dossier le changement de chambre temporaire. Tout est bien qui finit bien.

Consoler sans cesse, certes, mais *soulager souvent* aussi…

CHAPITRE 27

Une fin de semaine en famille, pourquoi pas ? Ça va me changer les idées. J'ai beau essayer de me rassurer, je continue de me tourmenter au sujet de Frédéric. Il lui arrive de plus en plus souvent de négliger de m'appeler. Ces soirs-là, je ne résiste pas à l'envie de lui téléphoner moi-même, malgré les coûteux frais d'appel interurbain. Quand je réussis à lui parler, il tente de me réconforter sur un ton peu convaincant : il était justement sur le point de composer mon numéro, ou il n'avait pas encore trouvé le temps. Rarement, il admet avoir carrément oublié. La plupart du temps, je me bute à un répondeur, celui de sa résidence, ou à celui de son portable. Un répondeur à qui je dicte mes mots tendres et égarés… peuh ! Mais cette fois, son silence perdure depuis trop longtemps. Quelque chose d'anormal est probablement survenu, et je me fais vraiment du mauvais sang.

Quand maman nous a invités, les jumeaux et moi, à passer le week-end à la maison « entre de Bellefleur » pour célébrer le soixante-cinquième anniversaire de papa, j'ai accepté avec joie. Retrouver mon chez-moi, ma chambre et le grand érable dressé devant la fenêtre, redormir dans mon lit, rejouer sur le piano à queue du salon, et surtout me réapproprier ma famille pour redevenir, l'espace de deux jours, le petit garçon d'autrefois, heureux et insouciant, pourquoi pas ?

Heureux et insouciant… Voilà pour moi le défi à relever, en ce week-end ensoleillé. Julien, mon filleul, que je fais sauter en ce moment sur mes genoux, en possède le secret, lui, à l'entendre éclater de rire, de ce rire en cascade tellement vrai et naturel des enfants. Et il gardera inconsciemment ce secret toute la durée de son enfance, je crois bien, une enfance sereine auprès de parents qui l'adorent et en compagnie d'un petit frère ou d'une petite sœur déjà en croissance dans le ventre de sa maman. Avec quel bonheur Alexandre et Ha Bin nous ont appris la bonne nouvelle : la venue d'un autre enfant… « Mon plus beau cadeau d'anniversaire », s'est écrié mon père, plus gaga devant son petit-fils qu'il ne l'a jamais été pour ses trois garçons.

Guillaume, lui, ne parle plus de ses conquêtes amoureuses et a préféré cette fois se présenter à la maison familiale en célibataire. « En vieux garçon ! » s'est exclamé son jumeau. Moi, je m'en réjouis, nous serons deux à nous tourner les pouces. Nous en profitons donc pour nous rapprocher l'un de l'autre, pour nous lancer la balle au parc comme nous le faisions, enfants, et pour organiser une balade dans le quartier sur les vélos de nos parents. Le grand frère protecteur, de dix ans mon aîné, autrefois si ouvert, se montre maintenant plutôt ténébreux et taciturne. Début de la trentaine, joli garçon, emploi enviable, grosse voiture, condominium luxueux au centre-ville, don Juan hors pair, mais toujours célibataire depuis son divorce.

À part quelques vagues renseignements sur son travail, je n'en sais guère davantage sur ce frère de plus en plus secret et impénétrable. De toute évidence, ses occupations professionnelles ne suffisent pas à le rendre heureux. Quels rêves, quelles ambitions l'habitent donc ? À combien de femmes a-t-il offert ou donné son cœur depuis la faillite de son mariage ? L'une d'elles a-t-elle obtenu sa préférence dernièrement ? Combien d'échecs amoureux a-t-il subis ? Et s'il n'avait fréquenté toutes ces femmes que pour le plaisir ? Qui sait si la liberté de séducteur ne lui convient pas mieux que les obligations de fidèle amoureux ? Je n'ose l'encombrer de mes confidences, incertain qu'il soit en mesure de comprendre mon désarroi face à l'éloignement de Frédéric. Il a bien assez de ses propres problèmes…

Assis seuls tous les deux sur le patio, en train de siroter notre café, tandis que papa fait sa sieste et que les autres sont partis en promenade, je tente néanmoins de rompre la glace.

— Dis donc, Guillaume, tu n'as pas emmené de blonde en fin de semaine ?

— Bof… J'en ai pas en ce moment. J'ai décidé de prendre un petit congé de femmes. Ça fait du bien, de temps à autre, d'avoir la paix.

— Comment ça ? Les femmes te fichent pas la paix ? Elles te trouvent séduisant à ce point-là ? Wow !

Guillaume s'esclaffe, mais son rire sonne faux, j'en mettrais ma main au feu. Je me risque à poser des questions plus précises.

— Quand donc vas-tu te caser, le grand ? La vie d'homme marié et de père de famille, ça t'intéresse pas ?

— Au contraire, ça m'attire beaucoup, ça me fait même rêver. Quand je pense que mon jumeau va avoir un autre enfant… Pour le moment, rien de tout ça semble réalisable pour moi, il faut croire.

— Je comprends, si t'es pas en amour.

Soudain, mon frère plonge un regard insistant dans le mien, un long regard scrutateur, comme s'il voulait s'assurer que je peux bien recevoir ses révélations.

— Oui, Vincent, je suis amoureux par-dessus la tête. J'aime une femme depuis des années. Hélas ! Michèle était déjà mariée quand on s'est connus. Je l'ai aimée tout de suite. Une aventure de jeunesse… Un amour fou et insensé. Un amour sans issue. Un mur. Une femme mariée, penses-y ! Quand elle est tombée enceinte de son premier enfant, elle et moi avons décidé de nous laisser définitivement. Un an plus tard, j'ai épousé Élaine, une bonne amie avec qui je partageais de grandes affinités. J'étais convaincu de pouvoir enfin oublier l'autre, tu comprends ?

— Oui, je comprends mieux, maintenant.

— Je me trompais. Tu as vu ce que ça a donné ! Après mon divorce, Michèle et moi, on s'est retrouvés et on s'est aimés de nouveau. Malheureusement, je dois me contenter d'une seconde place dans son existence. Une place d'amant. Tant et aussi longtemps que ses deux jeunes enfants auront besoin d'elle, de leur père et d'une vie de famille stable, elle préfère me garder comme amant et continuer de mener secrètement une double vie. Pas question pour elle de demander le divorce. Tant pis pour moi, c'est à prendre ou à laisser ! Évidemment, je peux la comprendre, puisque je l'aime, mais… Quant aux autres femmes, elles restent de simples conquêtes faciles et sans intérêt. Rien de sérieux, des passe-temps, sans plus. Que de vils plaisirs…

En prononçant ces derniers mots, Guillaume hausse les épaules avec nonchalance, et ce geste, s'il veut traduire un certain mépris, témoigne plutôt d'une profonde détresse. Je ne suis pas sans remarquer son regard sur le point de se noyer dans les larmes amères du désarroi.

— Oh ! pauvre toi, je ne te savais pas aussi malheureux !

— J'ignore pourquoi je te raconte tout ça, le frérot. Je n'en ai jamais parlé à personne, surtout pas à la famille, tu penses bien ! Toi, capable d'assumer ton homosexualité, me sembles plus apte que bien d'autres à comprendre ma situation peu orthodoxe.

— Tu m'estimes à ce point, Guillaume ? Ça me touche beaucoup. Oui, tu as raison, je te comprends et je compatis vraiment avec toi. Il existe malgré tout un espoir, une lumière au bout de ton tunnel. Tranquillement, jour après jour, le temps te conduit vers un dénouement heureux. Les enfants grandiront et ta Michèle t'appartiendra enfin tout entière. À tout le moins, faut-il le souhaiter.

Les yeux braqués sur les fleurs du jardin, la mine renfrognée, Guillaume demeure silencieux. Mais l'agitation effrénée et inconsciente de son pied droit trahit sa nervosité, sinon sa confusion. Je reviens à la charge.

— Ainsi, on peut aimer à ce point ? Assez pour sacrifier un idéal et pratiquement ruiner une vie ?

— Je ruine ma vie, selon toi ? Peut-être bien… Je prends un risque, j'en demeure très conscient. J'ignore si Michèle m'aimera encore dans cinq, huit ou dix années. Je devrais courageusement tourner la page, mettre un terme précis à cette stupide relation, partir, m'en aller au loin, ne plus la revoir. L'oubli, ça doit bien exister, hein ? Je ne sais plus… Aucune autre femme ne m'intéresse, aucune ne lui arrive à la cheville. Je n'ai plus envie de regarder ailleurs, peux-tu comprendre ça ? Michèle est la femme de ma vie, de toute ma vie.

— Oui, Guillaume, je peux comprendre ça, même si j'ai moins d'expérience que toi. Tracer une croix sur quelqu'un en espérant l'oublier irrémédiablement me semble impossible s'il s'agit d'un amour ardent, passionné, définitif, un amour qui nous habite et nous chavire jusqu'aux tripes. Si je me suis remis de mes peines d'amour de jeunesse, c'est qu'elles n'en étaient pas vraiment. Maintenant, je sais ce que signifie un véritable amour. Jamais je ne pourrai renoncer à Frédéric, moi ! Jamais, jamais… Si je le perdais, je voudrais mourir. S'il se mariait avec un autre, je ferais comme toi, je l'attendrais encore et encore.

Au grand étonnement de mon frère et malgré moi, je commence à ravaler mes larmes à grand renfort de soupirs. Il n'hésite pas un instant à poser sa main chaude sur la mienne.

— Toi non plus, ça va pas trop fort, n'est-ce pas ?

— Non, ça va pas. Frédéric devait partir à Boston pour deux semaines. Il s'y trouve maintenant depuis presque deux mois. Il y a passé pratiquement tout l'été. Depuis quelque temps, il me téléphone de moins en moins, mais cette semaine il dépasse les bornes : je n'ai pas reçu de ses nouvelles depuis six jours. Depuis dimanche dernier, en fait. Et pas moyen de le joindre. Si au moins, j'en connaissais les raisons. Ça m'énerve sans bon sens. Qui sait s'il n'a pas rencontré quelqu'un d'autre…

— Six jours ? Ouais… je suis d'accord avec toi, ça ne semble pas normal. As-tu essayé d'appeler sa famille ?

— Je n'ose pas. Je n'ai pas envie de sonner l'alarme inutilement ni de passer pour un jaloux ou un braillard, tu penses bien !

— Écoute, tu devrais téléphoner à sa mère, là, tout de suite, maintenant, pendant que je suis là. Madame Deschamps pourra peut-être te donner de ses nouvelles, et tu vas enfin savoir ce qui se passe.

— Et s'il n'y a rien d'anormal ? Si je sème le doute dans l'esprit de sa mère alors qu'elle croit que tout va bien ? Il ne lui confie sûrement pas ses petites frasques amoureuses, hein !

— Eh bien, vous serez deux à ne rien savoir ! Mais ça me surprendrait de ton Frédéric. Allons, jeune homme, un peu de courage. As-tu son numéro ?

D'une main fébrile, je compose le numéro intégré à la liste de contacts de mon téléphone portable, devant mon frère suspendu à mes lèvres. Isabelle Guay-Deschamps me répond immédiatement et semble contente d'entendre ma voix.

— J'essaie de te joindre depuis quelques jours, Vincent. Depuis que Frédéric a repris connaissance.

— Repris connaissance, dites-vous ? Comment ça ? Je ne suis au courant de rien, moi, je suis chez ma mère depuis vendredi. Parlez, vite, parlez ! Qu'est-il arrivé à Frédéric ?

— Il a eu un accident d'auto, la fin de semaine dernière, en compagnie d'un ami. Cela s'est produit dimanche, au tout début de l'après-midi plus précisément. Ils étaient partis passer le week-end à Provincetown, dans la péninsule de Cape Cod. Une voiture roulant à toute allure sur un feu rouge les a frappés de plein fouet. L'ami, assis du côté du passager, s'en est tiré avec quelques contusions, mais Frédéric, lui, a subi une fracture de la clavicule et une puissante commotion cérébrale. Il est resté dans le coma plusieurs jours. Je n'ai pas osé te téléphoner à ce moment-là pour ne pas t'énerver, ignorant à quel rythme mon fils a l'habitude de t'appeler. J'ai pris la décision d'attendre d'en savoir davantage. J'espère que tu ne m'en veux pas de t'avoir laissé dans l'inquiétude pendant un petit moment.

« Un petit moment » ! Elle appelle ça un petit moment, elle, six jours sans nouvelles de celui qu'on aime ! Je brûle d'envie de connaître la suite. Le fait d'avoir essayé de me joindre depuis trois jours signifie-t-il de bonnes nouvelles ?

— Oh ! mon Dieu ! Va-t-il mieux, maintenant ?

— Oui, oui, il a repris toute sa connaissance. Ne t'en fais pas, sa condition s'améliore et n'inquiète plus les médecins. Frédéric est considéré comme hors de danger. J'aurais peut-être dû laisser un message sur le répondeur de ton logement pour t'informer, mais je préférais te parler de vive voix, tu comprends.

— Quand va-t-il sortir de l'hôpital ?

— Aucune idée, mais il en a pour un long moment, je le crains. Il te téléphonera sûrement dès qu'il sera en mesure de le faire. À l'hôpital, cela peut s'avérer difficile, tu sais. Ne t'inquiète pas, Vincent.

— Tant qu'il va bien, le reste importe peu. De toute façon, je vous en prie, madame Deschamps, rappelez-moi quand vous recevrez d'autres nouvelles, bonnes ou… moins bonnes. Vous me le promettez cette fois, n'est-ce pas ? Durant mes heures de travail à l'hôpital ou pendant les cours au cégep, je ne peux recevoir d'appels, mais laissez un message, je recommuniquerai avec vous le plus vite possible.

Devant ma pâleur et mon silence, Guillaume devine qu'il se passe quelque chose de grave. Pour contrer ma détresse, il se lève aussitôt et me prend dans ses bras sans dire un mot. Je m'empresse de lui confier le drame. Comme le petit garçon que je voulais redevenir, je me laisse alors bercer, consoler, dorloter, câliner en pleurant comme un bébé contre la poitrine de mon grand frère. Quand maman et la petite famille d'Alexandre reviennent, ils nous trouvent enlacés, au milieu du jardin, reniflant tous les deux à qui mieux mieux. Ameuté par le bruit, mon père vient nous rejoindre.

Puisque Frédéric ne semble plus en danger, je n'hésite pas à les mettre au courant sans évoquer, bien entendu, ma crainte grandissante de sa désaffection à mon égard. Maman réagit aussitôt et m'entoure de ses bras. Alexandre et Ha Bin s'approchent aussi pour m'inonder de paroles réconfortantes. Je ne suis plus seul, j'ai une famille pour me soutenir. Même mon père, lui qui a accepté si difficilement la marginalité de son fils, me tient un discours consolateur.

— Ne t'en fais pas, fiston, c'est juste un mauvais moment à passer. Il va bientôt te revenir en pleine forme, ton cher Frédéric.

Je me garde bien, cependant, de leur souligner la véritable raison de mon affolement : Frédéric se trouvait depuis le vendredi précédant l'accident en compagnie d'un ami à Provincetown, cette ville réputée pour son accueil de la communauté homosexuelle. Un ami ? Quel ami ? Un ami gai, peut-être ? Et s'il s'agissait d'un nouvel amoureux ? Même à Guillaume, j'ai omis volontairement de raconter que, lors de son dernier appel, tôt le matin du fameux dimanche, Frédéric ne m'a jamais parlé d'ami ni mentionné qu'il se trouvait à

Provincetown où l'accident s'est produit, semble-t-il, au début de cet après-midi-là.

Frédéric met trois autres jours avant de se manifester enfin au téléphone, un soir, chez moi. Au bout du fil, je reconnais à peine sa voix, faible et chevrotante. Il m'annonce se trouver dans l'obligation de prolonger son séjour à l'hôpital pour une semaine ou deux. Il a contracté une infection à une plaie et doit maintenant recevoir des antibiotiques par voie intraveineuse. Me croyant ignorer tout de sa mésaventure, il m'apprend avoir subi un accident de voiture sans préciser le lieu ni faire allusion à l'inquiétant ami qui l'accompagnait. Je ne lui laisse pas l'occasion d'ajouter d'autres explications – ou d'autres mensonges? – et je tente aussitôt de lui tirer les vers du nez.

— Y a-t-il eu d'autres blessés?

— Non, non, je suis le seul malchanceux à avoir mangé la claque.

— Et ta voiture?

— Elle est réparable et déjà au garage. Heureusement, je possède de bonnes assurances.

Quand il se met à pleurer, ma méfiance s'estompe et, soudain, je laisse mes soupçons se dissiper pour faire place à la compassion et, pourquoi pas, à mon amour pour lui.

— Frédéric, mon chéri, ne t'en fais pas. Je suis là pour toi, même à distance… et je t'aime… et je m'inquiète… et je t'attends… Tu me manques tellement, tu… n'as pas idée!

Malgré moi, je crée de longs espaces de silence entre mes paroles, j'entrecoupe mes phrases, je soupire et je bafouille. Mentalement, je souhaite qu'il m'interrompe par une réponse réconfortante à tous ces mots d'amour qui veulent jaillir de moi comme une eau trop longtemps retenue par la digue. La digue des non-dits. Celle de l'absence.

Mais elle tarde à venir, cette réponse. Et elle se résume en sanglots étouffés. Alors, je la pose, la question qui me hante depuis des jours. Je la pose parce que je n'en peux plus.

— Frédéric, m'aimes-tu encore ?

— Oui, oui, je ne te téléphonerais pas si tu ne signifiais rien pour moi, voyons !

— Et si j'allais te retrouver là-bas ? Les cours débutent la semaine prochaine au cégep, mais tant pis, je m'arrangerai.

— Pas la peine, Vincent. Je rentrerai au Québec dès qu'on m'aura remis sur pied, et ça ne devrait pas tarder. Maman a offert de m'héberger durant ma convalescence.

— Ta mère ? Mais elle travaille toute la journée à l'extérieur, ta mère ! Comment pourra-t-elle prendre soin de toi ?

— Je ne suis pas mourant, tout de même !

— Et moi, tu n'as pas songé à moi ? Tu pourrais habiter dans mon logement, et je pourrais te soigner. N'oublie pas que je possède des connaissances médicales.

— Justement, tu as tes études…

— Ta mère a ses enquêtes, et moi, j'ai mes études. Et alors ?

— On discutera de tout ça à mon retour, d'accord ? Bon, je te laisse, je me sens complètement épuisé. Au revoir, Vincent, et prends soin de toi. Je te rappelle très bientôt.

« Prends soin de toi. » Il en a de bonnes ! Voilà tout ce qu'il a à me dire ? Au fond, il n'en a peut-être rien à foutre que je prenne soin de moi. Prend-il soin de moi, lui ? S'informe-t-il de mes activités, de mon travail, de mes soucis ? Se préoccupe-t-il de mon moral, de mon ennui de lui ? Il n'a même pas été foutu de me dire « je t'aime »... Je reste coi. Cet appel, s'il me rassure sur son état de santé, ne calme guère mon anxiété au sujet de ses sentiments à mon égard. Un stupide « oui, oui, je ne te téléphonerais pas si tu ne signifiais rien pour moi » suffit-il à garantir un grand amour ? Cela n'a rien à voir avec le « je t'aime de toute mon âme » que j'espérais entendre. Ou encore un vibrant « je veux guérir et vivre avec toi, mon amour ».

Péniblement, je m'enfonce dans le fauteuil berçant du salon, son préféré, et je serre le coussin contre ma poitrine comme s'il s'agissait de lui. Soudain, mon regard se porte sur le petit cadre posé sur le dessus du piano. Il présente la photo de nous deux, prise chez ses parents par sa sœur Marie-Hélène, alors que nous venions tout juste de terminer notre duo. Nous nous regardons les yeux dans les yeux avec intensité, lui et moi, fiers de notre performance. Ce regard témoigne d'un tel rapprochement, d'une telle complicité qu'il jette par terre toutes les affres de la suspicion qui m'empoisonnent l'existence. Non, je n'ai pas le droit de douter de Frédéric. La confiance ne va-t-elle pas de pair avec l'amour ? Mon frère Guillaume me l'a dit, pourtant, lui qui fait confiance à une femme mariée... Ouf !

Je suppose que de se retrouver étendu sur un lit d'hôpital, dans un pays étranger, de se remettre difficilement d'une grave commotion, de souffrir de douloureuses blessures, en plus d'une infection secondaire, ne favorisent guère les élans amoureux. Je devrais savoir ça, moi, le pseudo-grand infirmier prêt à le soigner !

J'exige trop de toi, mon pauvre amour, et je me comporte en égoïste. Pardonne-moi d'être aussi con. Je devrais continuer de t'aimer, Frédéric, et ne rien attendre de toi pour le moment. Espérer en remerciant le ciel de t'avoir sauvé la vie et ne songer qu'à ta guérison. Et à ton retour.

CHAPITRE 28

— Je t'aime, Marie. C'est toi la plus belle, la plus fine, la plus merveilleuse de toutes les femmes !

Le corps recroquevillé au fond de son fauteuil roulant motorisé, mais la tête relevée et les mains fortement agitées sur son sexe, le vieil homme crie à tue-tête, plutôt qu'il ne les dit, des mots d'amour à la statue de la Vierge Marie, trônant sur son socle au bout du corridor du Pavillon des Ailes Dorées, parmi un amoncellement de plants de fougères. On pourrait croire qu'à ses yeux, la statue, grandeur nature, est une personne vivante et fait l'objet de tous ses désirs.

— Ta gueule, Azélus !

Appuyé sur l'encadrement de la porte de sa chambre, située à proximité, Isidore, un gros homme chauve en camisole, proteste haut et fort en brandissant le poing en direction du vieillard.

— Aïe, ça va faire, Zélus ! Ferme-la, espèce de niaiseux !

Le dévot ne semble rien entendre et poursuit ses déclarations passionnées à la Madone, d'une voix de stentor propre à réveiller tout l'étage. De plus en plus de patients sortent la tête par l'entrebâillement de leur porte pour assister à la scène. Furieux, Isidore s'avance vers Azélus en rugissant de colère. Il s'en faut de peu pour que les deux individus engagent une bataille fort inégale, l'un, maigre et chétif dans son fauteuil roulant, l'autre, fort et puissant malgré son grand âge et une légère claudication.

Azélus ne bronche pas en voyant s'approcher le géant et se contente de faire un signe de croix en l'interpellant avec un rire sarcastique.

— Tiens, v'là le boiteux de Notre-Dame ! T'en viens-tu te confesser à la Sainte Vierge, Isidore ? Ça va être long !

— Ôte-toi de là, le crosseur, sinon je t'arrache ta maudite quéquette !

Même si je porte encore mon manteau sur le dos et que j'ai les bras chargés d'un énorme bouquet de fleurs pour ma grand-mère, je m'apprête à intervenir quand survient enfin la préposée aux bénéficiaires du secteur. Elle s'empresse de séparer les deux belligérants avec une autorité non contestée.

— Retournez immédiatement à votre chambre, monsieur Isidore. Et vous aussi, monsieur Azélus. Combien de fois faudra-t-il vous répéter que vous dérangez tout le monde quand vous criez comme ça ? Elle n'est pas sourde, la Sainte Vierge, vous pouvez la prier en silence, dans votre cœur. Ou mieux, faites vos prières dans votre chambre. Votre fille vous a apporté une petite statue de Marie, l'autre jour, monsieur Azélus, contentez-vous-en donc !

— Elle est trop petite, elle a pas l'air vraie.

Les deux hommes se retirent non sans s'être jeté un regard haineux que j'interprète comme un rendez-vous tacite pour une lutte à finir. De toute évidence, cette scène doit se reproduire assez fréquemment, au centre où réside Bérengère.

Si j'ai profité du répit des vacances pour la visiter à plusieurs occasions, je suis dans l'obligation de la négliger quelque peu depuis la reprise des cours au cégep. Cette dernière année ne sera pas de tout repos pour les étudiants en soins infirmiers. Il faudra réviser tout ce qu'on a appris, établir les priorités, préparer les examens de fin d'année et surtout ceux de l'Ordre des infirmières et infirmiers du Québec, les fameux ECOS[15], qui auront lieu au printemps. Les stages à l'hôpital s'étendront sur de plus longues périodes de temps, et les patients dont nous aurons la charge seront de plus en plus nombreux. Oh là là !

J'ai pourtant accueilli la rentrée de cet automne avec soulagement, très content de voir ma tâche d'été de simple préposé à l'Hôpital général se transformer enfin en celle de finissant en technique infirmière capable de prodiguer des soins plus précis et plus intéressants. Mais j'ai surtout apprécié de voir mes centres d'intérêt bifurquer vers les études plutôt que de stagner dans mon abattement causé par l'absence de Frédéric, non encore rentré des États-Unis en ce début d'octobre, à mon grand désespoir.

À sa sortie de l'hôpital, le cher amoureux n'a pas jugé bon de revenir tout de suite au bercail en dépit de ses promesses, préférant terminer son stage au MIT et prolonger son séjour là-bas de quelques semaines. Cela n'a rien pour me rassurer. S'il a repris son habitude de me téléphoner presque tous les jours, les mots d'amour se font moins empressés. À tout le moins, j'en ai l'impression.

Avec une certaine lâcheté, je n'ose lui demander des précisions au sujet du lieu de l'accident et sur le fameux ami alors assis à ses côtés dans la voiture. On mettra les choses au clair à son retour, ce retour que j'appréhende et désire tout à la fois. En attendant, je garde le nez dans mes livres, j'accompagne quelquefois Marc-Olivier au cinéma et j'attaque chaque soir, pendant au moins une demi-heure, la sonate intitulée *La Tempête* de Beethoven, transposant sur le piano celle qui fait rage en mon intérieur.

---

15. Examens cliniques objectifs structurés.

Bérengère a beaucoup changé ces derniers temps, elle m'apparaît méconnaissable. En quelques mois, cette femme autrefois fort corpulente a perdu je ne sais combien de kilos. Elle ne quitte plus son lit et ne s'intéresse à rien. Elle ne sait plus où elle se trouve ni quel jour on est. Parfois, elle m'appelle « son fils », d'autres fois, elle s'adresse à moi comme si elle parlait à son mari défunt ou même à son père.

Ce matin, à mon arrivée dans sa chambre, je la trouve plus confuse que jamais. Livide, elle garde les yeux rivés sur le plafond avec l'air d'assister à un spectacle ayant lieu au-dessus de sa tête. Elle respire la bouche ouverte en émettant des sifflements sinistres qui ressemblent à un râle. On dirait un cadavre cherchant de l'oxygène.

Je dépose un baiser sur sa joue et, à ma grande surprise, cela la fait sourciller et semble la ramener momentanément à la réalité.

— Bérengère ? C'est moi, Vincent, votre petit-fils adoptif. Me reconnaissez-vous ?

— Euh… euh…

Je vois une de ses mains battre l'air à la recherche de la mienne. Une main parcheminée et glacée, de plus en plus frêle. Je m'en empare et tente de la réchauffer en retenant un trop-plein d'émotions. Sans m'en rendre compte, je répète les mots prononcés par Azélus devant la statue de la Vierge, au bout du corridor.

— Bérengère, vous êtes la grand-maman la plus belle, la plus fine, la plus merveilleuse de toutes les grand-mères !

Penchée au-dessus d'elle, je ne comprends rien de ce qu'elle marmonne et ne peux y répondre, même si j'ai la conviction qu'elle vit présentement un moment de parfaite lucidité. Qu'importe ! Elle me reconnaît, et ma visite lui va droit au cœur, je le sais. Le reste m'apparaît sans importance. J'installe mes roses sur le bureau, bien à la vue. Quand elle tournera les yeux, elle pourra les admirer.

— Grand-maman, je vous offre ces fleurs pour vous rappeler que quelqu'un vous aime.

Quelques minutes plus tard, je quitte le centre d'hébergement avec le sentiment du devoir accompli : j'ai apporté ma petite contribution au bonheur d'un être humain. Pas toujours besoin de grandes connaissances médicales pour adoucir l'existence de certains malades. En retraversant le corridor, je remarque avec stupéfaction que quelqu'un a fait pivoter la statue de la Vierge sur sa base. La Mère de Dieu a maintenant le nez collé contre le mur et tourne le dos à l'univers.

Je réprime un fou rire. Cré Isidore !

Deux jours plus tard, contrairement à ses habitudes, Frédéric me téléphone très tôt le matin. Cette fois, c'est officiel, le moment de son retour a sonné, il va enfin rentrer au Québec vendredi prochain, en fin de journée. Tout est réglé. Il retournera travailler à temps partiel pour la même firme d'ingénieurs consultants, avec une légère augmentation de salaire. Quant à ses travaux pour sa maîtrise, ils ont fait des pas de géant ces derniers temps, paraît-il. Ces bonnes nouvelles me donnent des ailes, il va sans dire.

Hélas, juste au moment où je m'apprête à partir pour le cégep, je reçois un autre appel, cette fois du Pavillon des Ailes Dorées. Madame Bérengère a passé une fort mauvaise nuit, et on a fait venir le prêtre ce matin. Il s'agit d'une question d'heures avant que la patiente ne quitte ce bas monde, selon l'interlocutrice. Elle me demande si je ne saurais pas où joindre son garçon, car il n'y a plus d'abonné au numéro inscrit au dossier. Bérengère n'a plus de fils, je le crains. Disparu dans la brume pour ne jamais revenir, le cher fils, maintenant qu'il a son argent !

Tant pis, je raterai mes cours d'aujourd'hui! Pas question de laisser partir ma grand-mère toute seule pour l'ultime voyage.

En déambulant de nouveau dans le corridor du centre d'hébergement, je jette un œil à la dérobée sur la statue de la Vierge. Elle a repris sa position normale, jetant sur le monde son regard vide et impassible. Pas l'ombre d'un Azélus ou d'un Isidore ne trouble le silence. Le curé, en m'apercevant, vient à ma rencontre et pose sur mon bras une main qui se veut consolatrice.

— Vous êtes sa seule famille, je crois?

— Euh… sa famille adoptive, mettons.

— Venez, mon garçon, elle n'en a que pour peu de temps, je le crains.

— Lui avez-vous donné le sacrement des malades, monsieur l'abbé?

— Oui, oui, mais, quelques minutes auparavant, lorsqu'elle a repris conscience, elle a semblé s'énerver un peu. Je lui ai demandé si elle voulait se confesser et elle a fait signe que oui. Évidemment, je n'ai rien compris de ce qu'elle a longuement baragouiné à mon oreille, mais je peux vous dire qu'elle s'est vidé le cœur. Quand j'ai prononcé les paroles de l'absolution, elle est devenue tellement détendue qu'elle s'est rendormie. Je n'ai pas osé insister pour lui donner la communion. De toute manière, d'ici à quelques heures, elle va se trouver en présence du Créateur. Mais soyez certain que votre grand-mère partira en paix.

— Je vous remercie infiniment, monsieur l'abbé.

Bérengère ne se réveille pas plus pour me recevoir qu'elle ne l'a fait pour recevoir l'hostie. Au bout de quelque temps, sa respiration se fait de plus en plus laborieuse. Je lui adresse alors mes adieux en silence, agenouillé à son côté, ma main posée sur la sienne.

— Bon voyage, ma petite grand-maman ! Puissiez-vous trouver enfin la sérénité dans cet au-delà qui m'intrigue tellement. Si vous y rencontrez mon autre grand-mère, saluez-la bien pour moi.

Quand je relève la tête, Bérengère ne respire plus. Et moi, je reste là, prostré et immobile pendant je ne sais combien de temps.

L'après-midi est déjà entamé à ma sortie du centre d'hébergement. En me dépêchant, je pourrais peut-être attraper le prochain cours inscrit à l'horaire du cégep, mais je préfère rentrer chez moi pour décanter le trop-plein d'émotions et digérer le moment pénible que je viens de vivre. Faire le deuil d'une femme que j'ai peu connue, en vérité, mais à laquelle je me suis solidement attaché, ne sera pas une sinécure. De toute façon, la mort m'impressionne toujours, il me semble que je ne m'y habituerai jamais.

J'en profiterai pour me changer les idées en révisant mes mathématiques, cette fameuse matière obligatoire de calcul des poids et mesures à étudier de façon autonome par chacun des élèves sur son propre ordinateur. Cours important s'il en est, car un échec aux examens oblige à une reprise de la session au complet. Ouille !

L'âme à la dérive, je franchis d'un pas pesant l'escalier extérieur menant à mon logement. Étonné, je trouve la lampe du hall d'entrée allumée. Aurais-je omis, dans mon énervement de ce matin, de l'éteindre en partant vers le CHSLD ? Je ne me rappelle pas m'en être servi, pourtant. J'en ai même la certitude. Que se passe-t-il donc ? Quelqu'un aurait-il pénétré chez moi pendant mon absence ? Je m'avance, le cœur battant, et découvre sur la table du salon un énorme bouquet de roses rouges, identique à celui que j'ai apporté à Bérengère l'autre fois.

Ah ?

CHAPITRE 29

Assis devant mon ordinateur, je n'arrive pas à mesurer la quantité d'insuline à injecter à un patient fictif de cent quinze kilos, souffrant de diabète de type 2, d'hypertension et d'hypercholestérolémie. Que le diable emporte les calculs, les diabétiques, les cardiaques, les médicaments et tout et tout ! Je referme rageusement mon ordinateur. Trop de bouleversements, trop d'émotions embrouillent ma concentration, aujourd'hui. Bérengère n'est plus depuis ce matin et, sur ma table de salon, trône un bouquet de roses rouges sans carte d'accompagnement. Tout cela monopolise complètement mon attention et m'empêche de travailler.

D'où proviennent donc ces fleurs ? Le fantôme de Bérengère ne s'est pas pointé ici pour les y installer, quand même ! Les fantômes n'existent que dans les livres et les films de fiction, voyons ! Ces roses me ramènent tout de même à ma grand-mère. Elle m'en avait offert une, fabriquée de ses propres mains avec une serviette de table rouge, un soir de veille de Noël. Même empoussiérée, je la conserve dans un vase sur mon piano, à côté du portrait de Frédéric et de moi.

Alors ? Qui est venu porter ce bouquet ici au cours de la journée ? Deux seules autres personnes, à ma connaissance, possèdent la clé de chez moi : le propriétaire du duplex et Frédéric. Je ne vois pas pour quelle raison le proprio aurait pénétré ici pour m'apporter ces fleurs. À moins d'avoir croisé par hasard, en venant faire une réparation dans le logement adjacent, un fleuriste sur le point de me les livrer. De la part de qui ? Aucun message, aucun nom ne révèle leur provenance. Je suis même retourné dehors pour vérifier si une petite carte ne serait pas tombée par mégarde sous les marches de l'escalier. Rien. Je ne réussis aucunement à découvrir la clé de l'énigme.

Quant à Frédéric, il m'a justement annoncé, tôt ce matin, son retour de Boston pour la fin de semaine prochaine. Aurait-il commandé des fleurs par téléphone ? En quel honneur ? De toute façon, il m'en aurait parlé ou, en tout cas, il ne les aurait pas fait livrer un jour où je dois me rendre au cégep. Ma mère aurait-elle pu prendre cette initiative ? Ou un de mes frères ? Pour quelle raison ? Mon anniversaire aura lieu dans plusieurs mois. Me voilà plongé dans le mystère le plus total !

Les aiguilles du cadran tournent avec une lenteur insupportable, et rien ne se produit. Deux heures et demie, trois heures, trois heures et demie, bientôt quatre heures, et ce damné téléphone persiste à ne pas sonner. Je tourne en rond, les yeux rivés sur le bouquet. Quelle affaire, tout de même ! Finalement, je me mets à faire le ménage, passe l'aspirateur, époussette les meubles, lave la salle de bain, prépare une brassée de lavage. Quand j'aurai terminé, je ne saurai plus quoi faire pour me changer les idées.

À six heures, je n'en peux plus. Au lieu de cuisiner mon souper, je me lance au piano et entreprends en *fortissimo* le mouvement le plus déchaîné de *La Tempête*. Beethoven devait se sentir dans le même état lamentable lorsqu'il a écrit cette musique : crispé, hérissé, exacerbé, les nerfs à fleur de peau. Je fais tellement de vacarme que je n'entends pas la porte s'ouvrir discrètement derrière moi. À bout de souffle à la fin du mouvement davantage pioché qu'interprété normalement, je m'effondre pour ainsi dire sur le clavier. De forts applaudissements se déclenchent alors dans mon dos et provoquent chez moi la secousse du siècle. Qui va là ?

Je manque de tomber par terre en l'apercevant. Il est là. IL EST LÀ ! Frédéric est là, devant moi, plus beau que jamais. Et il me sourit, et il m'ouvre les bras. Mon amour, mon amour…

Je reste pétrifié et mets quelques secondes à réagir, tant je suis médusé par l'apparition. Je me hasarde même à tâter son épaule avant de lui sauter au cou afin de m'assurer de ne pas être en train de fantasmer ou de subir une vertigineuse hallucination causée par le stress. Puis, j'explore son visage de plus près et le dévore des yeux avant de le dévorer de baisers. Ce beau visage dont je ne me rassasierai jamais, ce visage bronzé, légèrement amaigri, mais toujours autant baigné de lumière… Visage vivant, palpable et chaud, visage tout vibrant entre mes mains… Visage de l'homme que j'aime, visage si profondément imprégné dans mes souvenirs, tant et tant de fois apparu dans mon esprit et mes rêves, au cours de l'été… Il se trouve là, devant moi, pour moi, ce visage. Et il me regarde.

— Frédéric, tu es revenu ! J'ai tellement eu peur de ne plus jamais te revoir. Tellement eu peur. Mais enfin, tu es là, mon amour…

— Oui, Vincent, je suis revenu pour toi, seulement pour toi. Et je suis là pour rester, tu m'entends ? Pour rester.

— Bérengère est morte dans mes bras, ce matin, Frédéric. On dirait que tu es revenu pour me consoler. Ces fleurs, elles viennent de toi ?

— Évidemment !

Combien de temps durent nos étreintes et nos caresses ? Je l'ignore. Des heures et des heures. Comme si la terre avait cessé de tourner. Jamais je n'ai perdu la tête à ce point durant ma courte existence. Plus rien d'autre au monde n'existe que nous deux, emportés dans de fougueux élans de tendresse. Tant de temps à rattraper, tant de mots à réinventer, tant d'amour à redonner, à vivre, à partager…

Ce n'est que plus tard que nous réalisons avoir oublié de manger. Qu'à cela ne tienne, le Chinois du coin vient nous dépanner. Je sors une bouteille de vin blanc du frigo. Il contribue à délier les langues, à ouvrir les cœurs. À dire surtout ce qui s'avère le plus difficile à dire et n'a pas encore été dit pendant nos effusions.

Frédéric semble très fier de sa surprise réussie avec le bouquet de roses.

— Je t'ai bien eu au téléphone ce matin, hein, mon petit Vincent ? Je m'apprêtais justement à passer la frontière quand je t'ai souhaité une bonne semaine, ha ! ha !

— Oui, tu m'as bien eu, espèce de menteur !

Je n'aurais pas dû affirmer cela. Ces derniers mots sonnent le glas pour moi et annoncent la fin de la récréation. La simple évocation de l'idée de mensonge ramène à la surface un vague relent de méfiance, dont je ne suis pas arrivé encore à me débarrasser complètement, au sujet du fameux ami de Provincetown. Puisque Frédéric m'est revenu, rien de grave n'a dû réellement se passer entre eux, là-bas. À tout le moins, je le suppose et le souhaite ardemment. Pour quelle raison, dans ce cas, ne m'en a-t-il jamais parlé ?

Il me faut vider la question, une fois pour toutes. Le bon vin me donnant tous les courages, je risque le tout pour le tout. Mes premiers chagrins d'amour m'ont appris à cultiver la transparence et l'intégrité, et j'ai bien compris la leçon. Très peu pour moi, le doute et l'incertitude dans une relation, cette petite pomme à peine pourrie qui finit par avarier le contenu du panier au grand complet. À la longue, l'ambiguïté rend inconfortable et suspicieux. Un vrai poison !

Je me lance donc bravement, mais quand même effrayé par ce qui va se dire.

— Frédéric, parlant de mensonge… Ton accident s'est produit à Provincetown et non à Boston, et un ami se trouvait avec toi à bord de la voiture, je l'ai appris par ta mère quelques jours plus tard. Pourquoi m'avoir caché à la fois le lieu de la collision et la présence de cet homme à tes côtés ? Bien sûr, des amis, tu as le droit, tout comme moi, d'en avoir des tonnes et dans n'importe quel coin de l'univers, si tu veux, là n'est pas la question. Mais pas une seule fois tu ne m'as parlé de la présence de cet ami lors de l'accrochage. Tu n'as même jamais prononcé le nom de Provincetown. Étrange, tu ne trouves pas ?

Voilà Frédéric pris au dépourvu. En une fraction de seconde, je vois son visage se défaire et sa lèvre inférieure commencer à trembler. Puis, il baisse les yeux et prend une longue inspiration avant de se jeter à l'eau. L'eau de la vérité. Cette fois, c'est lui qui prend ma tête entre ses mains.

— Il existe deux raisons pour mon silence, Vincent. Deux bonnes raisons. Premièrement, je ne t'ai rien dit pour éviter de t'alarmer inutilement. Et deuxièmement, parce que, justement, tu aurais eu raison de t'alarmer, à ce moment-là précisément. Mais seulement à ce moment-là. Il y a même une troisième bonne raison.

— Comment ça ? Explique-toi, pour l'amour du ciel, tu m'énerves, là ! Ça fait assez longtemps que je surnage en eaux troubles, je pense avoir droit à la vérité, cette fois. À toute la vérité, Frédéric.

— La première raison, et là, je te parle très franchement, réside dans le fait que je ne voulais pas t'inquiéter en t'annonçant partir, pendant un week-end, avec un ami pour cette ville-là, dont la réputation n'est plus à faire en ce qui concerne les gais. Par contre, tôt ou tard, j'avais l'intention de te le dire. Préférablement tard que tôt, je l'avoue.

— Et la deuxième raison ?

— La deuxième raison t'aurait certainement affolé si je t'avais donné tous les détails. En effet, j'ai eu là-bas une aventure avec ce gars qui n'en valait pas la peine. Une simple et vulgaire aventure érotique dont je ne me sens pas très fier. De te l'apprendre à distance t'aurait fait capoter, pas vrai ? Toutefois, ça n'est pas allé très loin, crois-moi. Deux nuits de couchette, rien de plus. Même que cette entreprise hasardeuse a eu cela de bon de me permettre de réaliser à quel point je n'aime que toi, Vincent. Seulement, uniquement toi.

Je me mords les lèvres et réprime une envie de hurler. Je me vois encore refuser à Marc-Olivier la même « simple et vulgaire aventure érotique » qu'il me proposait, au début de l'été. « Je veux seulement avoir du plaisir… au lit », m'avait-il assuré. Le plaisir sexuel, le plaisir sexuel, je veux bien, mais il n'y a pas que ça, dans la vie, que diable ! Suis-je fou, moi, ou né en retard sur mon siècle avec mes idées de loyauté, d'exclusivité, d'authenticité ? Avec ma fidélité inconditionnelle ? Vincent de Bellefleur est-il un être anormal, tombé des nues ? Un marginal parmi les marginaux ? Un humain candide qui tente de jouer à l'ange ?

Écœuré, désabusé, je me réfugie dans le silence, me demandant comment réagir. La tête me tourne, j'ai les jambes molles. Je donnerais n'importe quoi pour me trouver ailleurs, mais je ne sais même pas quel ailleurs. Frédéric a beau me parler d'amour, je ne l'entends plus. Il en faut si peu pour détruire la confiance en quelqu'un. Un château de cartes…

— Vincent ? Tu ne dis plus rien ? Je savais que tout cela te blesserait. Un jour ou l'autre, je t'aurais dévoilé la vérité, je te le jure, mais seulement quelque temps après mon retour. C'est là ma troisième bonne raison : je ne voulais pas en parler pendant un court appel interurbain lorsque je me trouvais à l'hôpital, tu comprends ? Ce genre de choses doit se discuter froidement et en tête-à-tête, et non quand on se sent à moitié mort sur un lit d'hôpital et qu'on a de la difficulté à parler. J'ai regretté sincèrement mon escapade, tu peux en être certain. Je ne suis ni un courailleux ni un tricheur de nature, et cela, tu le sais. Je ne suis qu'un humain qui a perdu momentanément la tête. Et je m'en veux, tu n'as pas idée…

Malgré le ton de sincérité adopté par Frédéric, je reste crispé. Ces interrogations et ces doutes m'ont trop tourmenté pour qu'un banal aveu de repentir suffise à vider définitivement la question.

— Tu fais un bon menteur, en tout cas, mon cher. Dans mon livre à moi, taire la vérité constitue un synonyme de mentir, tu sauras !

— Au départ, je n'avais aucune intention de vivre une affaire de couchette avec ce gars-là. Pas du tout. Ce technicien du MIT voulait simplement me présenter à des amis, un couple gai et marié, soit dit en passant, et en profiter pour me faire visiter la région de Provincetown avant mon retour au Québec. Mais le soir, l'atmosphère, la promenade au clair de lune sur le bord de la mer et l'alcool aidant, j'ai lâchement succombé à la tentation et sauté la clôture. Je m'en confesse bien humblement et plein de remords. Une simple affaire sexuelle, rien de plus, tu peux me croire, Vincent.

Pendant un moment, l'ombre de Simon Lagacé et son batifolage avec Edgar reviennent me tourmenter et enfoncer le clou.

— Et dans un mois, Frédéric, tu vas venir m'annoncer que le pauvre technicien avec qui tu as couché souffre maintenant du sida, je suppose ? Je connais la chanson !

— Jamais de la vie ! Tu n'as rien à craindre de ce côté-là, je t'en fais le serment solennel, car nous avons utilisé des condoms. Écoute-moi bien, tu aimes la franchise et l'honnêteté, je le sais. Moi aussi, autant que toi. Je viens de te le prouver en te révélant honnêtement toute la vérité. J'aurais pu continuer de te mentir, mais comment vivre une relation stable en la nourrissant de mensonges et de dissimulations ? Je m'en veux pour cet écart de conduite et je ne me cherche pas d'excuses. Mais je te jure sur ce que j'ai de plus cher de ne plus jamais recommencer ce genre de bêtise stupide. J'aurais trop à perdre. Je t'aime trop, je t'aime tant…

— …

— Je ne sais pas comment on fait pour demander pardon, mais je te le demande simplement, juste comme ça, sincèrement.

Bouleversé, je ne desserre pas les dents, mais j'essaie de lui sourire à travers mes larmes.

— Si tu me pardonnes vraiment, Vincent, et si tu me redonnes ton entière confiance, je vais te faire une proposition. Quelque chose de primordial pour nous deux. Une quatrième raison à tout ce qui s'est produit, tiens ! La raison la plus importante, qui pourrait devenir la conséquence heureuse de ces événements malheureux.

— Si c'est pour m'annoncer que tu veux retourner aux États-Unis pour des mois, c'est non !

— Petit rusé, comment as-tu deviné ?

— Deviné quoi, Frédéric ?

— Deviné qu'on m'a offert un travail en recherche au MIT, un emploi hautement subventionné dès que j'aurai terminé de rédiger mon mémoire. Maman t'a dit ça aussi ?

Soudain, je sens mon univers basculer. Je me lève et m'enfuis au salon non sans avoir lancé un puissant coup de poing sur la table et provoqué la chute de mon verre de vin par terre. Frédéric tressaille et tente de me retenir en tirant sur ma chemise. Je me retourne alors brutalement et le dévisage avec mépris.

— Va au diable, Frédéric Deschamps !

— Vincent, reviens ! Je n'ai pas terminé.

— Une chance que tu m'as consulté, hein ? Et tu as le front de venir me parler d'amour ? Fiche-moi la paix, je ne veux plus te voir. Plus jamais ! Va-t'en !

— Hé ! laisse-moi au moins finir. On m'a offert ce travail, mais je ne t'ai pas tout dit. Écoute-moi bien, Vincent : j'ai refusé. As-tu compris ? J'AI REFUSÉ.

— Tu as refusé ? Pour quelle raison ?

— Parce que je préfère vivre ma vie au Québec, chez nous, dans mon pays, auprès de ceux que j'aime. Ici, auprès de toi. J'ai refusé pour l'amour de toi, Vincent de Bellefleur. As-tu bien compris, là ?

— Tu ne vas pas retourner là-bas ?

— Non, je ne vais pas retourner là-bas, puisque j'ai officiellement décliné l'offre en bonne et due forme. Mieux que ça, j'ai une proposition pour toi. Il s'agit de quelque chose d'important, Vincent. Cela me tracasse et m'empêche de dormir depuis trop longtemps.

À la fois curieux et quelque peu rassuré par le demi-sourire et l'air mystérieux de Frédéric, me voilà suspendu à ses lèvres de grand manipulateur. Ce que je peux aimer cet homme-là… Plus que tout au monde. À vrai dire, je me sentirais prêt à lui pardonner les pires bêtises et à l'attendre toute ma vie pour ne pas le perdre. J'accepterais même de le suivre jusqu'aux États-Unis pour le reste de mes jours afin de ne plus me séparer de lui. Mais je me garde bien de le lui avouer. Pas aujourd'hui, en tout cas.

— Alors, Frédéric, aboutis de grâce ! Fais-la, ta satanée proposition !

Je le vois tout à coup se lever et me prendre les mains en affichant un air grave et solennel.

— Que dirais-tu, Vincent, si d'ici à la fin de nos études, donc jusqu'à l'été prochain, on emménageait ensemble, dans le même appartement ? Sans doute le mien, puisque plus vaste et mieux situé.

— Vivre ensemble ? Je n'en reviens pas ! Je t'en avais pourtant glissé un mot avant ton départ pour Boston et tu avais refusé.

— Eh bien ! j'ai changé d'idée. Tu vois, je ne serai pas parti pour rien.

— Ce que tu me demandes là va au-delà de mes espoirs, mon amour. Pince-moi, ramène-moi à la réalité. Il y a quelques semaines à peine, je craignais de t'avoir perdu à jamais, et voilà que tu me proposes de vivre avec toi. Je vais me réveiller tantôt et me retrouver tout seul en soupirant dans ma cuisine, sur le point de manger un sandwich au jambon et au fromage avec un verre de lait. Il n'y aura pas de roses sur la table, tu n'auras pas téléphoné de la soirée, et je serai en train de m'inquiéter encore une fois.

— Non, Vincent, tu ne rêves pas, mais je n'ai pas fini. Mon projet va encore plus loin dans l'avenir. Si tout continue de bien se passer entre nous, nous pourrions peut-être nous marier l'été prochain, nous jurer solennellement et juridiquement fidélité pour le meilleur et pour le pire…

— Nous marier ? Quoi ? Un mariage gai ! Es-tu sérieux ?

— Pourquoi pas ? Tu adores les enfants et moi aussi. Mieux vaudrait former légalement un couple officiel si on veut, si on veut… Tu sais, Vincent, mon voyage à Provincetown n'a pas totalement tourné au fiasco. Au contraire, il m'a permis de voir clair, de préciser mon idéal et même d'élaborer sérieusement des plans pour plus tard. Le couple d'homosexuels chez qui j'ai habité pendant cette fameuse fin de semaine a adopté deux enfants, un bébé garçon et sa petite sœur tellement mignonne, tu ne peux pas t'imaginer. À eux quatre, ils forment une famille heureuse. Ça m'a donné des idées, tu comprends ? Je ne pouvais tout de même pas te parler de cette quatrième raison au téléphone. Alors, si tu te sens prêt à endosser ce rêve-là avec moi…

Si je me sens prêt ? Oh ! que si ! Cette fois, Frédéric dépasse les bornes. Je m'effondre dans ses bras, noyé dans une mer d'émotions. Moi, l'épouser et fonder un foyer avec lui ? Quel bonheur ! Je n'aurais jamais cru cela possible, même dans mes rêves les plus fous.

— Pour l'instant, Vincent, ne nous énervons pas avec tous ces beaux projets et prenons plutôt les choses une à la fois. Une grosse année se pointe devant nous : tu dois obtenir ton diplôme d'infirmier et moi, terminer ma maîtrise. Mettons-y d'abord nos priorités, le reste viendra en temps et lieu. Donne-moi la main et scellons un pacte pour le meilleur et pour le pire, tu veux bien ?

Conscient de la solennité de l'heure, je me mets à frissonner et me retiens difficilement d'éclater en sanglots. Yeux dans les yeux, main dans la main, nous nous regardons un long moment en silence avant de prononcer, d'une voix tremblante, les paroles que ni lui ni moi n'aurons le droit d'oublier.

— Vincent de Bellefleur, je jure de t'aimer pour le reste de mes jours, pour le meilleur et pour le pire.

— Frédéric Deschamps, je jure de t'aimer pour le reste de mes jours, pour le meilleur et pour le pire.

L'espace d'une seconde, une vision m'effleure l'esprit. Au-dessus du bouquet de roses, j'imagine mes deux grand-mères, Thérèse et Bérengère, m'envoyant la main, assises et se tenant bras dessus, bras dessous sur un nuage, souriant allègrement de voir leur petit-fils si heureux, en train de rêver à une descendance. Alors, j'éclate de rire en même temps que je pleure.

CHAPITRE 30

Un nouveau cycle de vie s'installe rapidement dans l'existence de Frédéric et dans la mienne, sous le signe de l'amour et du travail. Si les nuits ne manquent pas de chaleur dans le secret de notre chambre à coucher, nos journées, elles, se ponctuent de va-et-vient multiples, d'activités professionnelles et d'obligations à n'en plus finir de part et d'autre.

La petite salle à manger de l'appartement de mon amoureux s'est transformée en salle d'étude où prennent place, de chaque côté de la table, deux ordinateurs et une montagne de livres et de paperasses, cartables, fichiers, tablettes, crayons, carnets de notes, dossiers. Tout cela déborde sur le divan du salon et même sur le comptoir où nous nous astreignons maintenant à prendre nos repas. Les longs soupers en tête-à-tête, au vin et à la chandelle, les jambes allongées sous la table, nos « soupers cochons », comme Frédéric se plaît à les appeler, sont devenus des moments rares, exigeant trop de préparation et de remue-ménage dans la maison.

— Ne t'en fais pas, mon beau Vincent, ce n'est que partie remise, on a toute la vie pour se reprendre. Pour cette année, priorité aux études et conversion au *fast food*, rapidement expédié entre un résumé de cours et une fouille sur Internet.

Que m'importe ! Je n'ai jamais été aussi heureux de toute mon existence. De mener une vie de couple avec Frédéric dépasse mes aspirations les plus ardentes. Non seulement il me comble de tendresse et d'attention, mais il me respecte, m'accepte tel que je suis. Au naturel. Pour la première fois de ma vie, je me sens réellement devenu quelqu'un pour quelqu'un et je le lui rends bien, du moins je le pense.

De vivre ainsi en symbiose, sans frein à nos élans, libres de nous confier, spontanément et sans crainte, nos états d'âme, nos idées et nos projets, nos peines comme nos joies, tout cela représente, autant pour lui que pour moi, une merveilleuse découverte. Quand, nous retrouvant sur la même longueur d'onde, nous partageons des objectifs communs en même temps que de délicieux petits plaisirs au quotidien, je me crois au paradis. Appuyé sur ma jeunesse, je rêve à un bonheur d'une durée infinie.

L'autre soir, en grande discussion avec Frédéric, je n'ai pu m'empêcher de comparer notre existence pleine de promesses avec celle des vieillards que je côtoie chaque jour à l'hôpital.

— Tu sais, Frédéric, les aînés, eux, ne peuvent élaborer de projets et croire que leurs demains seront meilleurs quand l'avenir s'use et se raccourcit davantage à chaque jour. Quelle aberration ! Parfois, je me demande s'ils ne commencent pas à s'échapper dès la jeunesse, ces fameux demains.

— Hélas oui ! C'est la même chose pour nous, Vincent, sauf que ces demains s'avèrent plus nombreux. Infiniment plus nombreux.

— À quel âge, alors, le droit de rêver se perd-il, disparaît-il sous l'emprise du vieillissement ? À quel moment précis se définit le commencement de la décrépitude, la fin d'une vie normale ?

— Tu te trompes. Le vieillissement, mon chéri, fait partie de la vie normale et il représente un processus naturel subi à tout âge par tous les êtres vivants.

— Quel drame, tout de même, que celui de vieillir…

— Tu oublies une chose importante. Tous les vieux ont connu, comme toi, l'étape de la jeunesse. Comme toi, ils ont bonifié, intensifié leur présent, puis ils ont rêvé, fait des projets, élaboré des plans, se sont bâti un avenir. Et bon nombre d'entre eux l'ont réussi.

— Je sais, je sais, Frédéric, mais moi, à leur place, de voir l'échéance aussi proche me ferait paniquer.

— Regarde monsieur Onil, le voisin d'à côté. À quatre-vingt-dix-huit ans, il vit tout seul dans son logement et cultive encore des fleurs sous ses fenêtres. Et il se prépare à passer, une fois de plus, quelques mois d'hiver en Floride avec sa blonde, une petite jeune de quatre-vingt-quatre ans ! N'est-ce pas merveilleux ? Tous les aînés ne sont pas nécessairement hébergés en résidence ou en centre hospitalier. J'ai justement lu dernièrement que seulement trente-deux pour cent des personnes de plus de quatre-vingt-cinq ans vivent en établissement. Les clubs de l'âge d'or regorgent de membres qui profitent encore joyeusement de la vie malgré leurs petits bobos. On n'en parle pas assez, de tous ceux-là qui connaissent une vieillesse heureuse et sereine.

— Tu n'as pas tort. Mes clients du CHSLD me font oublier les bien portants.

— Tu ne sais pas quoi ? À son retour de Floride, l'an dernier, monsieur Onil m'avait annoncé avoir réservé, pour une autre année, son petit appartement là-bas. À son âge, je l'avais trouvé pas mal téméraire. Eh bien ! il avait raison : il pète le feu et va repartir vers le sud dans quelques semaines. Et avec sa petite madame, en plus !

— Génial ! Ça remonte le moral de savoir ça. L'espoir peut donc exister même à cet âge-là. Je ne vais pas l'oublier.

— Dis-toi bien, Vincent, que le fait de vieillir constitue un cadeau de la vie. Les aînés ont eu le privilège de se rendre jusque-là, alors que d'autres se font couper le souffle en pleine fleur de l'âge. Tu te poses trop de questions, mon amour. Cesse de philosopher et vis donc l'instant présent, un jour à la fois. Profitons de chaque moment, peu importe où, quand, comment. Voilà la morale de toute cette histoire.

— Frédéric, où prends-tu cette belle sagesse-là ?

— Bof, tu sais... Pendant toute mon adolescence, j'ai entendu ma mère, enquêteuse pour la jeunesse, nous rapporter toutes sortes de cas dramatiques qui nous impressionnaient, nous, les enfants. Mais elle avait élaboré sa propre philosophie et finissait toujours par nous dire : « Soyez vous-mêmes, faites de votre mieux et vivez intensément l'instant présent chaque jour. Le reste, s'il a à venir, viendra bien en son temps. On ne traverse pas la rivière avant d'y être rendu. » Je n'ai jamais oublié ça.

Cette prise de conscience rejoint les impressionnants discours tenus par Francis lors de notre premier stage en CHSLD. Je me rappelle comme il prêchait la politique du moment présent et affirmait que la moindre petite douceur, le moindre petit plaisir procuré à une personne âgée suffisaient à la rendre heureuse et à éclairer sa journée. Sur le coup, je ne comprenais pas vraiment cela, mais à la longue la leçon a fait son chemin. *Consoler sans cesse...*

De là ma décision de travailler en centre d'hébergement et de soins de longue durée, puisque je connais la recette pour adoucir, un jour à la fois, la dureté du grand âge. Ce rayon de soleil quotidien, je le possède maintenant en moi et je saurai bien l'offrir aux aînés.

De là, également, me viennent l'ambition et le courage de mener à bonne fin cette dernière année d'études en technique de soins infirmiers. Mon intention ne se borne pas à la simple obtention du diplôme collégial, mais réside surtout dans la réussite des examens d'admission de l'Ordre des infirmières et infirmiers du Québec afin d'obtenir mon permis d'exercer la profession. Cela devient de plus en plus une obsession pour moi au fur et à mesure que le temps avance. Frédéric semble sur la même trajectoire, rédigeant passionnément son mémoire de maîtrise et se préparant à le présenter d'ici peu devant un comité universitaire fort pointilleux et exigeant.

Qui donc a écrit qu'« aimer, c'est regarder ensemble dans la même direction » ?

Les mois s'écoulent, un à un et sans histoire, pour les gens heureux que Frédéric et moi sommes devenus. Le temps me mène néanmoins vers le but ultime : les examens. Après une rigoureuse révision et deux longs stages étalés sur plusieurs semaines en chirurgie, premiers soins, soins ambulatoires et autres, une sérieuse et définitive évaluation de la part de nos professeurs du cégep se présente enfin, avec l'arrivée du printemps. Le niveau de stress et de nervosité des étudiants de la classe est palpable. Et cela n'est rien, paraît-il, en comparaison des examens de l'Ordre[16].

Pour ma part, je supporte mal cet excès d'électricité dans l'air, et il s'en faut de peu pour que j'éclate pour des vétilles tant je suis stressé. L'autre soir, Frédéric, sans le faire exprès, a déclenché l'explosion. Le voyant ajouter une quantité phénoménale de sel à son spaghetti, je n'ai pu m'empêcher de le lui reprocher vertement.

— Pourquoi fais-tu ça, Frédéric ? Le sel durcit les artères, tu le sais bien. Tu veux mourir jeune ?

— Cette sauce ne goûte absolument rien. Pouah ! Je mourrai peut-être d'une crise cardiaque, mais au moins j'aurai avalé quelque chose de mangeable.

— C'est ça, dis-le, que je suis nul en art culinaire ! Et dis-le aussi, que tu ne tiens pas à la vie plus que ça ! La vie avec moi, je suppose ?

16. Ordre des infirmières et infirmiers du Québec.

— Oh ! excuse-moi, mon beau Vincent, ne le prends pas de cette façon. Je ne voulais nullement te blesser, voyons ! Je croyais cette sauce achetée toute faite au magasin.

La scène s'est terminée dans le lit, bien sûr, par une douce réconciliation. Ah ! que vienne le temps où Frédéric et moi nous convertirons enfin en des citoyens ordinaires du monde, simples travailleurs avec un emploi officiel et durable, un horaire de travail précis et un salaire assuré. Là, seulement, nous pourrons élaborer de véritables projets d'avenir. En attendant, pour l'instant présent, nous devenons des spécialistes dans la gestion du stress.

Je me refuse de rêver au « bébé garçon et à sa petite sœur tellement mignonne » adoptés par le couple gai américain, mais malgré moi, leurs beaux visages viennent parfois chatouiller mon imagination. Alors, je les chasse vite de mon esprit et je reprends mes notes de cours, me gardant bien d'en parler à mon conjoint.

Mon évaluation par le cégep m'a finalement obtenu un magnifique DEC[17] et autorise mon inscription aux examens professionnels de l'Ordre. Jusqu'à la date fatidique des ECOS, je ne dors plus et me montre intransigeant et nerveux.

— Pas parlable ! affirme Frédéric, en levant les yeux au ciel.

— Peut-être, mais si j'échoue, je vais demeurer préposé aux bénéficiaires pour le reste de mes jours ou bien je devrai passer les examens pour devenir infirmier auxiliaire, peux-tu comprendre cela ? Et ça ne me tente pas du tout.

— Tu n'auras qu'à aller aux examens de reprise, c'est simple.

— T'es pas fou ? Jamais dans cent ans ! Je ne vais certainement pas recommencer tout ça !

17. Diplôme d'études collégiales.

Faisant preuve de compréhension et de patience, Frédéric me donne la main, m'encourage, me libère autant que possible des tâches domestiques.

— Tu t'en fais pour rien, Vincent. Tu vas devenir le meilleur infirmier de la province, je n'en doute pas un instant.

Le temps des examens de l'Ordre survient enfin. Je suis mort de peur, comme si j'appréhendais un tremblement de terre. Les évaluations se présentent en deux volets, le premier exigeant des réponses écrites, le deuxième évaluant la capacité d'intervention clinique du candidat.

La section écrite dure une journée complète, divisée en deux parties, chacune comportant cinquante questions à développement. Malgré mon système nerveux sur le point d'exploser, je réussis à me concentrer favorablement et me débrouille assez bien pour trouver les réponses. Ainsi, je sais comment agir devant le cas d'une enfant de quatre ans arrivée à l'hôpital avec une fracture de l'humérus, mais présentant en même temps de multiples ecchymoses sur tout le corps. Les versions différentes des deux parents sur l'incident ayant causé tous ces problèmes me mettent la puce à l'oreille, et je rédige un constat de violence exigeant une importante investigation.

Je réagis correctement aussi au sujet du patient à qui on vient d'enlever un rein et qui tient des propos incohérents et souffre d'hallucinations visuelles plusieurs heures après son retour de la salle d'opération. Je donne les bonnes directives pour la surveillance clinique et réussis à nommer deux des trois facteurs susceptibles d'altérer l'état mental du patient dans un tel contexte. Tant pis pour le troisième facteur, je ne me le rappelle plus !

Je recommande également les interventions appropriées pour soulager la détresse respiratoire d'une vieille dame de quatre-vingt-trois ans, hospitalisée pour une surinfection des bronches. Même chose pour les autres questions, auxquelles je trouve assez bien les réponses. Bref, je ne gagnerai pas la médaille d'or du meilleur élève, mais je vais probablement m'en tirer plutôt honorablement.

Pour le volet d'intervention clinique, les ECOS, ces examens pratiques basés sur des scénarios en temps réel, représentent bien autre chose et constituent un sérieux marathon au niveau du stress et de la concentration. La vraie bête noire des étudiants ! J'envie Marc-Olivier de s'en sauver, car son diplôme d'études collégiales a suffi à le faire admettre à la faculté des sciences infirmières de l'université pour l'obtention d'un baccalauréat. Chanceux, va ! Mais son tour viendra bien un jour, dans quelques années, et les questions s'avéreront sans doute encore plus difficiles.

Le matin des ECOS, presque une heure avant le début, j'aperçois deux filles de la classe trépigner de nervosité parmi les étudiants serrés les uns contre les autres et ne tenant plus en place dans le corridor de l'hôpital. Je m'étonne moi-même de trouver le courage d'aller les rassurer. Je joue à l'homme fort et protecteur, mais, au fond, j'espère seulement dissiper mes propres épouvantes par mes paroles réconfortantes,

— Ayez confiance, les filles. Si vous avez effectué de bons stages et pris vos études au sérieux depuis trois ans, il n'y a aucune raison de vous inquiéter. Au contraire, plus on s'énerve, plus on perd ses moyens, et moins on met les chances de son côté.

Convoqués à huit heures du matin dans l'aile des cliniques externes d'un centre hospitalier, nous recevons, en groupe, les instructions quant au déroulement de l'examen. Quelques chaises droites pour les pauses sont disposées entre les dix-sept stations où nous attendent des acteurs prêts à jouer le rôle de différents patients selon des scénarios préétablis.

Au son de la cloche, chaque élève doit pénétrer dans une station, où il sera placé devant une situation concrète. Il s'agit alors de lire les consignes, puis d'interagir avec le pseudo-patient et d'effectuer la tâche requise dans les dix minutes allouées. Quand la sonnerie retentit de nouveau, l'élève dispose d'une minute pour se déplacer et passer à une autre station.

Pratiquement tous les thèmes traités au cours des trois dernières années sont représentés : familles, personnes âgées, enfants, chirurgies, infections, troubles mentaux, soins palliatifs, traumatismes, priorité des soins, et bien d'autres.

L'examen dure plus de trois heures et demie. À trois reprises, on octroie une courte période de repos de dix minutes sur les chaises du corridor. Temps idéal pour le pauvre étudiant de se troubler encore davantage en se remémorant les scénarios précédents et de se reprocher ses erreurs ou ses oublis. Et surtout de s'énerver pour les prochains !

Que voilà un procédé efficace pour évaluer le degré de sang-froid et le jugement juste et rapide ! Manifestement, tous s'en sortent vivants, mais la plupart se montrent fort mécontents et peu optimistes, convaincus de leur piètre performance. Moi le premier.

Depuis bientôt deux semaines, je vis avec l'angoisse sur le cœur d'avoir raté cet examen. Comme les résultats mettent plus de deux mois et demi à paraître, je me garde bien, pour le moment, de partager ma hantise avec mon amoureux. Puisqu'il doit présenter son mémoire à l'université dans quelques jours, Frédéric a besoin de toutes ses énergies et de toute sa concentration. À mon tour de le dorloter et de l'encourager.

Il me reste tout de même une grande consolation : le CHSLD Sainte-Marie-Ange, le centre d'hébergement et de soins de longue durée où j'ai effectué mon tout premier stage, accepte de m'embaucher à temps plein pour l'été comme CEPI[18], à partir du premier juillet. Si j'obtiens finalement mon permis de l'Ordre des infirmières et infirmiers du Québec, on promet de rajuster mon salaire et de réaménager ma tâche sur une base permanente. Je suis très content

---

18. Candidat à l'exercice de la profession d'infirmier ou d'infirmière.

de me retrouver dans ce lieu où j'ai connu Bérengère et fêté Noël avec elle, où j'ai égayé le réveillon sur le vieux piano et célébré l'anniversaire d'un groupe de pensionnaires. Je me promets bien de recommencer.

Frédéric est sorti de sa soutenance de mémoire plus optimiste que moi. Sa firme d'ingénieurs-conseils l'engage maintenant à temps plein, en attendant une réponse favorable pour l'obtention d'une bourse qui lui permettrait de poursuivre ses recherches sur les prothèses du genou. Deux compagnies spécialisées dans ce genre de produits se montrent également intéressées par le projet. Voilà une belle histoire à suivre ! Inutile de préciser que nous attendons le passage du facteur chaque jour en retenant notre souffle !

Petit à petit, le stress s'amoindrit et le naturel se réinstalle entre nous. Comme nous le souhaitions, nous nous apparentons maintenant à des employés ordinaires, gagnant honnêtement notre vie sur le marché du travail. Nous commençons surtout à ressembler à de vieux conjoints, désirant éperdument écouler toute notre existence l'un à côté de l'autre. Frédéric prend plaisir, d'ailleurs, à m'appeler « mon vieux » en riant.

Un soir du début de juin, il m'arrive avec un air mystérieux.

— L'*Appassionata* de Beethoven, ça te dit quelque chose ?

— Évidemment, pourquoi me demandes-tu ça ?

— Alain Lefèvre présentera cette sonate le soir de la Saint-Jean, dans une petite salle de concert de Baie-Saint-Paul.

— De Baie-Saint-Paul ? Mais…

— Mais quoi ? Par ma faute, on a manqué notre visite de Charlevoix, l'été dernier. Rien ne nous empêche de nous reprendre cette année, qu'en penses-tu, mon vieux ? J'ai même réservé un site magnifique dans un camping de la région.

— Frédéric, je t'adore !

CHAPITRE 31

Tout au long de l'été, il est venu la visiter chaque jour, lui apportant des fleurs, des fraises, des framboises, selon la saison. Tant qu'elle en a été capable, il l'a emmenée dehors dans son fauteuil roulant jusque dans le jardin du CHSLD. Il la soulevait dans ses bras pour l'installer confortablement dans l'une des grandes balançoires, puis il l'enveloppait dans une couverture. Je ne sais pas ce qu'il lui racontait, mais je les voyais rire tous les deux et je me disais que, même très âgés, ils étaient heureux. Parfois, je les entendais chanter tout doucement, et cela me réconciliait avec le vieillissement, cette ultime étape de la vie qui me rend si confus.

Maintenant que vient le temps des bleuets, elle n'arrive plus à les avaler. Délia va mourir, elle n'en a plus que pour quelques jours, sinon quelques heures. En phase terminale d'un cancer du foie, la vieille dame s'éteint petit à petit depuis quelques mois. Contre toute prévision médicale, elle a réussi à prolonger sa pulsion de vivre jusqu'à aujourd'hui, grâce à son bonheur d'aimer et d'être aimée. Mais tôt ou tard, la nature finira par dire son dernier mot, et ce sera pour très bientôt, je le crains.

Si, au tout début de l'été, le mari ne manquait jamais de me saluer joyeusement en passant au pas de course, depuis quelques jours, Ambroise n'allonge plus le pas, mais s'attarde plutôt devant le poste de l'unité, l'angoisse assombrissant son visage, pour s'informer de l'état de sa femme. A-t-elle passé une bonne nuit ? A-t-elle bien mangé ce midi ? Semble-t-elle souffrante, aujourd'hui ? Soixante-quatre ans de mariage… La perspective de sa dissolution prochaine ne s'accepte pas facilement pour le malheureux homme.

— Non, mon bon monsieur, Délia ne va pas mieux, aujourd'hui. Non, elle n'a pas dormi et, non, elle n'a pas mangé. Mais dépêchez-vous, elle vous attend.

Et jour après jour, Ambroise, de plus en plus anxieux, tenant son petit bouquet de fleurs à bout de bras comme on porte un lampion, pénètre dans la chambre sur la pointe des pieds, au cas où enfin elle dormirait. En général, elle ne dort pas, elle l'attend. Je les entends jaser et rire. Parfois, il lui turlute des chansons à l'oreille. D'autres fois, je les trouve endormis tous les deux, elle, la tête enfoncée dans ses oreillers et lui, ronflant à qui mieux mieux dans le fauteuil qu'il a rapproché tout près du lit. Tableau bouleversant, s'il en est…

Hélas, en ce petit matin ensoleillé de la fin d'août, la condition de Délia s'est gravement détériorée. La Faucheuse ne peut plus résister et a annoncé son entrée imminente vers la fin de la nuit. À mon grand regret, je n'ai pas le choix de sonner l'alarme et de téléphoner à monsieur Ambroise.

— Si vous voulez la voir une dernière fois vivante…

Il vient en taxi, les traits tirés, sans fleurs ni sac rempli des gâteries coutumières. Devant mon air désolé, il me lance :

— Elle est prête. Ne vous en faites pas, nous sommes prêts tous les deux, vous savez. Ainsi va la vie…

Contrairement à ses habitudes, il referme la porte derrière lui après avoir pénétré dans la chambre. Ah ? Quarante minutes plus tard, je m'approche tout doucement de la porte, seringue à la main.

L'heure de la morphine vient de sonner. Je m'avance à pas de loup, de peur de déranger, et je frappe quelques petits coups discrets sans obtenir de réponse. J'entends pourtant chanter à l'intérieur, mais je n'arrive pas à croire qu'Ambroise a ouvert le poste de télévision. Tranquillement, j'entrouvre la porte et assiste à une scène que je n'oublierai jamais.

Penché au-dessus de sa femme, Ambroise chante, de sa magnifique voix de ténor, une chanson que je reconnais pour l'avoir entendue et apprise par cœur, un certain soir de l'été dernier, entonnée sous les étoiles par une fille de ma classe devant un feu de camp. Une composition de Gilles Vigneault, l'une des plus belles chansons d'amour que j'aie jamais entendue. De celles que l'on retient...

Pendant qu'un peu de temps
Habite un peu d'espace
En forme de deux cœurs,
Pendant que sous l'étang
La mémoire des fleurs
Dort sous son toit de glace,
Moi, moi, je t'aime,
Moi, moi, je t'aime...

« Moi, moi, je t'aime... » Je ne sais pas pourquoi Ambroise chante ainsi à tue-tête, seul dans la chambre auprès de sa femme endormie, lui qui, d'habitude, se contente de murmurer près de son oreille, d'une voix douce et caressante. Quand il m'aperçoit, il se relève promptement comme un petit garçon pris en défaut.

— Excusez-moi, je voulais qu'elle m'entende jusqu'à la fin et qu'elle emporte ma voix avec elle, là où elle s'en est allée.

— S'en est allée... Voulez-vous dire que...

— Oui, Délia est partie, il y a à peine quelques minutes.

Après vérification, je constate en effet l'absence totale de signes vitaux chez la femme. Dépité, je me sens triste et bouleversé. Étrangement, c'est Ambroise qui cherche à me consoler, et non l'inverse.

— Vous savez, monsieur Vincent, comme le dit la chanson, « la mémoire des fleurs dort sous son toit de glace ». La glace, ça sert à conserver, non ? Je sais que cette mémoire ne mourra pas sous les glaces du vieillissement. Ceux qui partent continuent de vivre et d'avoir une place au soleil dans le cœur de ceux qui restent. Tant et aussi longtemps que je n'irai pas rejoindre Délia là où elle se trouve maintenant, je n'arrêterai pas de penser à elle et de lui chanter « Moi, moi, je t'aime »…

Quand je quitte la chambre, quelques minutes plus tard, Ambroise est agenouillé à côté du lit de sa bien-aimée et persiste à fredonner, à voix basse cette fois, les mots de la chanson. Soudain, ces mots apportent enfin une réponse à mes questionnements sur le vieillissement. Je sais maintenant que la mémoire perpétue les fleurs de la vie et que celles-ci rejailliront quelque part dans un ailleurs, un jour de printemps, tout comme un jeune garçon s'est relevé d'une croix sur la neige, un jour de tempête d'hiver.

Au moment même où je termine mon quart de travail, je bute contre Frédéric qui m'attendait à la porte du CHSLD, brandissant une lettre marquée du logo de l'Ordre des infirmières et infirmiers du Québec.

— Regarde, Vincent, j'ai trouvé ça dans le courrier en arrivant à la maison et je n'ai pu attendre ton arrivée. J'ai préféré venir à ta rencontre et te l'apporter au plus vite.

D'une main nerveuse, je décachette l'enveloppe. Ai-je obtenu mon permis, oui ou non ? Ah ! mon Dieu, faites que oui ! Étranglé par l'émotion, je cherche mon souffle et n'arrête pas de trembler.

— Oui ! Oui ! C'est oui, Frédéric. J'ai réussi mes examens, je suis maintenant un vrai infirmier. On l'a écrit, ici, en toutes lettres sur cette page. Regarde !

C'est fou, je me mets à pleurer comme un bébé en tombant dans les bras de Frédéric, là, tout bêtement, dans le hall d'entrée du CHSLD.

— Viens-t'en, mon amour, on va fêter ça au resto. Parce que, moi aussi, j'ai une bonne nouvelle à t'apprendre. J'ai reçu un appel de l'université, cet après-midi. Dorénavant, tu pourras m'appeler maître Deschamps.

— Oh ! Frédéric, tu as réussi ta maîtrise ! Comme je suis fier de toi ! Félicitations, tu le mérites tellement !

— Et toi, donc ! À nous, maintenant, les projets. Que dirais-tu si… si on se mariait ?

Je ferme les yeux avec délice afin de goûter l'un des plus beaux moments de ma vie. Insidieusement, les mots de la chanson interprétée par Ambroise résonnent encore dans ma tête. Follement, là, sur le perron d'un CHSLD où j'ai l'intention de me dévouer professionnellement, je me mets à les turluter.

Pendant qu'un peu de temps
Habite un peu d'espace
En forme de deux cœurs…

—On va s'arranger pour étirer ce peu de temps et ce peu d'espace pendant très longtemps, hein, mon amour ? Parce que « moi, moi, je t'aime » …

Frédéric, qui ne s'attendait certainement pas à une telle réaction de ma part, me sourit de toutes ses dents.

FIN